LA R

JEAN RENOIR

La Règle du jeu

nouveau découpage intégral

ÉDITION ÉTABLIE, PRÉSENTÉE ET ANNOTÉE
PAR OLIVIER CURCHOD

seconde édition, revue et corrigée

LE LIVRE DE POCHE

Olivier Curchod, ancien élève de l'École normale supérieure, professeur agrégé, enseigne les lettres classiques dans un lycée parisien et le cinéma à l'université Paris III – Sorbonne nouvelle. Il a publié sur Jean Renoir, dans la collection « Synopsis » de Nathan, des études de *La Grande Illusion* (seconde édition revue et corrigée en 1998) et de *Partie de campagne* (1995), et achève actuellement une thèse de doctorat sur *La Règle du jeu*. Il vient de faire paraître chez Nathan, en collaboration avec Christopher Faulkner, le scénario original inédit de *La Règle du jeu*.

à Jacques Maréchal,

Jean Gaborit (†)

et Jacques Durand

Parmi les personnes et amis qui m'ont prêté une oreille, un avis ou un conseil lors de la préparation de ce livre, je voudrais en remercier plus particulièrement deux :

Florence, d'abord, dont la présence discrète et attentive fut un encouragement de chaque instant.

Et puis François Thomas, bien sûr, le confident et l'arbitre infatigable des pages que l'on va lire.

À tous ma gratitude.

INTRODUCTION :

La Règle du jeu entre légende et histoire

Lorsque, à l'automne 1938, Jean Renoir lance le projet de ce qui va devenir *La Règle du jeu*, il a quarante-quatre ans et déjà vingt-trois films à son actif.

Fils du célèbre peintre impressionniste Auguste Renoir mais fasciné par cet art « nouveau » qu'est le cinéma, découvert par lui durant la Grande Guerre, il a réalisé son premier film en 1924 grâce à la fortune colossale héritée de son père et afin de donner sa chance à sa première femme, Catherine Hessling, un ancien modèle qui veut devenir actrice. Sous sa direction, elle fut l'héroïne de *La Fille de l'eau* (1924), de *Nana* (1926), de *La Petite Marchande d'allumettes* (1928). Impressionné par la puissance d'expressivité qu'il trouve dans le cinéma américain, Renoir se captive d'emblée pour les prouesses techniques et les expérimentations formelles. Jusqu'à la fin du muet, il alterne films de commande et œuvres personnelles sans parvenir vraiment à s'imposer.

L'arrivée du parlant lui permet de confirmer sa maîtrise du métier avec des comédies tirées du boulevard (*On purge bébé* en 1931, *Chotard et Cie* en 1933), mais c'est surtout dans des films où s'exprime sa veine grinçante et débonnaire que, servi par le génial Michel Simon (*La Chienne* en 1931, *Boudu sauvé des eaux* en 1932), il laisse enfin éclater un talent hors pair. Ses nombreuses audaces de ton et de forme, son esprit foncièrement indépendant déroutent souvent et rebutent. Connaissant succès et échecs, il manque, après dix ans de carrière, la consécration à laquelle il aspire en voyant son admirable *Madame Bovary* amputé d'un tiers par les producteurs avant sa sortie.

Renoir s'ouvre alors au courant social qui se développe à cette époque. Il tourne en Provence, grâce à l'appui de Marcel Pagnol, un film dont les personnages sont de simples manœuvres italiens (*Toni*, 1934), puis l'histoire d'une coopérative ouvrière (*Le Crime de monsieur Lange*, 1935) où domine l'esprit du groupe Octobre et de Jacques Prévert qui en écrit les dialogues. Il devient, à l'aube de l'année 1936, un « compagnon de route » du parti communiste en plein essor pour lequel il réalise un film de propagande *(La vie est à nous)*. Travailleur boulimique, il enchaîne film sur film. C'est alors un de nos cinéastes les plus en vue, bien que *Les Bas-Fonds* (1936), qui reçoit le premier prix Louis-Delluc, déçoive le public qu'il devait toucher.

L'accueil unanime et triomphal réservé quelques mois plus tard à *La Grande Illusion* (1937), œuvre de la maturité, apporte à Renoir une reconnaissance indiscutable et fait de lui une valeur sûre aux yeux du système. Après une dernière concession à son engagement politique (*La Marseillaise*, sorti au début de 1938, belle fresque à la gloire du petit peuple de 1792, mais nouvel échec public), il réalise *La Bête humaine*, film phare de l'année servi par les deux « stars » Jean Gabin et Simone Simon, qui à la Noël 1938 fait un nouveau triomphe.

Égal de ses pairs, familier des vedettes, adulé par une équipe fidèle qui l'appelle amicalement « le patron », Renoir a désormais les coudées franches pour entreprendre son projet le plus ambitieux et le plus personnel, *La Règle du jeu*[1].

---

1. Les informations contenues dans les pages qui suivent sont partiellement redevables aux travaux des deux meilleurs exégètes français de l'histoire de *La Règle du jeu*, André-G. Brunelin, le pionnier constamment pillé depuis, et l'infatigable détective de Renoir Claude Gauteur. Pour une connaissance approfondie de *La Règle du jeu* et de sa genèse, on se reportera à Olivier Curchod et Christopher Faulkner, *« La Règle du jeu », scénario original de Jean Renoir*, Nathan, coll. « Cinéma », 1999.

Ambitieux, ce projet l'est assurément, et il repose sur des paris multiples. D'abord acquérir l'indépendance financière tant de fois recherchée : en novembre 1938, Renoir fonde (avec son jeune frère Claude, un de ses amis d'enfance, Camille François, l'assistant réalisateur André Zwobada et un professionnel de la production, Olivier Billiou) sa propre société, la Nouvelle Édition française (NEF), destinée non seulement à produire et distribuer ses films, mais aussi à accueillir les projets de ses confrères. *La Règle du jeu* sera la première réalisation de ces « Artistes associés » à la française – il en sera aussi la dernière.

Producteur, Renoir se veut aussi, contre les habitudes du système, seul scénariste et dialoguiste, et s'offre de surcroît la concrétisation d'un rêve souvent caressé, celui d'interpréter un des premiers rôles de son film. Cette qualité d'homme-orchestre est sans conteste ce qui frappa le plus les commentateurs de l'époque qui se firent largement l'écho d'une telle gageure, inédite alors dans le cinéma français.

Le film doit être aussi pour le metteur en scène l'occasion de porter à leur plus haut point de perfection ses expérimentations formelles. Tirant parti, par exemple, de son expérience du muet, il compte systématiser la prise de vues en profondeur de champ, mais curieux, dans le même temps, de toutes les nouveautés techniques, il songe à réaliser, à l'instar de quelques Américains, son premier film... en couleurs (le projet, sans doute plus fantaisiste que réaliste, était discuté quelques jours encore avant le début du tournage). L'intéresse également la combinaison, voire l'imbrication, des espaces naturels et des décors reconstitués en studio. D'où l'idée de faire reposer l'intrigue sur deux sommets complémentaires, une partie de chasse à tourner en plein cœur de la Sologne, puis une fête débridée dans un château dont l'imposante enfilade des pièces serait reconstituée en studio. La représentation de tels espaces induit un autre défi, celui de l'enregistrement des sons : aux extérieurs le pari de rendre dans leur pureté bruits et dialogues en son direct, au studio la possibilité de jouer de l'étagement artificiel des différentes sources sonores disséminées dans l'immensité du décor.

Dernière gageure, mais la liste n'est pas limitative, celle de travailler avec les comédiens en abolissant autant que possible les bornes que constituent la segmentation du montage et l'étroitesse traditionnelle de leur aire de jeu. La mise en œuvre d'une telle volonté, souvent affirmée par le cinéaste à l'époque – et qui répond d'abord au désir d'essayer de nouvelles méthodes dans sa direction d'acteurs (rendue plus passionnante encore par sa propre présence au sein de la troupe) –, est commandée par la réussite des autres défis.

Quant au sujet retenu pour ce film, en décidant de fonder le développement de l'intrigue et des personnages sur *Les Caprices de Marianne* (1833) de Musset – ce sera le titre du premier synopsis du film, déposé au début du mois d'octobre 1938 en plein tournage de *La Bête humaine* –, Renoir entend s'affranchir de son époque en transposant paradoxalement dans le monde moderne (après le roman de Zola) ce qui, dans le mythe d'Octave, Marianne et Coelio, est de toutes les époques. À l'engagement au monde qui avait caractérisé certains de ses précédents films doit se substituer ainsi, dans son esprit, l'expression d'un bilan intime : la fausse comédie de Musset constituera un socle sur lequel vont se déposer en couches successives non seulement les romans, pièces, musiques, films et autres œuvres de chevet qui ont forgé, malgré son apparent débraillé, cet authentique « honnête homme », mais aussi les résurgences et les méandres de sa vie hors du commun.

Contrairement à une légende tenace – à l'édification de laquelle Renoir participera lui-même dans les années cinquante – qui voudrait faire croire que Renoir « improvisait » ses scénarios, l'écriture de *La Règle du jeu* constitue, comme pour les autres films du cinéaste, la clé de voûte qui gouverne le reste de son entreprise. Ici entouré de quelques complices (Carl Koch, et sans doute Camille François et André Zwobada), il polit sans relâche, dans le champ clos que constitue chaque scène, le dessin des personnages et la courbe du dialogue. Une demi-douzaine de synopsis et d'innombrables brouillons du scénario suffisent à montrer non que, certains de ses détracteurs l'écrivirent, il ne savait pas ce qu'il voulait, mais bien au contraire qu'il recherchait la forme la plus juste de ce que seul il savait vouloir exprimer. Que dans un second temps le texte, comme libéré de cette contrainte initiale qui en a fixé le cap, sache accueillir suggestions ou modifications avant voire pendant le tournage (au point que répliques et personnages parussent alors vivre une vie autonome), voilà sans doute qui a pu faire croire que, chez Renoir, l'étape de l'écriture était de moindre importance.

Dans le cas de *La Règle du jeu*, la question se complique néanmoins de ce que – mais ce n'est pas la première fois dans la carrière du cinéaste – la multiplicité des personnages, l'ambition d'une intrigue foisonnante, les variations à venir dans la distribution des rôles, et, surtout, les nombreuses activités annexes que Renoir menait en parallèle (achèvement de *La Bête humaine*, puis collaboration au scénario de *L'Or du « Cristobal »* de son ami Jacques Becker) retardèrent l'écriture du scénario : celle-ci dut se poursuivre en janvier et février 1939 pendant que se préparait le tournage, et se préciser même une fois le tournage engagé. Mais que l'on n'aille pas s'exagérer on ne sait quelle prééminence d'agents extérieurs dans l'évolution du scénario de *La Règle du jeu* ni dans celle des intentions de son maître d'œuvre.

L'attribution des rôles donna lieu à de nombreux remaniements et fera couler beaucoup d'encre. Sans entrer dans le détail, on peut tirer de cette question plusieurs enseignements pour la connaissance de Renoir et de son film.

L'ambition initiale s'étendait jusqu'à la volonté de réunir une affiche éblouissante. Il suffira de dire ici que, avant d'engager, pour interpréter ses personnages principaux, Marcel Dalio, Nora Gregor, Roland Toutain, Paulette Dubost, Mila Parely, Gaston Modot et... lui-même, Renoir avait à un instant ou à un autre songé, respectivement pour ces mêmes rôles, aux vedettes Claude Dauphin, Simone Simon, Fernand Gravey[1], Madeleine Robinson, Arletty, Fernand Ledoux et son frère Pierre Renoir. On peut sans doute trouver quelque amusement à imaginer ce qu'aurait été *La Règle du jeu* avec tel ou tel. Il demeure surtout que le projet de présenter une galerie de personnages incarnés par des vedettes, qui n'est pas une nouveauté en soi, donne davantage encore la mesure du projet, et permet de mieux apprécier, nous y reviendrons, l'incompréhension relative à laquelle se heurtera le film.

La distribution définitive appelle deux commentaires. Le premier est que Renoir dispose, comme souvent dans le passé, d'un laboratoire de comédiens, si l'on peut dire, qui associe des familiers de ses films antérieurs (Dalio, Carette, Modot, Talazac, Gérard, Larive, Hélia...) à de nouveaux venus (Gregor, Dubost, Toutain, Magnier, Nay, Parely...). Ce laboratoire mêle en outre des comédiens attendus dans leur rôle (Dubost, Carette, Debray, Larive, Magnier, Modot, Forster...) et d'autres engagés à contre-emploi (Dalio, Toutain, Parely) – pour ne rien dire de l'Autrichienne Nora Gregor ni de Renoir lui-même. Le cinéaste, dans l'équilibrage entre ses personnages autant que dans sa façon d'en diriger les interprètes, tirera évidemment parti de cette passionnante mosaïque. Que chaque comédien ait en outre exercé, volontairement ou malgré lui, une influence occasionnelle sur lcs contours du personnage qu'il incarne, voilà une vérité d'évidence qui ne suffit pas à prouver la « modernité » qu'on veut parfois y voir. Avec Renoir, il en va des comédiens comme des scènes qu'il a écrites : contretemps et revirements, qui chez un autre menaceraient ou ruineraient l'entreprise, sont chez lui aussitôt assimilés et réinvestis au profit d'une œuvre dont la voilure est suffisamment lâche et solide pour accepter les sautes de vent.

Le second commentaire est que, ainsi doté, *La Règle*

---

1. Pour incarner l'aviateur, on cite parfois même le nom de Jean Gabin. Son association avec Simone Simon aurait reformé le couple à succès de *La Bête humaine*. Proposons le raisonnement inverse : imagine-t-on le succès public de ce film-ci privé de ses deux stars ?

du jeu prenait de gros risques : la multiplication des contre-emplois, la promotion dans des rôles de premier plan de quelques comédiens inconnus ou traditionnellement catalogués dans des emplois secondaires et, sans doute aussi, le fait qu'aucun des personnages ne soit nettement reconnaissable comme le protagoniste de l'intrigue, voilà qui suffit à expliquer – mieux que le sempiternel argument dénonçant le prétendu manque de talent de tel ou tel – que le film ait payé indirectement cher la troupe qu'il offrit à son public. Pourtant, et ce n'est pas un de ses charmes les moins puissants, imagine-t-on aujourd'hui *La Règle du jeu* servi par d'autres acteurs, quels que soient les dons que parfois l'on chipote encore à certains d'entre eux ? Mieux : quel autre film a identifié à ce point un comédien, eût-il fait carrière ailleurs, au personnage qu'il y incarne ?

Si l'attribution des rôles posa quelques difficultés, on ne peut pas en dire autant pour la constitution de l'équipe d'artisans à qui Renoir confia la préparation et la réalisation technique de son film. Autour du cinéaste se trouvait ainsi réunie sa garde rapprochée des meilleurs professionnels du moment qui, des opérateurs Bachelet et Alphen aux décorateurs Lourié et Douy en passant par l'ingénieur du son de Bretagne, avaient tous en commun plusieurs films avec le « patron ». Aussi la préparation du tournage put-elle s'enchaîner comme par enchantement – dans la limite du budget, conséquent mais pas exceptionnel, de plus de deux millions de francs que la NEF parvint sans peine à rassembler, compte tenu de la réputation de l'auteur de *La Grande Illusion* et de la toute fraîche *Bête humaine*, mais aussi de l'entregent amical de Jean Jay, administrateur chez Gaumont.

Un des plus gros postes est occupé par la figuration des espaces où vivront les La Chesnaye et leur communauté : hôtel particulier parisien et château solognot, partiellement reconstitués sur les vastes plateaux du studio Pathé de Joinville, avec un luxe inouï et un souci raffiné du « petit fait vrai » ; utilisation de lieux authentiques, repérés en Sologne au château de La Ferté-Saint-Aubin (qui prêtera ses espaces extérieurs à ceux de la Colinière) et dans les environs de Brinon-sur-Sauldre, et dont la mise à contribution, neuve et audacieuse, suppose une intendance lourde et complexe. Il faudrait également évoquer l'importante recherche faite pour la préparation de la photographie (objectifs permettant l'enregistrement de plans en profondeur de champ), les équipements garantissant la perfection de la prise de son direct en extérieurs, pour ne rien dire des toilettes de prix confectionnées dans les ateliers de la grande couturière, et amie intime de Renoir, Coco Chanel.

Quelques semaines après la sortie triomphale de *La Bête humaine* dans les salles, Renoir pouvait, grâce à une rapidité de décision et d'exécution qui n'est pas le moindre de ses talents, donner le premier tour de manivelle de *La Règle du jeu*.

Celui-ci n'intervint pas, comme l'avait d'abord annoncé à grand renfort de placards publicitaires la presse spécialisée – et comme on le croit encore aujourd'hui –, le 15 février 1939 en Sologne, mais le mercredi 22 février à Joinville où les décors figurant sept pièces de l'hôtel parisien des La Chesnaye (dont quatre pour les seuls appartements de Christine) étaient déjà prêts pour accueillir, malgré une brève indisposition du comédien-metteur en scène, le tournage des principales séquences d'intérieurs du prologue parisien. En Sologne, on prépare activement l'arrivée de toute l'équipe qui rejoindra, une fois ce premier travail terminé, Modot et Carette partis apprendre des gens du cru les mille façons colorées d'un garde-chasse et d'un braconnier.

Le calendrier de la suite du tournage peut s'établir alors en trois étapes. Tout le mois de mars est occupé par les prises de vues en Sologne : près du village de Brinon-sur-Sauldre sont d'abord enregistrés la scène de l'arrestation du braconnier et de son embauche par le marquis, puis tout l'épisode de la chasse ; ensuite, à une vingtaine de kilomètres de là, à La Ferté-Saint-Aubin, on tourne, de jour comme de nuit, plusieurs scènes dans le parc et sur la terrasse du château, et, grâce à de la pluie artificielle, l'arrivée des invités à la Colinière ; on finit par le commencement – la scène d'arrivée des maîtres au château qui, dans le film, ouvrira les épisodes situés en Sologne. En avril, l'équipe est de retour à Paris et prend possession des imposants décors préparés entre-temps au studio de Joinville et qui représentent les espaces intérieurs du château : vastes cuisines, long couloir desservant les chambres, et, par-dessus tout, immense ensemble des pièces du rez-de-chaussée édifié grandeur nature en enfilade sur plus de 1 200 m^2. C'est là, dans ces impressionnants décors répartis sur trois plateaux, que sont tournées, à une vitesse qui laisse pantois, les très nombreuses scènes d'intérieur à la Colinière, notamment toutes celles de la fête et de la folle poursuite qui représenteront plus d'un tiers du film achevé. Au mois de mai – alors que commencent les opérations de montage et que se dispersent peu à peu les comédiens, appelés par d'autres engagements – sont tournées deux scènes seulement : l'accident d'auto d'André et Octave (enregistré près de Fontainebleau) et l'épisode de la serre (reconstitué en studio). Enfin, la première quinzaine de juin, le tournage de *La Règle du jeu* s'achève sur les deux scènes situées dans l'appartement de Geneviève, puis sur l'arrivée triomphale au Bourget (réalisée à l'aérodrome de Toussus-le-Noble) qui ouvre le film.

Participer à ce que Renoir appelle, dans son langage à lui, une « tournaison » est pour tous, techniciens, comédiens et observateurs extérieurs, une expérience inoubliable. Jouant avec un art consommé d'une autorité incontestée et d'un étonnant pouvoir de séduction, il établit sur son plateau une atmosphère de fête permanente, parvenant à faire oublier à tous la rigueur et l'effort dans le travail qu'avec une secrète exigence il attend et obtient de chacun. Artisans et techniciens lui offrent aveuglément les mille effets nécessaires à sa dramaturgie. Quant aux comédiens qu'il serre d'autant plus près qu'il est devenu un des leurs, ils sont sensibles à sa gentillesse débonnaire, acceptant de croire, comme il le leur proclame à tout bout de champ, que si l'on refait une prise que pourtant il sait ratée, c'est uniquement pour le plaisir de les regarder jouer à nouveau.

En Sologne, la fête se doubla d'une vaste réunion de famille où chacun pouvait se croire en vacances. Rires et chansons, bons repas, farces, visites amicales, vaudevilles amoureux et petits drames ordinaires rythmaient la vie partagée en commun – la permissivité du cinéaste, qui chaque fois donne le ton, s'arrêtant là où commencent naturellement les « choses sérieuses ».

Mais cette atmosphère fut altérée par les caprices du temps. À peine la troupe est-elle réunie, aux premiers jours de mars, en extérieurs, le tournage doit affronter une semaine de pluies qui, bousculant le calendrier, aiguisent l'impatience de chacun. Renoir sait aussitôt tirer parti de cet imprévu pour parachever avec ses collaborateurs certains passages du scénario. Mais il est probable que ce contretemps, quoique beaucoup moins grave que celui subi sur le tournage de *Partie de campagne* (1936), marqua, comme un signe du ciel, si l'on peut dire, le début des difficultés à venir.

Les retards imposèrent d'abord de laisser en Sologne plus longtemps que prévu une équipe réduite, chargée – sous la houlette du premier assistant Zwobada mais en suivant les instructions rigoureusement édictées par le maître d'œuvre – de réaliser les nombreux et délicats plans d'animaux que l'on intercalerait au montage avec les plans déjà pris des chasseurs. Le récit de cet épisode tragi-comique, qui entraîna le sacrifice par caisses entières de lapins et volatiles d'élevage, nécessiterait à lui seul tout un chapitre.

Conjuguées aux retards, les dépenses somptuaires (parmi lesquelles, dit-on, le démontage et le remontage des persiennes du château de La Ferté, ou l'invitation d'une cohorte de journalistes chargés de rendre compte dans leurs colonnes des deux journées d'extérieurs auxquelles ils ont assisté) ne tardent pas à faire prendre conscience que, pour que le film se poursuive, il faut trouver de l'argent frais. Grâce à l'entremise de Jean Jay, Gaumont accepte à la fin du mois de mars de renflouer le navire de plus de deux nouveaux millions de francs, en échange des droits de distribution du film dans ses salles, mais aussi, inévitablement, contre un droit de regard sur le tournage. Visionnant alors les rushes, et responsable devant ses actionnaires, Jay sursoit quelques jours, semble-t-il, à la poursuite du tournage, et tente notamment d'obtenir de Renoir qu'il coupe dans son rôle, voire qu'il se fasse remplacer par un autre comédien : inquiet de la démesure du projet ou des réactions possibles du public, il juge sans doute préférable que le cinéaste se consacre davantage à sa tâche – soit qu'il désapprouve la prestation du comédien, soit qu'il la trouve incompatible avec la charge que requiert par ailleurs la mise en scène[1]. Le film reprend sa route, mais le doute est là : Renoir, sans se l'avouer encore, ne cessera plus de craindre pour le succès de son entreprise.

Les dernières semaines du film furent sombres.

Harcelé par les retards, Renoir doit amputer son scénario et substituer à des scènes pourtant déjà écrites (mais dont la réalisation nécessiterait du temps et des moyens qu'il n'a plus en hommes et en matériel) deux passages rédigés et tournés dans l'extrême urgence – l'accident d'auto et l'accueil d'André au Bourget.

C'est aussi la course contre la montre pour monter, mixer, sélectionner et intégrer un important matériau musical, tout en préparant le lancement du film. Du montage, on ne sait rien, si ce n'est qu'il dura jusqu'à la première quinzaine de juin, tandis que le mixage se prolongera jusqu'à la veille de la première projection privée. Peut-être est-on autorisé à indiquer ici que, après des années de collaboration fructueuse avec sa compagne et monteuse, la grande Marguerite, Jean était en train de refaire sa vie : est-il possible d'imaginer que, malgré la meilleure volonté du monde, les longues semaines nécessitées par le méticuleux travail de montage – que Renoir a toujours suivi de près – ne se soient pas ressenties d'une telle situation[2] ? Surtout, le cinéaste dut sacrifier, au stade du montage, plusieurs scènes de première importance

---

1. Par provocation et afin de couper court, Renoir aurait proposé de tourner à nouveau les scènes où il apparaissait en confiant le rôle à... Michel Simon. Il était en fait impossible de recommencer la plupart des passages clés où apparaît Octave, réalisés en février à Joinville et en mars à La Ferté-Saint-Aubin. **2.** Certains vont jusqu'à dire que Renoir aurait laissé Marguerite se débrouiller avec les 42 000 mètres de rushes, ce qui paraît inconcevable.

sans lesquelles son film allait perdre, en 1939, une part de son intelligibilité.

En ce qui concerne le lancement, la presse corporative, qui avait bruissé, de Noël à Pâques, de la préparation et du tournage d'un film alors présenté comme l'« événement » de l'année, se fait tout à coup discrète puis muette à quelques semaines de la sortie en salles. Cette dernière, un moment envisagée pour juin dans quatre immenses salles parisiennes, est même, dans un communiqué embarrassé et confus, ramenée à deux salles et renvoyée durant quelques jours au... 15 novembre.

C'est finalement au début du mois de juillet que le Colisée et l'Aubert-Palace (l'un est une salle des beaux quartiers, l'autre, sur les Grands Boulevards, est plus populaire) accueilleront *La Règle du jeu*. La première projection en séance privée, le mercredi 28 juin, se passe mal ; la seconde, le lendemain, en présence du ministre de la Culture, en vue d'obtenir le Prix annuel du cinéma français et sa coquette récompense, plus mal encore. Une autre séance, organisée quelques jours plus tard pour des amis, atténue sans doute l'impression désemparée qu'a maintenant Renoir d'avoir raté son film.

Renoir était rompu aux tournages et aux sorties de film difficiles. Influences ou pressions de dernière minute, doutes personnels, amputations inéluctables, puis chahuts ou indifférence du public, quolibets et règlements de comptes de la presse, il avait maintes fois enduré ces épreuves, heureusement compensées à de meilleurs moments par des succès et quelques triomphes. Pourtant, jamais, peut-être en dehors de *La Grande Illusion*, il n'avait à ce point misé sur un de ses films, tant l'investissement, financier et surtout personnel, était considérable. La sortie de *La Règle du jeu*, qui en d'autres circonstances aurait été un échec parmi d'autres, prit des allures de catastrophe.

On a beaucoup écrit sur cet événement, trop peut-être, comme s'il s'agissait de réveiller les mânes d'*Hernani*, du *Sacre du printemps*, du *Déjeuner sur l'herbe* de

Manet, et de chanter la litanie des artistes maudits par leurs contemporains. L'historien Claude Gauteur répète pourtant depuis plus de vingt ans ce qu'il faut savoir d'un moment passionnant mais complexe de la vie culturelle de notre siècle[1].

D'abord des faits. *La Règle du jeu*, projeté en soirée de gala public le vendredi 7 juillet dans les deux salles, est chahuté et applaudi, consternant les actionnaires de Gaumont inquiets pour leurs portefeuilles – avant d'être chaudement débattu, passé minuit, par une salle comble au cinéma Le Panthéon. Les séances du samedi, attirant une foule nombreuse venue flairer le parfum du scandale, sont d'autant plus houleuses que l'extrême droite déclenche, avec l'ardeur et le courage qu'on lui connaît, une cabale propre à piétiner l'homme à terre qu'est devenu Renoir. Perdant la tête, les deux directeurs de salle exigent que l'on charcute le film pour en couper une dizaine de minutes. Pis encore : c'est à Marguerite que l'on demande, avec l'accord du cinéaste, de repérer dans les salles les passages qui déplaisent le plus, puis de procéder au rafistolage[2]. Ainsi défiguré, *La Règle du jeu* tint l'affiche quelques semaines dans les deux salles, pourtant vidées par la saison d'été et par l'inquiétude due à la tension internationale, et l'Aubert-Palace le conserva jusqu'à la fin du mois d'août, époque à laquelle la plupart des cinémas fermèrent leurs portes en attendant la déclaration de guerre.

On le voit, l'échec commercial, incontestable au regard du succès escompté six mois plus tôt par Renoir, est à replacer dans un contexte singulier. Il est clair que les conditions de sortie du film furent un modèle de sabordage : doute infestant les esprits, calendrier imbécile, projection précédée – involontaire provocation – par celle d'un court métrage à la gloire... de l'empire colonial

1. Comme indiqué note 1, p. 8, je renvoie à la lecture des travaux de Claude Gauteur tout en faisant brièvement état ici de mes découvertes personnelles.

2. Ces coupes, s'ajoutant aux sacrifices déjà effectués par Renoir au montage, ramenèrent la durée du film à 80 minutes environ – soit un quart de moins que la version que nous connaissons aujourd'hui. On trouvera dans le découpage la liste des passages manquant en 1939.

français, surenchère dans la panique face aux premières réactions, on peut émettre l'hypothèse qu'en un concours de circonstances plus favorable, *La Règle du jeu* aurait eu sa chance.

La presse, quant à elle, se divisa sur le film. Certains allaient répétant le sot qu'en-dira-t-on de la rumeur publique – malgré les rires et les larmes que l'on percevait aussi dans les salles –, d'autres, plus prudents sans doute, faisaient état de leur perplexité ou de leur étonnement, d'autres enfin portèrent le film aux nues malgré les blessures qu'on lui avait infligées. En veut-on quelques échos ? Pour les uns (dont on s'amusera à chercher l'orientation politique du journal), *La Règle du jeu* est un « film manqué », « bâtard », « incroyable et navrant », nous montrant un « monde de piqués », « une mauvaise plaisanterie de fils à papa démagogue », une « laborieuse fantaisie », une « mauvaise cause » développant une « longue suite d'erreurs », bref une « erreur monumentale ». Pour les autres, en revanche, il s'agit d'une œuvre qu'« on ne peut s'empêcher d'aimer » ou qu'« il faut voir », d'une « production réalisée avec habileté et talent », d'une « entreprise passionnante », d'une « satire » atteignant les « plus hauts sommets », d'une « sorte de chef-d'œuvre », voire de « mieux qu'un chef-d'œuvre ». Ajoutons que tout le monde ou presque s'accorde à louer la beauté et la nouveauté de la partie de chasse. La NEF, cherchant un slogan porteur, avait imprudemment présenté *La Règle du jeu* comme « Un film pas comme les autres » : « heureux autres », lui renvoyèrent aussitôt, en se partageant la trouvaille, un quarteron d'échotiers. Mais quelques-uns prophétisèrent que cette œuvre marquerait « une date dans l'histoire du cinéma ». Ceux-ci ne se sont pas trompés.

On peut admettre que la complexité de l'œuvre, son foisonnement, sa nouveauté aient intrigué, désorienté, rebuté, horripilé et même scandalisé. J'avoue même ne pas saisir ce qu'un public simplement de bonne volonté pouvait encore comprendre d'un film dont on avait retranché, dans la plus grande confusion, près d'un quart. Mais à qui fera-t-on croire que les spectateurs de 1939 étaient des incultes, des faibles d'esprit, des gens qui, pour reprendre un mot perfidement attribué à Renoir par son ancien assistant Visconti, avaient « l'habitude de manger du merlan » et à qui l'on avait « donné du caviar » – à la différence de leurs enfants qui, sans doute touchés par la grâce, se targuèrent vingt-cinq ans plus tard de réparer pareil affront ?

La fin de l'histoire est connue. Balayé et censuré, avec tant d'autres, par la guerre, puis par Vichy et l'Occupation, le film ne reparut, toujours tronqué, qu'à l'automne 1945, suscitant alors de meilleurs échos, bien que l'on commençât à tenir rigueur à Renoir de son exil américain qui semblait devoir s'éterniser. Quinze années durant, une génération de cinéphiles découvrit dans les ciné-clubs, puis grâce aux revues spécialisées, *La Règle du jeu* dans des versions toujours mutilées, jamais semblables – et, malgré ces mutilations, cette génération aima le film profondément. En France et à l'étranger, la rumeur s'amplifiait que c'était peut-être là le chef-d'œuvre de Renoir.

Deux de ces cinéphiles, plus illuminés sans doute, Jacques Maréchal et Jean Gaborit, rachetèrent un jour les droits de ce film dont le commerce ne s'occupait plus, et découvrirent par bonheur plus de deux cents boîtes abandonnées qui contenaient de quoi reconstituer *La Règle du jeu* dans une version intégrale que nul n'avait jamais vue. Le véritable travail d'orfèvre que, avec le concours du monteur Jacques Durand, ils réalisèrent de l'automne 1958 au printemps 1959, est un modèle d'intelligence et d'amour d'une œuvre. À eux seuls nous devons de connaître la véritable *Règle du jeu*. Grâces leur en soient rendues.

O. C.

GÉNÉRIQUE

RÉALISATION, SCÉNARIO ET DIALOGUES : Jean Renoir, assisté de Carl Koch
ASSISTANTS RÉALISATEURS : André Zwobada, Henri Cartier-Bresson
SCRIPTE : Dido Freire
DÉCORS : Eugène Lourié, assisté de Max Douy
COSTUMES : Maison Chanel
MAQUILLAGE : Paul Ralph
ARGENTERIE : Christofle
RÉGISSEUR : Raymond Pillion
CHEF OPÉRATEUR : Jean Bachelet, assisté de Jean-Paul Alphen et Alain Renoir
CADREUR : Jacques Lemare
INGÉNIEUR DU SON : Joseph de Bretagne
MONTAGE : Marguerite Houllé-Renoir, assistée de Marthe Huguet
ARRANGEMENTS MUSICAUX ET DIRECTION D'ORCHESTRE : Roger Désormière
CONSEILLER TECHNIQUE : Tony Corteggiani
DIRECTEUR DE PRODUCTION : Claude Renoir
ADMINISTRATEUR DE PRODUCTION : Camille François
PHOTOGRAPHE DE PLATEAU : Sam Levin
OBJECTIFS : Kinoptik (laboratoires G.M. Film)
CAMION SON : Western Electric (Paris-Studio-Cinéma, Billancourt)
PRODUCTION : Nouvelle Édition française (NEF)
DISTRIBUTION : Gaumont
TOURNAGE : 22 février-16 juin 1939
EXTÉRIEURS : château de La Ferté-Saint-Aubin (Loiret), environs de Brinon-sur-Sauldre (Loir-et-Cher), étang du Puits (Loiret), environs de Fontainebleau (Seine-et-Marne), aérodrome de Toussus-le-Noble (Yvelines)
STUDIO : Pathé-Joinville, Billancourt
SORTIE : 8 juillet 1939 à l'Aubert-Palace et au Colisée, Paris
DURÉE ACTUELLE : 106 minutes

INTERPRÉTATION :
ROBERT DE LA CHESNAYE : Marcel Dalio
CHRISTINE DE LA CHESNAYE : Nora Gregor
OCTAVE : Jean Renoir
ANDRÉ JURIEUX : Roland Toutain
GENEVIÈVE DE MARAS : Mila Parely
LISETTE SCHUMACHER : Paulette Dubost
SCHUMACHER : Gaston Modot
MARCEAU : Julien Carette
JACKIE : Anne Mayen
SAINT-AUBIN : Pierre Nay
LE GÉNÉRAL : Pierre Magnier
CHARLOTTE DE LA PLANTE : Odette Talazac
DICK : Georges Forster
LA BRUYÈRE : Richard Francœur
MME LA BRUYÈRE : Claire Gérard
BERTHELIN : Tony Corteggiani
CAVA : Nicolas Amato
CORNEILLE : Eddy Debray
LE CHEF CUISINIER : Léon Larive
ADOLPHE : Jacques Beauvais
GERMAINE : Jenny Hélia
LE CHAUFFEUR DE MONSIEUR : Bob Mathieu
MITZI : Gitta Hardy
WILLIAM : Henri Cartier-Bresson
LE PREMIER GARDE : Maurice Marceau
LA RADIO-REPORTER : Lise Élina
L'INGÉNIEUR DE CHEZ CAUDRON : André Zwobada
LE SPEAKER DE LA RADIO : voix de Camille François
... ainsi que Marcel Melrac et Marguerite de Morlaye

Commentaires

Comme toujours à propos d'un film de Renoir, il est malaisé de déterminer – par-delà la fonction précise reconnue à chacun et les attributions fantaisistes prêtées par la légende – la contribution occasionnelle des uns et des autres à tel ou tel maillon de la chaîne de fabrication. Pour l'écriture du scénario et des dialogues, par exemple, Renoir étant seul crédité au générique de *La Règle du jeu*, bien malin qui peut affirmer la part qu'y ont prise Carl Koch, Camille François ou André Zwobada, voire certains comédiens ou l'une ou l'autre des deux compagnes du metteur en scène, respectivement monteuse et scripte sur le film, Marguerite Houllé-Renoir et Dido Freire.

Carl Koch, l'ami allemand de longue date qui avait déjà activement participé à *La Grande Illusion* et à *La Marseillaise*, qualifié au générique de « collaborateur » du metteur en scène, semble avoir été de toutes les étapes de la réalisation de *La Règle du jeu*, depuis l'écriture jusqu'au montage et au mixage. Quant au premier assistant André Zwobada, il dirigea les prises de vues, en suivant les directives du metteur en scène, chaque fois que ce dernier passait de l'autre côté de la caméra. Secondé par Tony Corteggiani, le conseiller pour la chasse, il assura également, en l'absence de Renoir – mais toujours sur ses instructions –, l'enregistrement des nombreux plans d'animaux. C'est le cadreur Jacques Lemare qui fut responsable à cette occasion de la prise de vues.

L'identification des passages musicaux de *La Règle du jeu* étant demeurée jusqu'à ce jour très approximative et lacunaire, j'ai tenté d'élucider précisément la vingtaine d'airs (œuvres classiques, chansons de caf' conc', musiques mécaniques...) que l'on entend dans le film. On en trouvera la liste dans le découpage au fur et à mesure de leur apparition. Le compositeur et chef d'orchestre Roger Désormière, seul nommé au générique avec Mozart et Monsigny, était un familier de Renoir mais aussi de cinéastes comme Pierre Chenal, Julien Duvivier ou Raymond Bernard. Il supervisa le choix des extraits et leurs arrangements musicaux et écrivit peut-être un ou deux airs additionnels entendus lors de la fête au château. On prête souvent à Joseph Kosma, ancien collaborateur de Renoir, une contribution à *La Règle du jeu*, mais cet apport est plus qu'improbable.

Sur la durée du film et les aléas qu'elle connut, on lira l'Introduction, pp. 7-21, où l'on trouvera de nombreuses autres précisions touchant à l'histoire mouvementée de *La Règle du jeu*.

RÉSUMÉ : LE FILM DES ÉVÉNEMENTS

Un soir d'automne, au Bourget, une foule enthousiaste acclame l'aviateur André Jurieux qui vient de battre le record de la traversée de l'Atlantique. Son ami Octave, venu l'accueillir, lui avoue que la femme pour laquelle il avait tenté ce raid n'est pas venue l'attendre. Amer, André crie publiquement au micro d'une journaliste radiophonique son indignation – que Christine de La Chesnaye entend en direct depuis son hôtel particulier parisien d'où elle suit l'émission. Tandis qu'Octave entraîne le héros meurtri, Christine échange des confidences féminines avec sa camériste Lisette, puis rejoint dans son bureau Robert, marquis de La Chesnaye, son époux. Lui aussi a écouté le reportage. Homme du monde, il a l'élégance d'excuser sa femme tout en lui montrant sa dernière acquisition de collectionneur d'instruments mécaniques. Mesurant la confiance que lui porte son épouse, Robert téléphone aussitôt à Geneviève de Maras, qui reçoit chez elle quelques amis. Eux aussi ont entendu la radio : ils commentent le scandale mondain.

Le lendemain matin, chez Geneviève, place du Trocadéro, Robert vient d'informer sa maîtresse de son intention de mettre fin à leur liaison. Sarcasmes, menaces, plaintes, rien n'y fait. Vaincue, Geneviève invite Robert à déjeuner.

Sur une route de campagne, André, avec à son côté Octave, jette son auto dans le décor. Les deux hommes sont indemnes, mais Octave, furieux, sermonne André : Christine est une amie d'enfance, la fille d'un grand chef d'orchestre autrichien, il entend bien la protéger. Il assure néanmoins André qu'il reverra Christine.

Le lendemain matin, à la première heure, Octave se faufile chez les La Chesnaye, croise Lisette puis Robert, avant de confier à Christine le désarroi de son ami. La sermonnant à son tour, il obtient d'elle qu'André soit invité à la Colinière, un château en Sologne où doit avoir lieu une réunion de chasse. Octave convainc ensuite son ami Robert – contre la promesse de le débarrasser de Geneviève – d'inviter André à la Colinière. Il annonce enfin la nouvelle à Lisette au son d'une vieille chanson jaillie du pavillon d'un phonographe.

L'après-midi même, Robert et Christine, accompagnés de certains de leurs domestiques (dont Lisette et le fidèle majordome Corneille), arrivent à la Colinière. Ils sont accueillis à leur descente de voiture par Schumacher, le garde-chasse du domaine, qui se languissait de sa femme, Lisette.

Le lendemain matin, Robert, inspectant ses terres, reproche à Schumacher le mauvais entretien du domaine où les lapins pullulent. Quelques instants plus tard, Schumacher parvient à coincer le braconnier Marceau, son ennemi intime, au moment où ce dernier relevait des collets – mais le marquis s'interpose et, séduit par la roublardise du voleur, l'engage comme domestique au château.

Dans le courant de l'après-midi, les derniers invités arrivent à la Colinière sous une pluie battante. Voici Geneviève flanquée de Saint-Aubin, un aristocrate mondain. Ils retrouvent dans le hall de vieilles connaissances : un général malicieux et bourru, La Bruyère (industriel du Nord passablement raseur) et la grosse Charlotte de La Plante, inséparable de Dick, le pédé de service. Aux cuisines, Mme La Bruyère est déjà en train de faire des recommandations au personnel devant Christine. Arrivent Octave et André. Toute la communauté se presse autour du célèbre aviateur, mais Christine fait taire les ragots en racontant son amitié pour André. Robert, soulagé, annonce une grande fête costumée pour après les battues. Jackie, nièce des La Chesnaye, confie à Mme La Bruyère son doux sentiment envers André.

Le soir, les domestiques dînent aux cuisines. Malgré les protestations de Lisette, cancans et médisances vont bon train sur les amours de Madame ou les origines juives de Monsieur. Marceau, rasé de frais, vient prendre ses fonctions et fait aussitôt connaissance avec Lisette.

Il est tard, les invités gagnent joyeusement leurs chambres, escortés par leurs hôtes. Robert remercie dignement sa femme de son attitude à l'égard d'André, Octave donne des conseils à Geneviève, puis dissuade André, qui ronge son frein, de quitter le château avant les battues.

Dernier jour des battues. Chasseurs et rabatteurs, en grande tenue, prennent position de part et d'autre d'un bois. André confie à Octave, qui le réconforte comme il peut, sa rancœur contre Christine. Les rabatteurs entrent en action : lapins et faisans, effrayés, fuient à travers bois et sont massacrés à la sortie par les tireurs embusqués derrière les affûts. Le carnage achevé, Geneviève entraîne Robert pour lui dire un secret, Jackie témoigne inutilement son amour à André. Christine, Octave, Saint-Aubin et le général observent un écureuil dans un arbre grâce à une lunette d'approche prêtée par Berthelin, un maniaque de la chasse. Près d'un étang, Geneviève, contrainte de reconnaître que Robert ne l'aime plus, obtient néanmoins de celui-ci un baiser d'adieu. Dans sa lunette d'approche, Christine surprend ce baiser.

Le lendemain, au lever du jour, Christine gagne la chambre de Geneviève et parvient à la dissuader de quitter le château avant la fête prévue pour le soir. Sa présence au côté de Robert l'arrangerait même dans ses projets. Dans le couloir, aux invités qui cherchent leurs souliers, Octave révèle qu'il apparaîtra à la fête déguisé en ours. Sur la passerelle reliant le parc au château, Schumacher offre une pèlerine à sa femme, qui n'en a cure. Aux cuisines, Marceau, qui brossait les souliers en récitant des vers, fait à Lisette une cour effrénée – mais Schumacher, survenu par hasard, se jette sur lui pour l'étrangler. Marceau ne doit son salut qu'à l'intervention de Corneille. Schumacher quitte la partie après avoir menacé son rival.

Le soir, la fête bat son plein au grand salon. Sur scène, Robert, Christine, l'ours Octave et leurs amis achèvent un numéro de Tyroliens, acclamés par la foule des invités et des domestiques. Un quatuor emmené par Berthelin entonne ensuite une chanson patriotique. Grisée par le succès du spectacle, Geneviève saute au cou de Robert devant Christine qui, de rage, disparaît avec Saint-Aubin. Le rideau tombé, André part à la recherche de Christine, Geneviève entraîne Robert de son côté. Sur scène, le quatuor mime à présent un inquiétant numéro de danse macabre au son de la musique de Saint-Saëns. Dans la salle, Schumacher surprend Marceau et Lisette, André Saint-Aubin et Christine. D'une pièce à l'autre, André puis Robert cherchent Christine, Schumacher Marceau, Octave quelqu'un pour lui tirer sa peau d'ours. Christine s'est réfugiée avec Saint-Aubin dans l'armurerie, mais elle se dissimule à l'approche d'Octave qui trouve dans la salle à manger attenante Geneviève et Robert en vive discussion. Débarrassé de son costume de scène, Robert part à la recherche de sa femme, mais croise dans le corridor Marceau qui se cache de Schumacher. Le maître et son domestique échangent alors des confidences sur leurs amours tumultueuses, puis Robert permet à Marceau de s'escamoter aux cuisines où Lisette le suit, faussant compagnie à son mari. André découvre enfin Christine dans l'armurerie en compagnie de Saint-Aubin, à qui il casse la figure, puis s'entend dire par Christine qu'elle l'aime et veut s'enfuir avec lui. Bien qu'au comble du bonheur, il refuse de partir sans avoir eu une conversation franche avec Robert. Au salon, le quatuor parodie maintenant un défilé militaire, puis Robert dévoile à ses invités émerveillés sa dernière acquisition, un limonaire. Aux cuisines, Marceau et Lisette manquent de se faire surprendre par Schumacher, mais celui-ci finit par dénicher Marceau et lui donne la chasse à travers les pièces de réception. Le hasard des portes qui claquent fait découvrir à Robert sa femme et André dans l'armurerie : les deux rivaux s'expliquent à coups de poing, tandis que Christine s'éclipse avec Octave venu aux nouvelles. Sur la terrasse plongée dans la nuit, Christine avoue à son ami qu'elle ne sait plus où elle en est. Dans l'armurerie, Schumacher tire un coup de revolver sur Marceau et Geneviève fait une crise de nerfs. Sur la terrasse, au son d'une valse,

Octave mime pour Christine un grand concert donné par son père – mais prend soudain conscience de sa propre médiocrité. De pièce en pièce, dans la confusion générale, Schumacher poursuit Marceau à coups de feu, mais Corneille et deux de ses sbires finissent par intercepter le forcené. À l'étage, Robert a bouclé Geneviève dans sa chambre, André Jackie, brusquement reparue, dans la sienne. Les invités montent se coucher, la paix revient dans le château. Robert, contraint de renvoyer Schumacher puis Marceau, accorde à André de lui céder Christine puisque le bonheur de celle-ci en dépend. Mais, sur la terrasse, Christine confie à Octave sa révolte à l'idée que Robert – Lisette, qui les a rejoints, le lui confirme – lui ait menti depuis son mariage. Très agitée, elle entraîne Octave dans le parc, revêtue de la pèlerine de Lisette. Dans les ténèbres du parc, en contrebas de la passerelle, Marceau rencontre Schumacher, effondré que Lisette n'ait pas voulu le suivre. Les deux hommes sympathisent. Sur la passerelle, Octave confesse à son tour à Christine son amertume d'être un raté, puis il entraîne son amie vers une petite serre – où les ont suivis Schumacher et Marceau, trompés par la pèlerine de Lisette. Dans l'intimité de la serre, Christine avoue son amour à Octave. Ils s'embrassent. Ivre de vengeance, Schumacher va chercher son fusil. Octave, qui a conçu de s'enfuir séance tenante avec Christine, court prendre le manteau de celle-ci au château, tandis que Robert et André, parcourant les salons dans l'attente de Christine, se rassurent de la savoir en compagnie d'Octave. Lisette, mise dans la confidence, dissuade Octave de partir avec Madame. André survient : Octave l'envoie à sa place rejoindre Christine dans la petite serre, revêtu de son propre manteau. Robert comprend alors qu'Octave aime lui aussi Christine. Devant la serre, Schumacher, prenant André pour Octave, l'abat comme un lapin, puis comprend sa double méprise. Marceau court au château rapporter à Robert et à Octave la nouvelle : André est mort, Christine est saine et sauve. Chacun se précipite au lieu du drame – mais Octave et Marceau quittent la Colinière après avoir dit un dernier adieu à Lisette. Robert et sa femme, Lisette,

Jackie et Schumacher regagnent le château devant lequel les attendent leurs invités en robe de chambre. Sur le perron encerclé par la nuit, Robert annonce la mort accidentelle de l'aviateur auquel il rend un vibrant hommage salué par le général – puis chacun rentre dans le château.

La Règle du jeu

Nouveau découpage intégral

Découpage, mode d'emploi

Rappelons d'abord que l'on trouvera ici un « découpage après montage » de *La Règle du jeu*, et non son « scénario ». Ce dernier, rédigé par Jean Renoir et ses collaborateurs et maintes fois réaménagé jusque sur le plateau du tournage, était jusqu'à ce jour demeuré inédit[1]. Le découpage après montage est au contraire une retranscription plan par plan du film achevé, tel que nous le connaissons aujourd'hui. S'efforçant de communiquer au lecteur les sensations éprouvées par le spectateur, il restitue non seulement le dialogue, mais aussi tous les éléments visuels et sonores – tons et expressions, cadrages et mouvements d'appareil, décors et costumes, bruits et musiques, etc. – jugés indispensables à l'intelligence et au respect du film. De même qu'il n'y a pas deux traductions semblables d'un même texte, on comprend donc qu'il ne saurait y avoir deux découpages identiques d'un même film[2].

---

1. Ce scénario, longtemps considéré comme perdu, vient d'être publié chez Nathan : Olivier Curchod et Christopher Faulkner, *« La Règle du jeu », scénario original de Jean Renoir, op. cit.* Ce document permet de reconstituer très précisément la fabrication du film de Renoir. **2.** Il existe à ce jour deux autres découpages après montage de *La Règle du jeu*. Le premier, consécutif à la restauration du film dans sa version intégrale et publié à l'occasion de sa sortie publique, fut rédigé par Philippe Esnault (*L'Avant-Scène cinéma*, n° 52, 1er octobre 1965). Il précise la longueur de chaque plan. Le second, en langue allemande, est l'œuvre d'une équipe de rédacteurs dirigée par Manfred Engelbert et Annette Stürmer (*Jean Renoir : « La Règle du jeu »/« Die Spielregel »*, Narr, Tübingen, 1981). Il adopte une présentation en six colonnes qui différencie notamment les éléments visuels et les éléments sonores.

La seule segmentation incontestable de la *structure* de *La Règle du jeu* étant celle fournie par le décompte de ses plans, on ne trouvera ici nulle recomposition en scènes, actes, tableaux ou autres chapitres. Néanmoins, par souci de clarté et conformément à la tradition, tout changement de repère spatial ou temporel est nettement indiqué au moyen de la distinction couramment utilisée dans le langage du cinéma (extérieur/intérieur, jour/nuit). Dans les imposants décors que constituent l'hôtel parisien des La Chesnaye et le château de la Colinière, chaque pièce a été précisément différenciée, le moindre mouvement d'appareil souligné, afin d'épouser le plus fidèlement possible l'étourdissant ballet des personnages dans l'espace. Ce n'est du reste pas l'un des moindres enseignements que de constater que, à une exception près, jamais Renoir n'a déplacé sa caméra d'une pièce à l'autre au cours d'un même plan.

Toujours par souci de clarté, les personnages sont identifiés dès leur première apparition à l'image ou dès leur première réplique (fût-elle *off*), même si leur identité n'est révélée que plus tard dans le film. À sa première réplique, chaque personnage se voit donner son nom complet (prénom et patronyme le cas échéant), mais ensuite, par convention, le prénom seul prévaudra s'il existe. Une seule entorse à cette règle, Schumacher, que seule sa femme Lisette appelle Édouard. La dénomination des nombreux personnages de *La Règle du jeu* se conforme strictement aux identités données par le film, en dehors de toute autre considération. Les personnages dépourvus de nom ou de prénom sont désignés par une simple périphrase. Pour couper court au fameux débat sur l'orthographe des patronymes de certains personnages (voire des noms de certains lieux), c'est celle du scénario original de Renoir qui est ici systématiquement adoptée[1].

Dans la retranscription du dialogue, je me suis efforcé de serrer au plus près – en tenant compte du caractère de chaque personnage – non seulement le ton, les accents et les timbres, mais aussi les hésitations ou les insistances,

---

1. Sur les personnages du film, lire en outre le « Petit dictionnaire des personnages », pp. 273 *sqq*.

la prononciation relâchée et les fautes de langue, les lapsus, interruptions et autres marques du langage oral. Lorsqu'une réplique se poursuit d'un plan à l'autre (voire d'un lieu à l'autre), la continuité est toujours soulignée. En cas de chevauchement des répliques, le texte se répartit momentanément en deux colonnes. Dans le maelström sonore que *La Règle du jeu* donne à entendre, les innombrables répliques difficilement audibles sont ici systématiquement élucidées. Une dizaine demeurent en partie indéchiffrables : des crochets le signalent.

Les entrées et sorties de la musique sont évidemment indiquées, et l'identification du morceau est, si possible, précisée dans une note. Pour éviter surcharges et répétitions, la continuité musicale au cours d'un plan ou sur plusieurs plans n'est rappelée qu'à intervalles.

Enfin seront signalés en note les plans et les scènes qui ne figuraient pas, pour une raison ou pour une autre, dans les copies visibles jusqu'à la restauration intégrale de 1959. On pourra ainsi prendre la mesure des mutilations qu'avait subies *La Règle du jeu* en 1939.

Les mots du vocabulaire technique employés dans ce découpage sont tous définis dans le « Lexique » que l'on trouvera en fin de volume.

GÉNÉRIQUE[1]

Carton I.

Jean Gaborit et Jacques Durand ont reconstitué la version originale de ce film avec l'approbation et les conseils de Jean Renoir qui dédie cette résurrection à la mémoire d'André Bazin[2].

II.

LES GRANDS FILMS CLASSIQUES
présentent[3]

À la fin du carton jaillit une musique orchestrale de Mozart[4] *que l'on entendra jusqu'à la fin du générique.*

---

1. Le générique qui ouvre *La Règle du jeu* fut reconstitué en 1959 à partir de celui d'origine (huit de ses onze cartons sont d'époque). Tous les cartons sont montés *cut*. **2.** Parmi les restaurateurs, il faut encore mentionner Jacques Maréchal, cofondateur avec Jean Gaborit des Grands Films classiques. En revanche, Jean Renoir, qui, depuis longtemps, ne possédait plus ni droits ni copies du film, ne participa pas à cette restauration (alors qu'il avait dirigé, plusieurs mois auparavant, celle de *La Grande Illusion*). Il se fit projeter la version complète de *La Règle du jeu* à l'été 1959, au studio Francœur où il achevait le tournage du *Déjeuner sur l'herbe* – et sortit de cette projection bouleversé. André Bazin, un des plus importants critiques cinématographiques de la génération d'après guerre, exégète et ami de Renoir, était mort le 11 novembre 1958. **3.** Carton datant évidemment, comme le précédent, de 1959. Dans certaines copies du film, ces deux premiers cartons sont présentés dans l'ordre inverse. **4.** *Danse allemande* en *ré* majeur, KV 605, n° 1 (1791). Outre Roger Désormière, Mozart sera le seul compositeur, avec Monsigny, nommé (sans précision d'œuvre) par le générique – qui ne cite donc que les deux musiciens du XVIIIe siècle dont les extraits de musique orchestrale ouvrent et ferment le film.

III. LA RÈGLE DU JEU
Fantaisie dramatique[1] de JEAN RENOIR

IV à VII. *Liste des principaux collaborateurs de création*[2].

VIII. *Liste de sept personnages féminins et de leurs interprètes*[3].

IX. *Liste de dix personnages masculins et de leurs interprètes.*

X.

Ce divertissement, dont l'action se situe à la veille de la guerre de 1939, n'a pas la prétention d'être une étude de mœurs. Les personnages qu'il présente sont purement imaginaires[4].

XI.

« Cœurs sensibles, cœurs fidèles,
Qui blâmez l'amour léger,
Cessez vos plaintes cruelles :
Est-ce un crime de changer ?
Si l'Amour porte des ailes,
N'est-ce pas pour voltiger ?
N'est-ce pas pour voltiger ?
N'est-ce pas pour voltiger ?

(BEAUMARCHAIS.
Le Mariage de Figaro
Acte IV. Scène X[5].)

Fondu au noir et fin de la musique.

---

1. On rapprochera cette expression d'un des slogans – « Un drame gai » – utilisés pour la promotion du film dans la presse de 1939. **2.** Afin d'éviter les redites, je ne reproduis pas ici cette liste. On trouvera une liste plus complète p. 22. **3.** Comme dans le carton suivant, certaines orthographes données par le générique diffèrent de celles que j'utilise dans le découpage (lire sur ce point le « Découpage, mode d'emploi », pp. 32-34). On trouvera une liste plus complète des personnages et des comédiens p. 23. **4.** La mention « dont l'action se situe à la veille de la guerre de 1939 », ajoutée par les restaurateurs, contredit l'intention affichée par le carton d'origine (ainsi que les propres déclarations de Renoir dans la presse de l'époque). Sans doute a-t-elle involontairement encouragé l'interprétation sociopolitique que l'on fait d'habitude de *La Règle du jeu.* **5.** L'exergue qui clôt le générique est un couplet du « vaudeville » interprété dans la comédie de Beaumarchais par Bazile, le maître de musique venu se mêler, avec

AÉRODROME DU BOURGET, EXTÉRIEUR NUIT

Plan 1. *Dans le noir, bruits de voix confuses. Ouverture au noir : plan d'abord fixe d'un ingénieur du son, casque sur les oreilles, occupé à des réglages à l'intérieur d'un camion son de Radio-Cité*[1] *(dont on aperçoit derrière lui l'enseigne).* *TRAVELLING ARRIÈRE, PUIS LATÉRAL DROITE accompagnant un machiniste débobinant du câble. Brouhaha des voix jusqu'à la fin du plan.*

LA RADIO-REPORTER *(*off*)* : Radio-Cité vous parle...

LE TRAVELLING DÉCOUVRE la radio-reporter cadrée poitrine, micro en main, face à nous, pressée par la foule[2].

LA RADIO-REPORTER *(consultant sa montre)* : ... Il est exactement vingt-deux heures, dix heures... *(Remontant à grand-peine la foule des badauds,* SUIVIE PAR LE TRAVELLING.*)* Nous venons d'arriver sur le terrain de l'aérodrome du Bourget où nous essayons de nous frayer un passage dans la foule *(de plus en plus gênée par l'attroupement)* venue pour ac... *(balbutiant)* pour accueillir le... *(s'excusant auprès d'un monsieur)* oh, pardon !... le grand aviateur *(elle marche désormais de profil en gros plan,* TOUJOURS ACCOMPAGNÉE PAR LE TRAVELLING À DROITE*)* André Jurieux. *(Claironnant malgré la gêne et l'obscurité qui la masquent parfois.)* André Jurieux, qui vient de réaliser une performance étonnante : il a traversé l'Atlantique en vingt-trois heures, performance qui n'a d'égale... *(un passant venant en sens inverse la pousse en arrière,* INTERROMPANT UN INSTANT LE TRAVELLING*)* pardon, attention au fil ! *(reprenant sa marche)* ... performance qui n'a d'égale, mes chers auditeurs, que celle

---

un chœur de villageois, à la fête donnée par le comte Almaviva en son château. D'autres références à Beaumarchais seront effectuées dans le corps du film (voir notamment la note 1, p. 228, et la note 2, p. 246).

1. Radio-Cité, lancée par Marcel Bleustein en 1935, devint un des postes les plus dynamiques de l'immédiate avant-guerre, fondant notamment sa réputation sur un traitement moderne et audacieux de l'information. **2.** Apparaît ici, dans son propre rôle, la reporter vedette de Radio-Cité Lise Élina, dont le nom ne sera toutefois pas mentionné dans l'action du film.

réalisée il y a dou... *(se reprenant)* une douzaine d'années par Charles Lindbergh[1]... *(FIN DU TRAVELLING).*

UNE VOIX DANS LA FOULE[2] *(*off*)* : Le voilà ! Le voilà !

LA RADIO-REPORTER *(levant au ciel des yeux éperdus)* : Mais voici qu'un remous se produit dans la foule...

Le cri anonyme est repris en chœur, la radio-reporter et son boniment sont balayés hors champ par la foule qui se rue vers la droite.

2. *Bruit de moteur, hourras de la foule. PANORAMIQUE GAUCHE-DROITE SUIVANT en contreplongée un avion Caudron en phase d'atterrissage qui passe fugitivement devant nous.*

3. *Plan d'abord fixe serrant, face à nous, trois badauds contenus par un garde mobile de dos, fusil à l'épaule, au premier plan gauche. Cris de la foule durant tout le plan.*

LA RADIO-REPORTER *(d'abord* off*)* : Enfin André Jurieux est arrivé à bon port. *(Elle se faufile et apparaît, brandissant toujours son micro.)* Il vient d'exécuter un magnifique atterrissage. *(LA CAMÉRA BALLOTTE au rythme du mouvement de la foule. La radio-reporter se débat comme elle peut parmi les badauds.)* Mais voici que la foule envahit le terrain *(LÉGER TRAVELLING ARRIÈRE DÉCOUVRANT un second garde à droite)* et veut franchir les barrages de gardes mobiles... Je vais essayer d'en faire autant...

---

1. L'aviateur américain avait le premier traversé l'Atlantique en trente-trois heures et demie, atterrissant au Bourget le 22 mai 1927 vers 22 heures. Faut-il voir dans le balbutiement de la journaliste (qui corrige le « douze ans » qu'elle allait dire en « une douzaine d'années ») un simple effet de son émotion ou, de la part de Renoir, la volonté que ne soit pas datée à un an près l'action de son film ? Cette scène au Bourget fut tournée, parmi les dernières du film, vers la mi-juin 1939, alors que l'on venait de célébrer le douzième anniversaire de l'exploit de Lindbergh. Mais à cette époque, les progrès de l'aviation avaient rendu insignifiant l'exploit d'André Jurieux. **2.** Cette voix n'est autre que celle de Jean Renoir. Octave, que le cinéaste interprète dans le film, accueillera dans un instant André Jurieux à sa descente d'avion.

RAPIDE TRAVELLING ARRIÈRE ET PANORAMIQUE À DROITE DÉCOUVRANT *l'agitation de la foule dans laquelle se noie la journaliste.*

UN GARDE MOBILE (off *à la cantonade)* : On ne passe pas, c'est défendu !

PANORAMIQUE FILÉ À DROITE SUIVANT *la foule qui court : on aperçoit une caméra perchée sur une camionnette, des sergents de ville sont balayés par des gens qui courent en tous sens, masquant parfois l'objectif. Bruit de l'avion s'approchant de la foule, désormais contenue au premier plan, dos à la caméra, par quelques gradés derrière lesquels apparaît, s'avançant vers nous, l'avion qu'un passant nous masque un instant de son encombrante silhouette. L'avion s'immobilise, son hélice a quelques ratés avant de se figer.*

4. *Légère contreplongée sur le cockpit ouvert, le nez de l'avion tourné vers la gauche : en gros plan, le pilote, casqué de cuir et portant d'énormes gants de fourrure, relève ses lunettes de pilotage. Cris de la foule durant tout le plan.*

UNE VOIX (off) : Bravo, Jurieux ! *(Le pilote retire ses gants et jette un regard en arrière, hors de l'avion.)* Très bien !

Un mécanicien bondit du bord cadre droit vers l'avant de l'avion (TRAVELLING ARRIÈRE ÉLARGISSANT LE CADRE) *: il prend les gants et aide l'aviateur à s'extraire de son cockpit. Des photographes s'interposent devant l'objectif, dos à nous ; les flashes crépitent. André Jurieux, au sol, s'est retourné, vaguement souriant, vers un vieil homme qui lui serre la main ;* PANO-TRAVELLING ARRIÈRE DROITE PUIS LA CAMÉRA SE FIGE *en plan genou : un petit homme en casquette d'aviation l'embrasse à son tour, aussitôt remplacé par un officiel à chapeau. Les cris de la foule baissent d'intensité.*

L'ENVOYÉ DU MINISTRE : André Jurieux, la France est fière de vous ! *(Secouant chaleureusement la main du héros visiblement abasourdi.)* Le ministre n'a pas pu *(un mécanicien passe une seconde devant la caméra)* venir lui-même *(laïus convenu)*, mais il me charge de vous dire toute son admiration, et de vous transmettre *(tape sur l'épaule)* ses chaleureuses félicitations.

Des hommes s'affairent à l'arrière-plan autour de l'avion. On entend off *le bruit d'un moteur qui démarre.*

André Jurieux *(avec un sourire gêné et un regard de côté)* : Oh ben c'est... c'est pas moi, vous savez : c'est l'matériel...

L'envoyé du ministre : Non, non, pas du tout *(nouvelles tapes dans le dos)*, c'est un bel effort. Très bien !

André *(apercevant quelqu'un hors champ ; son visage s'illumine)* : Octave ! *(Il tend les bras et s'élance vers une masse en chapeau et manteau jaillie de la droite.)* Oh !

Ils s'étreignent, masquant l'envoyé du ministre. Flash d'un photographe.

5. *Raccord dans l'axe légèrement décadré, les deux amis serrés aux épaules, de profil. L'étreinte se prolonge sous le regard de l'envoyé du ministre qui s'éclipse. Bruits assourdis de la foule.*

André *(le nez dans le manteau d'Octave, presque inaudible)* : Mon vieux Octave...

Octave *(rayonnant)* : André ! *(Ils se dégagent et se regardent en souriant.)* Ah, c'que j'suis content ! Oh, pas d'ton raid, ça j'm'en fous, mais d'te voir là ! *(Le secouant, faussement blagueur.)* Dis donc, c'est bien toi au moins ?

Ils éclatent de rire. Il n'y a presque plus personne à côté d'eux.

André *(déboutonnant la lanière de son casque, semblant chercher quelqu'un du regard)* : Dis donc, elle est là ?

Octave *(son rire se fige. Grave)* : Non.

La radio-reporter *(reparaissant à l'arrière-plan, son micro à la main, juste entre les deux amis)* : Nous voici enfin auprès d'André Jurieux... *(La suite de sa réplique chevauche le dialogue des deux amis qui ne lui prêtent aucune attention.)*

André *(interloqué)* : Comment, elle est pas venue ?

Octave : Non.

André *(incrédule)* : Elle est... elle est pas venue ?

La radio-reporter *(en continu)* : ... qui ne va certainement pas refuser de dire quelques mots au micro de Radio-Cité...

OCTAVE *(embarrassé)* : Elle a pas pu.

ANDRÉ : Mais tu sais que c'est à cause d'elle que... *(Se reprenant.)* C'est, c'est pour elle que j'ai fait ce raid !

OCTAVE *(impuissant)* : Mais je l'sais bien...

(S'immisçant dans la conversation.) Monsieur André Jurieux !

(Insistant, regardant tour à tour les deux hommes.) Monsieur André Jurieux ! *(Sans succès.)*

LA RADIO-REPORTER *(poussant Octave du coude)* : Pardon ! *(Elle passe au premier plan et relègue ainsi Octave à la place qu'elle occupait. Suppliant son héros.)* Écoutez, vous ne pouvez pas refuser de nous dire quelques mots *(André ballotté entre la journaliste et Octave)*, dites quelques mots au micro, monsieur Jurieux !

OCTAVE *(cherchant à calmer son ami)* : Elle a pas pu venir...

ANDRÉ *(déçu et agacé, à la radio-reporter)* : Ben, qu'est-ce que vous voulez que je dise, mais je ne sais pas, moi... *(Éperdu, il regarde Octave qui le réconforte.)*

LA RADIO-REPORTER *(de plus en plus pressante)* : Écoutez, vous venez de faire un raid au-dessus de l'Atlantique, vous étiez seul en avion pendant une journée, vous avez bien quelque chose à nous dire... *(Implorant.)* Trouvez quelque chose ! Dites-leur n'importe quoi : qu'vous êtes content ?

6. *Raccord même taille mais André face à nous, tête baissée vers le micro que lui tend la radio-reporter à gauche, Octave hors champ. On entend toujours les cris assourdis de la foule. Un badaud apparaît à l'arrière.*

ANDRÉ *(la voix tremblante, les yeux baissés)* : Je... j'suis très malheureux. Je n'ai jamais été aussi déçu de ma vie ! *(Cherchant du courage.)* J'avais tenté cette aventure à cause d'une femme... *(Colère contenue.)* Elle n'est même pas là pour m'attendre *(les mains d'Octave le serrent aux épaules)*, elle n'est même pas dérangée ! *(Explosant.)* Si elle m'entend, je lui dis publiquement qu'elle est déloyale !

OCTAVE *(en amorce, cherchant à le calmer)* : André !...

HÔTEL PARTICULIER DES LA CHESNAYE, APPARTEMENTS DE CHRISTINE, INTÉRIEUR NUIT[1]

7. *La face arrière d'un poste de TSF (montrant les lampes et les fusibles) qui retransmet l'émission.*

VOIX D'OCTAVE *(en continu,* off*)* : André, André !...

TRAVELLING ASCENDANT DÉCOUVRANT, par-delà le récepteur installé dans un boudoir, la somptueuse chambre à coucher d'une femme en robe du soir, épaules nues, tournée vers le poste, sa camériste à ses pieds. Brouhaha de la foule du Bourget émergeant du poste.

VOIX DE LA RADIO-REPORTER *(claironnant toujours,* off*)* : Le grand aviateur vient de fournir une performance étonnante *(LE TRAVELLING S'ARRÊTE, embrassant la pièce en plan général. La camériste regarde vers le récepteur tandis que sa maîtresse semble nerveuse, toutes deux cadrées en pied)*, mais il ne faut pas oublier qu'il a fourni un très gros effort, qu'il est très fatigué...

Christine se dégage de sa camériste, découvrant à terre derrière elle la gueule d'un ours blanc dont la peau sert de tapis.

CHRISTINE DE LA CHESNAYE *(venant vers le poste. Fort accent autrichien[2])* : Donne-moi mon sac, Lisette.

VOIX DE LA RADIO-REPORTER *(boniment* off*)* : ... et qu'il

---

1. La continuité temporelle est soulignée par la retransmission en direct du reportage qui nous fait passer sans transition du terrain d'aviation à l'intimité d'une chambre à coucher. Ce faisant, le montage désigne aussitôt Christine de La Chesnaye comme la cause et la destinataire de l'invective d'André. **2.** On apprendra un peu plus tard que Christine est la fille d'un grand chef d'orchestre autrichien. L'actrice qui interprète le rôle, Nora Gregor, elle-même autrichienne et ancienne vedette du théâtre berlinois et viennois, apprit le français quelques semaines avant le tournage de *La Règle du jeu.*

n'est pas tout à fait en état de parler devant le micro. Mais nous avons tout à nos côtés... *(Christine s'est approchée du récepteur, en plan poitrine. Elle porte un gros nœud orné de fleurs dans ses cheveux cendrés)* ... un ingénieur de chez Caudron...

Christine coupe la radio, l'air songeur.

AÉRODROME DU BOURGET, EXTÉRIEUR NUIT

8 = 6, *mais cadré ceinture. L'ingénieur a pris la place d'André qui n'est plus là.*

L'INGÉNIEUR DE CHEZ CAUDRON *(gabardine et lunettes, au micro que lui tend la radio-reporter. Ton extrêmement posé malgré les conversations bruissant autour de lui)* : Eh bien, mademoiselle, l'avion d'André Jurieux est un avion Caudron, strictement de série, avec un moteur Renault 200 chevaux[1]. La place du deuxième pilote a été remplacée par un réservoir d'essence supplémentaire.

Saluts et sourires mutuels.

LA RADIO-REPORTER : Merci beaucoup, monsieur[2].

9. *Plan fixe : dans le fond, de profil, le nez tourné vers la droite, l'avion d'André. Octave remonte vers nous en donnant le bras à son ami qui a à sa gauche son mécanicien (cadrés genou).*

OCTAVE *(sur un ton de reproche)* : Tu es un héros, mais tu viens d'te conduire comme le dernier des gosses ! Si Christine te ferme sa porte au nez, ben tu l'auras pas volé !

ANDRÉ *(penaud)* : J'oserai jamais plus me montrer devant elle.

---

1. Ce type d'avions (un « Aiglon ») était couramment employé dans les années trente pour les compétitions sportives et les meetings aériens. Roland Toutain, qui interprète André, défrayait la chronique de l'époque par ses exploits de cascades aériennes. On se rappellera en outre que l'appareil des deux officiers de *La Grande Illusion* était déjà un avion Caudron – d'un tout autre modèle, évidemment.

2. Dans certaines copies circulant jusqu'en 1959, ce plan était supprimé.

OCTAVE *(l'entraînant hors champ droite.* Off*)* : Allez, viens t'coucher ! On en r'parlera demain.

HÔTEL PARTICULIER DES LA CHESNAYE, APPARTEMENTS DE CHRISTINE[1], INTÉRIEUR NUIT

10. *Plan moyen de la chambre luxueusement meublée : sur la droite, une coiffeuse pleine d'objets de toilette et rehaussée d'un miroir ouvragé en triptyque ; à l'arrière-plan, une bergère, une gerbe florale, un paravent laqué, un voilage tendu devant une large croisée ovale. L'ensemble du décor, dans les dominantes blanc-gris, étincelle sous l'effet des éclairages.*

CHRISTINE *(dont le reflet est visible dans le panneau gauche du miroir)* : Dis donc, Lisette *(elle entre dans le champ par la droite, nous découvrant son dos nu, et vient s'asseoir à sa coiffeuse)*, il y a combien de temps que tu es mariée ?

LISETTE SCHUMACHER *(rejoignant sa maîtresse par la gauche, profil à nous : son reflet s'inscrit de face dans le panneau central du miroir ; elle porte une robe noire rehaussée d'un vaste jabot blanc, cheveux clairs bouclés)* : Bientôt deux ans, madame.

CHRISTINE *(de trois quarts dos, prenant la pochette que lui a apportée Lisette)* : Ah ! c'est vrai... Le temps passe... *(Fouillant dans sa pochette.)* Tu es heureuse ?

LISETTE *(dignement)* : Oh, vous savez, mon mari n'est pas très gênant : il a son service à la Colinière, moi je suis ici à Paris...

CHRISTINE *(distraite)* : Mm, mm.

---

1. Ces appartements se composent de quatre pièces principales communiquant entre elles : en enfilade, le boudoir et la chambre déjà mentionnés ; le boudoir donne sur une antichambre contiguë à un dressing qui ramène à la chambre ; au fond de cette dernière, on devine un cabinet de toilette. Des tentures de gaze, relevées, délimitent les séparations entre les deux pièces principales.

LISETTE *(précisant, radieuse)* : Avec vous, madame, je suis très heureuse !

CHRISTINE *(fouillant toujours dans sa pochette)* : Tu as des amoureux ?

LISETTE *(faussement réservée)* : Oh, madame, si on peut dire...

CHRISTINE *(enjouée)* : Mais si, mais si, tu en as *(se tournant vers Lisette, avec insistance)* : Octave par exemple, mm ?

Lisette reste impassible.

CHRISTINE *(lui tendant le tube de rouge à lèvres trouvé dans la pochette)* : Mais donne-moi un autre rouge, tu sais, pour le soir ?

LISETTE *(du tac au tac)* : Je ne sais pas où il est, madame.

CHRISTINE *(comme à une petite fille)* : Tu sais très bien où il est !

Lisette sourit, virevolte et sort du champ.

11. *Plan d'ensemble, cadré de derrière une commode sur laquelle sont posés un vase de tulipes et du nécessaire de toilette. À gauche, le drapé du voilage ; en profondeur gauche, Christine à sa coiffeuse (son visage se reflète dans le panneau droit du miroir); en profondeur droite, séparé de la chambre par le voilage relevé, le boudoir illuminé où l'on distingue des fauteuils blancs et le poste de radio, éteint. Lisette remonte vers nous jusqu'à l'avant-plan, cadrée poitrine.*

LISETTE *(faisant la moue tout en attrapant un autre tube sur la commode)* : Je ne l'aime pas, il est trop violet. *(Elle tourne les talons et repart à la coiffeuse.)* Ça ne fait pas naturel !

CHRISTINE *(à Lisette qui lui tend le tube)* : Ah, ah... Qu'est-ce qui est naturel, de notre temps ? *(Elle dévisse le tube[1].)*

12. *Raccord dans l'axe à 180° : cadrées de derrière le miroir en amorce, Christine et Lisette, trois quarts*

---

1. Renoir avait écarté au montage les deux premiers plans (10 et 11) de cette scène, masquant à l'époque cette suppression par un fondu enchaîné. Jusqu'en 1959, la scène débutait donc par ce qui suit.

face, plan poitrine. On devine dans le fond la silhouette ornementée de la tête du lit surmonté de voilages vaporeux, et, à droite, l'ouverture sur le cabinet de toilette. Malgré trois lampes disséminées, les teintes sont plus grises.

CHRISTINE *(faussement confidente, sans regarder Lisette postée derrière elle)* : Et tes amoureux, qu'est-ce qu'ils te racontent ?

LISETTE *(amusée)* : Oh, pas grand-chose.

CHRISTINE *(pensive)* : Ils t'embrassent ?

LISETTE *(gourmande)* : Si ça m'plaît...

CHRISTINE *(nerveuse)* : Ils te prennent les mains ?

LISETTE *(hochement de tête) :* Ça dépend.

13. *La caméra est passée à l'autre extrémité de la coiffeuse : au premier plan, le miroir en amorce gauche, Christine assise cadrée ceinture, Lisette en amorce droite ; en profondeur derrière Christine, un magnifique rosier grimpant marque la séparation entre la chambre et le boudoir.*

CHRISTINE *(se levant : LA CAMÉRA L'ACCOMPAGNE EN PANO DROITE)* : Et après ? *(Le dressing apparaît maintenant à l'arrière-plan, et, à côté du lit, une statue de négresse aux seins nus.)*

LISETTE *(accompagnant le geste de sa maîtresse, cadrée cuisse)* : Après ? *(Enjouée et blasée.)* Après, c'est toujours la même histoire *(FIN DU PANO. Attrapant sur le lit un manteau d'hermine blanc dont elle aide sa maîtresse à s'envelopper)* : plus on leur en donne, plus ils en réclament... *(Sourire.)*

CHRISTINE *(rire entendu)* : Ah, ah ! *(Tendant le bras.)* Donne-moi ça.

Lisette lui passe une écharpe de gaze blanche. REPRISE DU PANORAMIQUE, REPARTANT À GAUCHE POUR SUIVRE Christine qui passe devant le dressing, puis s'éloigne, trois quarts dos, vers son boudoir.

LISETTE *(la suivant, toujours enjouée)* : Y a rien à faire : les hommes sont comme ça[1] !

---

1. Expression à rapprocher d'un des titres que Renoir avait envisagés pour son film : *Les femmes sont comme ça* (titre déposé le 5 novembre 1938).

Christine s'est arrêtée, cadrée en pied, au seuil du boudoir.

14. *Raccord sur Christine serrée aux épaules, arrêtée près du voilage immaculé.*

CHRISTINE *(tournant brusquement la tête en direction de Lisette, hors champ droite, puis, après un temps de réflexion)* : ... Et l'amitié ? Qu'est-ce que tu en fais ?

15. *Contrechamp sur Lisette cadrée épaule.*

LISETTE *(interloquée)* : L'amitié avec un homme ? Mmm... *(Petit rire sceptique.)* Ah, autant parler d'la lune en plein midi !...

Elle s'avance pour sortir par la gauche.

16 = 14, *mais léger décadrage à gauche et Christine cadrée genou. Elle rit au bon mot de Lisette qui la rejoint, et toutes deux, passant par le boudoir, bifurquent dos à nous dans l'antichambre* (LÉGER PANO GAUCHE D'ACCOMPAGNEMENT S'ARRÊTANT *au seuil de l'antichambre, avec de part et d'autre du cadre les voilages).*

LISETTE *(suivant sa maîtresse jusqu'à la porte du fond)* : Alors, bonsoir, madame.

Elle va pour ouvrir la porte de l'antichambre.

CHRISTINE : Bonsoir, Lisette.

HÔTEL PARTICULIER DES LA CHESNAYE, VESTIBULE PREMIER ÉTAGE, INTÉRIEUR NUIT

17. *Raccord sur la porte : Lisette, en pied, ouvre la porte communiquant avec le vestibule, laisse passer sa maîtresse et, depuis le seuil, la regarde partir.* DÉBUT D'UN PANORAMIQUE À DROITE ACCOMPAGNANT *Christine qui traverse le vestibule : elle passe devant une console surmontée d'une pendulette ouvragée, une grande porte close semblable à celle de ses appartements, une immense tapisserie murale genre Grand Siècle. À intervalles sur les murs, des boiseries ou des colonnes de marbre surmontées de* *flambeaux. Parvenue devant un immense panneau de glaces dans lequel se reflètent la balustrade en marbre de l'escalier (aussi visible en amorce droite) et, tout au fond, une porte qui s'ouvre, Christine croise une soubrette tenant deux caniches en laisse.* *PAUSE DU PANORAMIQUE.*

CHRISTINE *(se retournant sur la soubrette)* : Mitzi !

MITZI *(agenouillée auprès d'un caniche, relevant la tête)* : *Ja, gnä' Frau ?*

CHRISTINE : *Hast du die Hunde herumgeführt ? (Elle se remet en marche,* REPRISE DU PANORAMIQUE D'ACCOMPAGNEMENT.*)*

MITZI *(rajustant le collier d'un caniche)* : *Ja, gnä' Frau*[1].

Christine, parvenue de l'autre côté de la rambarde de l'escalier, rejoint devant une porte fermée Corneille, le majordome, en livrée noire, sorti par la porte du fond. *FIN DU PANORAMIQUE À 150° DROITE.*

CHRISTINE : Où est Monsieur ?

CORNEILLE *(respectueux)* : Dans son bureau, madame. *(Il toque à cette porte, l'entrouvre et s'efface.)*

VOIX D'UN SPEAKER RADIO *(parvenant* off *par la porte ouverte du bureau)* : Le terrain d'aviation...

HÔTEL PARTICULIER DES LA CHESNAYE, BUREAU DE MONSIEUR, INTÉRIEUR NUIT

18. *Raccord : Christine pénètre dans le bureau cadrée en pied,* LÉGER PANO DROITE *tandis que Corneille referme la porte derrière elle.*

VOIX DU SPEAKER RADIO *(raccord sonore en continu, brouhaha assourdi de la foule* off*)* : ... du Bourget reprend son aspect normal. *(Christine se fige, mais sourit en*

---

1. « Mitzi ! » – « Oui, madame ? » – « As-tu fait faire un tour aux chiens ? » – « Oui, madame. » Cet échange en allemand n'est pas sous-titré.
On appréciera que Christine n'ait rien d'autre à dire à une domestique qu'elle a vraisemblablement amenée avec elle de son pays quand, l'instant d'avant, elle sollicitait de sa camériste française des confidences féminines.

rajustant sa fourrure.) Les phares s'éteignent *(un pas en avant)*, la foule se disperse en bon ordre *(LA CAMÉRA DÉPASSE CHRISTINE ET ACHÈVE SON PANORAMIQUE DROITE sur un homme en queue-de-pie, cadré en pied, dos à nous, écoutant la radio)*, la réception triomphale prend fin. *(Robert de La Chesnaye se retourne.)* Nous venons de vivre *(Robert aperçoit sa femme qu'il n'avait pas entendue)* quelques minutes qui marqueront dans les annales de l'his...

Robert coupe brusquement le poste, puis regarde Christine restée hors champ. Autour de lui, riches tentures, flambeaux électriques, miroir ouvragé, cheminée de marbre blanc, fauteuils anciens. Ambiance feutrée.

ROBERT DE LA CHESNAYE *(s'avançant vers Christine, ACCOMPAGNÉ DU PANORAMIQUE REPARTANT EN SENS INVERSE)* : Nous sommes en retard, chère amie.

La caméra cadre le couple en plan genou.

CHRISTINE *(rire forcé)* : Comme toujours... *(Avisant sur la table au premier plan, dos à nous, un automate musical.)* C'est nouveau ?

ROBERT *(s'approchant de la table)* : D'aujourd'hui *(il caresse les cheveux de la poupée)* : c'est une petite négresse romantique. Le mécanisme est intact.

Il joint le geste à la parole.

19. *Contrechamp : plan très serré de la poupée de face, chapeau noir à plumet blanc, veste noire et culotte blanche, tenant un petit instrument à soufflet. En amorce droite, le manteau de fourrure de Christine, derrière l'objet le bras de Robert. Musique mécanique*[1].

20. *Contrechamp : Christine de face, cadrée poitrine (la poupée en amorce gauche, dernières notes du thème musical).*

CHRISTINE *(souriant)* : Je l'aime mieux que la radio...

21. *Robert, de trois quarts face, coupé poitrine, penché sur l'automate en amorce droite. Derrière Robert, on distingue en profondeur, posé sur le marbre de la cheminée, un téléphone blanc.*

---

1. Air non identifié.

ROBERT *(faussement enjoué)* : Alors vous avez entendu *(appliqué à remonter le mécanisme)* cette histoire d'André Jurieux ?

CHRISTINE *(voix blanche,* off*)* : Oui.

ROBERT *(tout à coup très à l'aise, regardant alternativement son épouse hors champ et sa poupée)* : J'imagine très bien comment les choses se sont passées *(tripotant l'automate)* : c'était avant son raid *(déclenchant le mécanisme)*, il allait risquer sa vie... *(La petite musique repart).* Comment auriez-vous pu lui refuser... *(il emporte la poupée)* mm, lui refuser cette... *(il s'éloigne dos à nous en portant l'objet ;* LÉGER PANO DROITE*)* cette petite marque d'amitié amoureuse *(il est parvenu à un autre coin de la pièce où, entre deux tentures, sont exposés un petit soldat automate, un phonographe à pavillon et trois luths)* qu'il devait mendier d'une manière si touchante. *(Toujours dos à nous, cadré cuisse, il dépose la poupée en vis-à-vis du petit soldat.)* Lui, il a pris ça pour de l'amour ! *(Il arrête le mécanisme et se retourne vers son épouse restée hors champ. Avec un sourire complice.)* Les hommes sont naïfs !

22. *Contrechamp sur Christine, cadrée cuisse derrière la table. Laissant éclater sa joie, elle tourne sur elle-même.*

CHRISTINE *(*LÉGER PANO DROITE ACCOMPAGNANT *son pas de danse)* : Ah ! que je suis heureuse ! *(À Robert qui l'a rejointe devant le poste de radio et lui a pris les mains.)* Merci !

ROBERT *(modeste)* : Allons...

*Il l'entraîne vers la porte (*BREF PANO GAUCHE SUIVANT *le couple). Parvenu à la porte, il rajuste son nœud papillon blanc.*

CHRISTINE *(la main sur la poignée, se justifiant dans un sourire)* : Le mensonge, c'est un vêtement très lourd à porter.

ROBERT *(minaudant)* : Le mensonge... Vous exagérez !

Christine ouvre la porte du vestibule et s'avance.

HÔTEL PARTICULIER DES LA CHESNAYE, VESTIBULE PREMIER ÉTAGE, INTÉRIEUR NUIT

23. *Raccord sur la porte du bureau que franchit le couple. Un nouveau domestique, Paul, vient à leur rencontre. Bruit des pas. En demi-ensemble, le vestibule : à gauche de la porte, une chaise, une statue, l'amorce du panneau de miroiterie et d'une longue banquette. Christine et Robert s'immobilisent devant la porte restée ouverte. Elle rajuste sa fourrure tandis que Paul tend à Robert son écharpe blanche qu'il se passe machinalement autour du cou, son manteau dont il se laisse vêtir.*

ROBERT *(rajustant son col avec un sourire à sa femme)* : Est-ce que vous me croyez menteur, moi ?

CHRISTINE *(avec une assurance sincère)* : Non. J'ai toute confiance en vous.

ROBERT *(qui allait saisir le chapeau et les gants que lui tendait son domestique, surpris)* : Vraiment ? *(Il prend gants et chapeau.)*

CHRISTINE : Oui.

ROBERT *(soudain songeur, rendant brusquement gants et chapeau)* : Vous permettez, chère amie, je vous rejoins tout de suite.

Il tourne les talons et s'engouffre dans son bureau dont il referme soigneusement la porte. PANO-TRAVELLING LATÉRAL GAUCHE ACCOMPAGNANT *Christine jusqu'à l'escalier qu'elle commence à descendre.*

HÔTEL PARTICULIER DES LA CHESNAYE, BUREAU DE MONSIEUR, INTÉRIEUR NUIT

24. *Plan rapproché fixe de Robert bord cadre gauche, trois quarts dos à nous. Son reflet de face dans le miroir qui surplombe la cheminée. Il achève de composer un numéro de téléphone. Attendant sa communication, il avise en souriant une boîte noire posée sur le marbre de la cheminée à côté d'un* *chandelier en cristal, l'ouvre : c'est une boîte à musique dont le mécanisme se met en marche. Musique mécanique*[1].

ROBERT *(à son interlocuteur téléphonique)* : Je voudrais parler à madame de Maras. *(Un temps.)* C'est vous, Geneviève ? *(Fermement.)* J'ai absolument besoin de vous voir !

Fin du thème musical.

APPARTEMENT DE GENEVIÈVE DE MARAS, INTÉRIEUR NUIT

25. *Plan rapproché fixe d'une femme brune, dos à nous (on ne voit pas son visage), assise au téléphone. Elle est vêtue d'une somptueuse robe noire, dos nu, résilles à motifs floraux.*

GENEVIÈVE DE MARAS *(ponctuant sa réponse du mouvement de son fume-cigarette qu'elle tient dans la main gauche. Voix mondaine)* : Mais vous n'avez qu'à venir. *(Un temps, puis avec ironie.)* Ah ! vous ne pouvez pas : vous sortez avec Christine ? Bon... *(Elle se lève, PANO VERTICAL QUI LA RECADRE ceinture : elle se retourne face à nous. Elle porte, au ras du cou, un double rang de perles.)* Alors entendu, demain matin... *(Répondant en riant à une réplique de Robert.)* Oh, non, non ! non, pas dix heures. *(Approuvant.)* C'est ça : onze heures. *(Riant toujours.)* Soyons raisonnables, tout de même !

Le sourire a disparu : elle raccroche le combiné blanc, songeuse.

VOIX D'UN SPEAKER RADIO[2] (off, *venant d'une autre pièce)* : Et maintenant, chers auditeurs, notre concert d'orchestre musette continue !...

---

1. Air non identifié. **2.** Comme précédemment chez Christine, puis dans le bureau de Robert, la retransmission radiophonique garantit la continuité temporelle malgré l'hiatus spatial. Détail amusant des coulisses du film : c'est Camille François, administrateur de production du film et célèbre parolier de variétés avant et après guerre, qui prête ici sa voix au speaker avant de lancer une chanson... écrite par lui-même (voir note suivante).

Un air entraînant de java se fait entendre. Se ressaisissant, Geneviève fait volte-face et se rend dans le salon adjacent, l'air faussement détaché. PANO-TRAVELLING FILÉ À DROITE L'ACCOMPAGNANT.

SAINT-AUBIN *(*off, *dans le salon)* : Ce pauvre La Chesnaye doit être empoisonné !... *(Geneviève, passant derrière une colonne, a disparu à nos yeux.* MOUVEMENT AVANT DU TRAVELLING *qui rejoint une table de quatre joueurs de cartes en habit de soirée. Deux sont nettement visibles, Dick et Saint-Aubin.)*

DICK *(prenant les autres à témoin)* : C'est d'sa faute : pourquoi a-t-il une TSF ?

FIN DU TRAVELLING, *resserrant à la table Saint-Aubin face à nous, Dick à droite.*

SAINT-AUBIN *(il prend les cartes qu'on lui distribue)* : Ça, c'est le progrès.

DICK *(moqueur)* : Vous appelez ça le progrès ?... *(Geneviève est apparue au fond de la pièce, entre les deux hommes ; elle fume, songeuse, auprès d'un guéridon. On distingue derrière elle un salon moderne, mais décoré à l'extrême-orientale.)* C'est plutôt d'l'exhibitionnisme !

La java provenant, toujours en sourdine, de la radio off *devient une chanson dont les paroles seront recouvertes par les conversations*[1].

SAINT-AUBIN *(sans conviction)* : Oui. *(Comme pensant à voix haute.)* Pauvre Christine... *(À l'arrière-plan, un domestique vient remplacer une bouteille sur le guéridon.)* Je la plains parce qu'elle est étrangère. *(Il*

---

1. Il s'agit de *C'est la guinguette*, java chantée de Gaston Claret (musique) et Camille François (paroles), 1935. Voici le couplet et le refrain qui courront imperceptiblement jusqu'à la fin de la scène : « C'est sur les bords de la Seine, / Pas très loin de Charenton, / Qu'ceux qui travaillent la s'maine / Se rafraîchiss' les poumons. / L'air qui vient dans la poitrine, / C'est l'bonheur, c'est la santé, / Et s'il sent un peu l'usine, / Il a l'goût d'la liberté. / Mais c'est surtout la guinguette, / La guinguette au bord de l'eau / Qui fait tourner dans les têtes / Les mots que l'on croit nouveaux. / On entend chaque dimanche / Parmi les branch' les tourt'reaux / Échanger l'aveu d'amour / Qui doit les lier pour toujours. » On appréciera le commentaire ironique d'une telle chanson populaire et de ses paroles placées ici, étant donné le contexte social et le sujet principal de la scène.

ramasse ses cartes à mesure qu'un joueur, masqué par la colonne, les distribue.)

DICK *(sceptique)* : Mm, mm... *(Riant.)* Et puis aussi parce que tu as l'béguin.

SAINT-AUBIN *(dénégation amusée)* : Oh, non. *(Toujours à ses cartes, comme pour lui-même.)* Mais ça doit être très dur de quitter un milieu comme le sien, en Autriche *(à l'arrière-plan, Geneviève écoute la conversation tout en remplissant des verres)* : un milieu très artiste *(prenant Dick à témoin)*, parce que son père était un grand chef d'orchestre, à Vienne. *(Revenant à ses cartes.)* Et brusquement, être obligée de vivre ici, à Paris, au milieu de gens qui ne parlent même pas sa langue !...

DICK *(se récriant)* : Elle n'avait qu'à pas s'marier ! *(Protestant auprès des autres joueurs restés hors champ.)* J'me suis marié, moi ?

SAINT-AUBIN *(dédain amusé)* : Oh, toi[1] !... *(Petit rire.)*

DICK *(se retournant vers Geneviève toujours à son guéridon)* : À quoi penses-tu, Geneviève ?

Elle s'avance vers la table avec grâce, fume-cigarette aux doigts gauches. TRÈS LÉGER RECADRAGE.

GENEVIÈVE *(enjouée)* : Je pense à un mot de Chamfort, que je considère presque comme un précepte !

Debout derrière les deux hommes, l'avant-bras familièrement posé sur l'épaule de Saint-Aubin qui, cigarette au bec, lève les yeux vers elle.

DICK : Et que dit-il, ton Chamfort ?

GENEVIÈVE : Il dit que... *(sérieuse, à la cantonade)* l'amour, dans la société, c'est l'échange de deux fantaisies... *(riant, sûre de son effet)* et le contact de deux épidermes[2].

Murmure amusé de Saint-Aubin, sourire entendu de Dick. La partie de cartes reprend, Geneviève penchée sur le jeu de Saint-Aubin.

Fondu enchaîné. La java chantée s'interrompt.

---

1. La réplique de Saint-Aubin achève de désigner Dick comme l'homosexuel de service (dans ses brouillons, Renoir l'appelle communément « le pédé ») qu'une telle société mondaine tolère ou cultive dans ses rangs. **2.** Chamfort (1740-1794), *Maximes et Pensées* (posth., 1795), chap. VI, seizième maxime : « L'amour, tel qu'il existe dans la Société, n'est que l'échange de deux fantaisies & le contact de deux épidermes. »

APPARTEMENT DE GENEVIÈVE, INTÉRIEUR JOUR[1]

26. *Coïncidant exactement avec l'image précédente de Geneviève en robe du soir, l'image de Geneviève, en robe de chambre brodée façon chinoise. Elle est penchée sur un vase de lys qu'elle arrose à l'aide d'un broc. Plan d'abord fixe (demi-ensemble) sur le salon : au premier plan, un guéridon surmonté du vase ; derrière Geneviève, en profondeur, une statue de Bouddha grandeur nature ; au fond du plan, une baie vitrée donnant sur une terrasse fleurie ; dans le lointain, une découverte représentant l'aile droite du palais de Chaillot et la base de la tour Eiffel[2]. Robert, debout à droite de la baie, fume en nous tournant le dos.*

GENEVIÈVE *(inspectant ses lys)* : Si je comprends bien, tout ça, ça veut dire que vous voulez m'quitter ?

ROBERT *(se retournant d'un geste théâtral du bras)* : Ma chère amie *(DÉBUT D'UN TRAVELLING ARRIÈRE ET LÉGER PANO DROITE POUR SUIVRE Robert se déplaçant en fond de pièce)*, j'ai brusquement hier soir décidé de mériter ma femme !

GENEVIÈVE *(toujours à ses fleurs, ironique et pointue)* : Oh !... J'vois ça d'ici : la vie d'famille, le tricot, le pot-au-feu, et... *(elle quitte le guéridon vers sa gauche)* beaucoup d'enfants !

TRAVELLING ARRIÈRE ININTERROMPU DÉCOUVRANT PEU À PEU la pièce en plan d'ensemble : au premier plan deux fauteuils de velours, sur la gauche une gerbe de glaïeuls posée sur une table basse que gagne Geneviève ; au fond droite, Robert, nerveux, entre un petit fauteuil et un meuble chinois blanc laqué.

---

1. Première ellipse temporelle après une ouverture qui, durant quelque huit minutes, a simulé une continuité temporelle parfaite. Comme l'a laissé entendre Geneviève, une nuit s'est à présent écoulée.
2. Un tel trompe-l'œil situe ostensiblement l'appartement de Geneviève place du Trocadéro, dans l'un des quartiers de Paris les plus huppés, et l'action du film... après le printemps 1937, date d'inauguration du palais de Chaillot.

ROBERT *(approuvant d'un geste théâtral)* : Mais voilà ! *(Sérieux.)* J'ai comme une vague idée que maintenant *(il s'accoude au meuble,* FIN DU TRAVELLING*)*, j'ai assez ri.

GENEVIÈVE *(inspectant ses glaïeuls)* : Mouais... Et tout ça, à cause de la radio, et d'André Jurieux ? *(Elle lève enfin les yeux vers Robert.)*

27. *Plan de coupe sur Robert, cadré cuisse, accoudé : en amorce, le dossier du fauteuil, sur le meuble, la tête grandeur nature d'un second bouddha entre deux statuettes.*

ROBERT *(parodique)* : Vous êtes très perspicace !

28. *Contrechamp sur Geneviève cadrée cuisse derrière la gerbe. Se découpant sur le mur du fond, une armoire chinoise surmontée de statuettes de guerriers ; au mur, des masques.*

GENEVIÈVE *(abandonnant son jardinage, sérieuse)* : Admettons que nous nous quittions *(*PANO À DROITE *: elle se dirige vers la statue de bouddha sur l'épaule de laquelle elle pose la main)* : qu'est-ce que ça changerait à vos relations avec Christine ?

29 = 27, *mais Robert cadré ceinture.*

ROBERT *(haussement d'épaules, avec vivacité)* : Mais tout ! ma chère... *(Mouvement vers la droite, il vient se placer à côté de la tête du bouddha. Nouveau haussement d'épaules.)* Tout !...

30 = 28, *mais Geneviève cadrée ceinture, la main toujours posée sur l'épaule du bouddha.*

GENEVIÈVE *(explosant)* : Mais rien du tout ! *(Avec mépris.)* Christine est restée très d'son pays. Une Parisienne comprendrait... *(Elle pose son broc. Sans appel.)* Elle, pas. *(Regardant Robert droit dans les yeux, elle s'accoude sur l'épaule du bouddha. Menaçante.)* Si elle apprend la vérité, ce ne sera pas de notre liaison qu'elle vous en voudra, mais *(cinglante)* de lui avoir menti depuis le début de votre mariage...

31 = 29, *mais Robert serré poitrine à côté de la tête du bouddha.*

GENEVIÈVE *(en continu* off, *à Robert penaud)* : Ça, elle ne vous le pardonnera jamais.

ROBERT *(baissant les yeux, comme un enfant grondé)* : Oh, je l'sais bien...

32 = 30, *mais Geneviève serrée aux épaules. En amorce droite, le visage du bouddha.*

GENEVIÈVE *(confidence sincère)* : Croyez-moi si vous le voulez, Robert, je tiens à vous. *(Détournant son regard.)* Je ne sais pas si c'est de l'amour ou bien le résultat de l'habitude... *(le regardant avec insistance)* mais si vous me quittiez, je serais très malheureuse ! *(Décidée.)* Et je ne veux pas être malheureuse.

33 = 31, *mais Robert serré aux épaules, la tête du bouddha en retrait.*

ROBERT *(bouleversé, les yeux brillants)* : Mais ma chère amie, excusez-moi...

34 débute comme en 27, *mais Robert se dirige aussitôt vers Geneviève, ACCOMPAGNÉ PAR UN TRAVELLING LATÉRAL GAUCHE.*

ROBERT *(se justifiant avec civilité)* : Je n'avais pas l'intention de vous faire de la peine... *(écartant les bras en signe d'impuissance)* seulement, mettez-vous à ma place.

Il a rejoint Geneviève, séparée de lui par la statue de bouddha et la gerbe de glaïeuls au premier plan. Derrière eux, la découverte sur le palais de Chaillot. Il lui offre galamment sa main et un sourire. FIN DU TRAVELLING.

GENEVIÈVE *(quittant le bouddha, d'une voix rassérénée)* : Enfin... Heureusement que vous êtes un homme faible *(elle se laisse baiser la main en souriant)* !

ROBERT *(rire, comme pour s'excuser)* : Mais oui !... Je tiens ça de mon père ! *(Portant la main à sa tempe.)* Le pauvre homme : il a eu une vie terriblement compliquée. *(Incontinent.)* Allons déjeuner ?

GENEVIÈVE *(se dégageant, soudain très enjouée)* : Oh, avec plaisir ! *(Elle sort du champ par la droite. Voix évaporée* off.*)* Je ne sais pas si ce sont nos considérations sentimentales *(Robert la regarde partir, puis s'approche* *des glaïeuls en tirant sur sa cigarette)*, mais je meurs de faim aujourd'hui !

Robert, cigarette au bec, avise quelque chose sur la tige d'un glaïeul : d'un geste maniaque, il l'en débarrasse.

Fondu au noir[1].

UNE ROUTE À LA CAMPAGNE, EXTÉRIEUR JOUR[2]

35. *Ouverture au noir, bruit d'un moteur d'automobile. Légère contreplongée sur André Jurieux en gros plan conduisant une auto (de face, pris de derrière le pare-brise), le visage dans le vague. Il ne semble pas dans son état normal. La caméra enregistre les secousses de la route. Changement de régime dans le bruit du moteur :* BREF PANORAMIQUE À GAUCHE RECADRANT *en gros plan Octave assis à la place du mort, partiellement masqué par le rétroviseur intérieur, le visage grimaçant de peur.*

36. *Plan d'ensemble en plongée pris de l'extérieur de la voiture (raccord sonore du moteur) : sur une route déserte en lisière d'un petit bois, la voiture (une « traction avant » noire) quitte la chaussée (*LÉGER PANO D'ACCOMPAGNEMENT*) et va percuter le talus droit dans lequel elle stoppe (*FIN DU PANO*). Bruit du choc, gazouillis d'oiseaux.*

---

1. Nouvelle ellipse temporelle. Rien ne permet d'établir avec certitude combien de temps s'écoule maintenant – mais sans doute guère plus de quelques jours, comme va le suggérer une des premières répliques d'Octave (plan 37). **2.** Cette scène fut une des dernières tournées (près de Fontainebleau), en équipe réduite et dans la précipitation, à la mi-mai 1939, à la veille du départ de Roland Toutain sur le plateau d'un autre film. L'épuisement physique de l'équipe, les difficultés techniques et financières d'une telle scène (chaque nouvelle auto jetée dans le décor grevait davantage un budget déjà mal en point), sa réécriture hâtive à partir d'une première mouture autrement développée, tout explique sans doute le saisissant minimalisme dont elle est empreinte. Mécontent du résultat, Renoir laissa la scène dans les boîtes (à l'exception des deux premiers plans), et il fallut attendre la restauration intégrale pour la découvrir.

37. *Raccord son sur les oiseaux, mais en sourdine dès les premières répliques. Forte contreplongée du sommet d'un talus et d'un ciel gris.*

ANDRÉ *(*off*)* : Octave !

OCTAVE *(*off, *mais un peu plus proche)* : Ah ! non, mon vieux ! Continue si tu veux, moi, j'rentre à pied !

ANDRÉ *(*off, *mais tout proche)* : Octave...

Octave, entré par la gauche (il porte cravate, gabardine et chapeau mou), marche sur le talus en boitant, poursuivi par André (veston sport). Tous deux sont cadrés en pied, bruit des pas. Parvenu au centre du cadre, Octave se retourne brusquement sur André en se tenant les reins. Les bruits d'oiseaux seront désormais à peine perceptibles jusqu'à la fin du plan.

ANDRÉ *(en continu, prenant le bras d'Octave)* : ... Me laisse pas seul !

OCTAVE *(se dégageant)* : J'en ai marre d'tes histoires ! *(Lui faisant la leçon avec force gestes.)* Depuis ton retour de l'Amérique, c'est des discussions, des explications, tu m'fais tourner en bourrique ! *(André se frotte le coude.)* Et maintenant *(geste expressif)*, v'là qu'tu m'balances en auto à travers le décor ! *(Sans appel.)* Non, mon vieux, j'en ai assez, j'm'en vais ! *(Il tourne les talons.)*

ANDRÉ *(le rattrapant par la manche)* : Tu as mal ?

OCTAVE *(nouvelles remontrances à André en se tenant toujours les reins)* : C'est-à-dire que je m'demande si j'suis pas mort ! *(Geste de la main.)* J'ai voltigé au plafond, mon vieux, comme une plume ! Après un truc comme ça, on sait plus où on en est ! Alors si tu veux t'tuer pour Christine *(geste ferme)*, ben tue-toi *(nouveau geste)*, mais tout seul *(nouveau geste)*, sans moi ! *(Il va pour repartir.)*

ANDRÉ *(resté penaud durant cette engueulade, les mains plantées dans les poches)* : Mais, il faut qu'tu comprennes...

OCTAVE *(le coupant violemment)* : J'comprends qu't'es fou !

38. *Raccord sur André de face, cadré poitrine, se découpant sur le ciel, Octave en amorce droite.*

ANDRÉ *(explosant enfin)* : Mais oui, j'suis fou !

OCTAVE *(de trois quarts dos, penché sur André, durement)* : Eh ben si t'es fou, soigne-toi, et fiche-moi la paix !

ANDRÉ *(en colère)* : Oh, tu s'rais trop content de m'voir enfermé ! *(Un ton plus haut.)* Dans l'fond, tu l'aimes aussi ! T'es jaloux de moi ?

39. *Contrechamp : Octave de trois quarts face cadré poitrine, André en amorce gauche.*

OCTAVE *(assumant)* : Mais parfaitement, je l'aime, à ma façon ! *(Reprenant son sermon.)* Et c'est pour ça que je n'veux pas qu'tu la prennes... comme on boit un verre de vin. *(Il se retourne, puis se ravise.)* Faut qu'tu comprennes une chose, toi aussi : c'est qu'cett'fille-là, c'est comme ma sœur ! *(S'expliquant, radouci.)* J'ai passé toute ma jeunesse avec elle. *(Retour en sourdine des bruits d'oiseaux.)* Son père, le vieux Stiller[1], c'était non seulement l'plus grand chef d'orchestre du monde, mais c'était aussi le *(insistant)* meilleur homme qui soit ! *(Fin des oiseaux. Toujours explicatif.)* Quand j'ai voulu apprendre la musique et qu'j'suis allé l'trouver, en Autriche, à Salzbourg, i'm'a r'çu *(mimique du visage)* comme son fils. *(Soudain apitoyé.)* Et j'ai jamais pu lui prouver ma reconnaissance ! *(Lancé.)* Maintenant j'peux, tu comprends, j'peux, parce qu'il est mort, il est plus là pour veiller sur sa fille ! *(Se montrant du doigt.)* Et moi j'peux m'occuper d'sa fille *(décidé)*, et j'm'en occuperai ! Et elle en a besoin ! *(Cherchant à convaincre André.)* Parce qu'après tout, cette fille-là, elle est pas chez elle, elle est à l'étranger, les gens autour d'elle parlent pas sa langue !...

40 = 38, *mais André seul à l'image, en gros plan.*

ANDRÉ *(coupant Octave)* : Ben justement, puisque tu

1. S'il n'existe pas dans la réalité de musicien célèbre du nom de Stiller, Mauritz Stiller (1883-1928) fut un des grands cinéastes de l'époque du muet. Quelque vingt-cinq ans après *La Règle du jeu*, Renoir parlait encore de lui en ces termes : « un magnifique metteur en scène suédois qui est mort très malheureux après un passage décevant par Hollywood. C'est lui qui avait amené Greta Garbo en Amérique. »

désires l'bonheur d'Christine *(sincère)*, laisse-la venir avec moi ! Parce que moi *(vibrant)*, je l'aime ! *(Brutale colère.)* Oh ! tout de même, c'est une honte de la voir avec cet idiot de La Chesnaye *(furieux)*, avec ses chasses, son château, ses oiseaux mécaniques ! *(Révolté.)* Un snob qui ne l'aime pas *(excédé)*, qui la trompe !

41 = 39, *mais Octave seul à l'image, en gros plan.*

OCTAVE *(radouci mais sûr de lui)* : Bon, ben La Chesnaye, c'est p't'être un snob, mais lui, au moins, il a les pieds sur la terre ! Tandis que toi... t'es dans les nuages. *(Léger dédain.)* Quand t'es pas en avion, tu fais qu'des gaffes ! *(Argumentant.)* Tiens, la preuve, ton histoire d'la radio...

42 = 37, *mais les deux hommes cadrés mi-cuisse.*

ANDRÉ *(boutonnant son veston sans comprendre)* : Mon histoire de radio ?

OCTAVE *(démontrant)* : Oui, ton histoire d'la radio, au Bourget, quand t'es arrivé d'Amérique ! *(Lui faisant à nouveau la leçon avec de grands gestes.)* Enfin : t'arrives d'Amérique, après avoir battu des tas d'records *(les mains au ciel)*, j'sais même pas lesquels ! *(Nouvelles mimiques du corps.)* Tu es r'çu d'une façon... formidable ! *(Entassant avec les mains.)* Y a des ministres, y a d'la foule... *(désignant André)* on t'fait des discours ! *(Blagueur.)* Et au lieu de faire tranquillement et *(ironique)* modestement ton p'tit métier de héros national *(parodique)*, au lieu d'te planter d'vant l'micro, et pis de... débloquer pour tes auditeurs... *(sermonneur)* eh ben, au lieu de ça, v'là qu'tu t'mets à leur parler *(avec force)* de Christine ! N'est-ce pas, d'Christine, publiquement, comme ça ! *(Dans le nez d'André.)* Et après ça tu t'étonnes qu'elle te ferme sa porte au nez ?

43 = 38, *mais André cadré aux épaules, Octave en amorce droite.*

ANDRÉ *(rétorquant vivement de la main)* : Mais si j'ai fait c'raid, si j'ai traversé l'Atlantique, c'est à cause d'elle, uniquement à cause d'elle, tu entends ? *(Précisant.)* C'est elle qui m'encourageait ! *(Froide colère.)* Alors quand j'ai vu qu'elle n'était même pas là à mon atterrissage...

44 = 39, *mais Octave cadré aux épaules, André en amorce gauche.*

OCTAVE *(l'interrompant, furieux, droit dans les yeux)* : Tu oublies qu'c'est une femme du monde ! Et c'monde-là, ça a ses règles ! Des règles très rigoureuses[1] !...

45 = 42, *mais les deux hommes cadrés poitrine.*

ANDRÉ *(l'interrompant sèchement)* : Oh, tais-toi avec tes leçons ! *(Regardant ailleurs.)* J'ai pas besoin de leçons ! *(Capricieux, tandis qu'Octave détourne son visage vers le sol.)* J'ai besoin d'voir Christine ! *(Retour en sourdine des oiseaux. Confidence appuyée à Octave toujours impassible.)* Tu comprends, Octave : je l'aime ! *(Octave regarde André qui secoue la tête.)* Si je n'la r'vois pas, je... *(emphase sincère)* j'en crèverai !

OCTAVE *(le visage fermé, opinant en silence, puis, solennel)* : Tu la r'verras. *(Fin des oiseaux.)*

ANDRÉ *(les yeux dans les yeux)* : Tu crois ?

OCTAVE *(sûr de lui)* : Oui, oui, tu la r'verras. *(Léger sourire.)* J'en fais mon affaire.

Rapide fondu au noir.

HÔTEL PARTICULIER DES LA CHESNAYE, VESTIBULE PREMIER ÉTAGE, INTÉRIEUR JOUR[2]

46. *Ouverture au noir. Plan de demi-ensemble du vestibule, au débouché de l'escalier. Sous le regard de Corneille, en faction derrière la balustrade de marbre, Octave (même gabardine et chapeau qu'à*

---

1. Première des deux allusions au titre du film. Pour la seconde, voir plan 262 et note 2, p. 207. **2.** Rien ne permet de fixer avec certitude la durée de cette nouvelle ellipse temporelle. Gageons cependant qu'Octave n'a pas tardé à contacter Christine pour mettre à exécution la promesse faite à André. Nous sommes donc très probablement le lendemain matin de l'accident d'auto, quelques jours au plus après l'arrivée triomphale au Bourget.

la séquence précédente) monte l'escalier quatre à quatre en essayant de ne pas se faire remarquer. Sortant d'une porte au fond, Adolphe, un gros domestique en veston blanc, porte un plateau. Lisette passe derrière Corneille et interpelle Octave.

LISETTE *(comme un gendarme)* : Eh bien, monsieur Octave ?...

Repéré, Octave marque un temps sur le palier, glissant d'un air faussement naturel la main gauche dans sa poche.

LISETTE *(contente d'elle-même)* : Mm ?...

47. *Raccord sur le vestibule, cadré en plan général depuis le seuil des appartements de Christine (chambranle de la porte en amorce de part et d'autre du cadre). Dans l'immense glace sur le panneau gauche se reflète le vestibule.*

LISETTE *(ayant rejoint Octave[1])* : On ne dit plus bonjour ?

OCTAVE *(embarrassé, il s'arrête, prend Lisette à la taille et l'embrasse dans le cou)* : Bonjour, Lisette. *(Elle se dégage. Compliment distrait.)* Fraîche comme une rose, ce matin...

Adolphe est venu se planter derrière le couple, attendant avec son plateau.

LISETTE *(piquée)* : Oui, ben vous, vous avez l'air sinistre ! Qu'est-ce qu'y a qui n'va pas ? *(Au fond du champ, la porte du bureau de Robert s'ouvre. Lui faisant la leçon.)* J'parie que c'est encore à cause de votre aviateur ? *(Grondant.)* Il commence à nous embêter, celui-là ! *(Octave regarde par terre.)* Madame n'en dort plus !

Robert est apparu au fond, en robe de chambre de soie noire, un objet dans les mains.

Octave reprend sa progression vers les appartements de Christine, suivi par Lisette et aussi par Robert à bonne distance, occupé par son objet. Adolphe se remet en marche derrière le couple.

OCTAVE *(ayant repris Lisette à la taille)* : Écoute, Lisette : t'as confiance en moi ? *(Moue de Lisette.)* Ben, j'vais arranger ça ! *(Content de lui.)*

---

1. On peut observer ici un léger faux raccord : Octave n'a plus sa main dans la poche.

Le couple s'est immobilisé devant les appartements, cadré genou. Le reflet de Corneille apparaît au fond du vestibule, dans le miroir.

LISETTE *(sceptique)* : Vraiment ?

Octave acquiesce. Lisette se tourne vers Adolphe qui lui passe le plateau de petit déjeuner.

ROBERT *(arrêté devant le miroir, un instant masqué par Lisette, toujours préoccupé par l'objet qu'il tient en main)* : Tiens, te voilà, toi ? *(Octave se retourne vers lui.)* Qu'est-ce que tu d'viens ?

OCTAVE *(délaissant Lisette, il repart en direction de Robert)* : Moi, c'est bien simple : je suis débordé !

Lisette, plateau en mains, s'esquive par la gauche dans les appartements de Christine en passant juste devant la caméra.

ROBERT *(à Octave venant vers lui)* : Quoi, tu as des ennuis ?

OCTAVE *(il a rejoint Robert, à mi-distance de la profondeur de champ)* : Oui, j'ai des ennuis. *(Familier.)* J'te raconterai ça plus tard.

ROBERT *(comprenant)* : Tu es venu parler à ma femme ?

Lisette a disparu. Dans le fond, Corneille a refermé la porte du bureau de Robert, Adolphe repart en sens inverse sans son plateau.

OCTAVE *(reprenant sa marche vers nous)* : Oui.

ROBERT *(lui emboîtant le pas, de nouveau penché sur son objet)* : Tiens, laisse-moi au moins lui dire bonjour !

OCTAVE *(nouvel arrêt)* : Si tu veux. *(Se retournant sur l'objet que manipule Robert.)* Qu'est-ce que c'est, c'truc-là, c'est un rossignol ? *(Il remonte à nouveau vers chez Christine, suivi de Robert.)*

ROBERT : Non, une fauvette.

OCTAVE *(passant la porte juste devant l'objectif. À demi tourné vers Robert, dans le mouvement)* : Ben, mon vieux, elle est un peu mangée par les mites, ta fauvette !

Il disparaît par la gauche. Robert, fourrageant dans son objet mécanique, s'avance vers nous cadré ceinture.

ROBERT *(à Octave hors champ. Il retourne l'objet, un tournevis en main)* : Possible *(claironnant)*, mais elle chante toutes les vingt secondes !

HÔTEL PARTICULIER DES LA CHESNAYE, APPARTEMENTS DE CHRISTINE, INTÉRIEUR JOUR

48. *Contrechamp : Octave, dos à nous, cadré cuisse, s'avance dans l'antichambre de Christine* (LÉGER MOUVEMENT D'ACCOMPAGNEMENT). *En profondeur de champ, Lisette dans le boudoir occupée à accrocher les rideaux à leurs patères.*

OCTAVE *(moqueur)* : On dit ça !...

ROBERT *(pénétrant en amorce droite. Rieur)* : Tu es un affreux sceptique.

Octave, SUIVI PAR L'APPAREIL, *s'est immobilisé, tourné vers Robert.*

CHRISTINE (off, *sur un ton de reproche)* : Octave !

Octave se retourne vers la gauche en ôtant son chapeau.

CHRISTINE (off, *à Octave qui s'avance vers elle)* : Où étais-tu ? (LÉGER PANO À GAUCHE : *Christine apparaît à la porte vitrée du dressing, vêtue d'une élégante robe de chambre de satin blanc.)* Je ne te reconnais plus !

ON RESSERRE *le couple à la ceinture, Robert hors champ. Octave embrasse Christine dans le cou, la masquant de son imposante stature.*

OCTAVE : Bonjour, Christine. *(Rire de Christine.)*

Christine prend familièrement Octave par le cou et l'entraîne dans son dressing. Robert reparaît en amorce droite.

CHRISTINE *(ignorant son mari, à Octave qui l'a prise à la taille)* : Tu n'étais pas à Paris ?

ROBERT *(suivant le couple dans le dressing, dos à nous. Légèrement pincé)* : Vous permettez ?

Christine se retourne, se dégageant d'Octave, et aperçoit son mari.

CHRISTINE *(légèrement gênée)* : Oh, oui.

ROBERT *(cérémonieusement)* : Bonjour, chère amie *(il baise la main de sa femme).*

Octave s'esquive dans la chambre.

CHRISTINE : Bonjour.

ROBERT *(tenant toujours sa femme d'une main, et de l'autre sa fauvette mécanique)* : Bien dormi ?

CHRISTINE *(sourire)* : Oui.

ROBERT *(tournant la tête vers l'intérieur de la chambre)* : Ah ! Dites donc, Lisette...

TRÈS RAPIDE PANORAMIQUE À 90° DROITE, BALAYANT EN SENS INVERSE l'antichambre pour RESSERRER, PAR UN TRAVELLING AVANT, EFFLEURANT la porte capitonnée du boudoir puis la tenture de gaze, Lisette (en pied) dans la chambre, maintenant occupée à tirer les voilages d'une immense baie vitrée. Bruit de la tringle à rideaux. À gauche de la fenêtre, la coiffeuse de Christine.

LISETTE *(se retournant à l'appel de Robert)* : Monsieur ?

49. *Plan fixe de Robert et Christine, de face, cadrés ceinture, à l'entrée de la chambre (derrière eux, le dressing avec un miroir sur le mur du fond).*

ROBERT *(à Lisette hors champ)* : J'ai reçu une lettre de « Chumachère »...

CHRISTINE *(le reprenant, rieuse)* : Oh, *Schumacher*[1] ? *(Rires.)*

ROBERT *(après un bref regard à son épouse, concluant, à l'adresse de Lisette, avec une pointe d'ironie)* : ... Votre mari. *(Se tournant vers Christine dont il prend la main. Explication amusée.)* Non, il trouve que sans elle, mes bois sont dénués de toute poésie...

CHRISTINE *(acquiesçant, toujours rieuse)* : Ah oui ? *(Petit rire.)*

ROBERT *(trois quarts dos à nous, à Christine)* : ... et son métier de garde-chasse *(même ton)* rigoureusement insipide. *(Christine, nouveau sourire complice, regarde en direction de Lisette, imitée par Robert. Reprenant sa position initiale pour conclure plus sérieusement à l'adresse de Lisette.)* Non enfin, Lisette, non : il demande que vous alliez le rejoindre.

---

1. Robert prononce avec un accent français le nom de son garde-chasse alsacien, Schumacher. Le reprenant, Christine le dit avec l'accent germanique : « Choumareur. » Comme tous les autres personnages du film prononceront à la française le nom du garde-chasse, il n'en sera plus fait à l'avenir mention particulière.

50 = fin 48, *mais Lisette cadrée ceinture, tenant toujours le cordonnet du rideau.*

LISETTE *(interloquée)* : Moi ? Quitter le service de Madame ? *(Polie mais définitive.)* Monsieur le marquis, j'aimerais mieux divorcer !

Elle retourne à son rideau.

ROBERT (off) : Oh...

51 = 49, *mais Robert seul à l'image, cadré cuisse. On distingue mieux le dressing derrière lui, dont deux coulissants en miroiterie d'une penderie occupent la cloison de droite. Robert se dirige vers la droite, vissant quelque chose sur le socle de sa boîte à musique.*

ROBERT *(enchaînant avec un soupir amusé)* : ... Lisette, ne dramatisons pas !

PANO-TRAVELLING ARRIÈRE DÉCOUVRANT À DROITE Christine que suit Robert (tous deux cadrés cheville). Christine s'est approchée de son lit à la tête duquel on reconnaît la statue de négresse surmontée du ciel de lit ; derrière la statue, une gerbe de grands arums blancs.

OCTAVE *(d'abord* off*)* : Dites donc, vous autres *(il apparaît, derrière Christine dos à nous, vautré en travers du lit, ronchon)*, vous avez pas bientôt fini *(Christine s'assied sur le lit en poussant le chapeau d'Octave)* toutes vos conversations ? *(FIN DU TRAVELLING.)*

ROBERT *(demeuré à gauche de la statue, toujours à son oiseau. Rire)* : Ah ! c'est vrai *(ironique)* : tu as un grand secret à dire à ma femme.

OCTAVE *(il s'est levé et s'accoude sur la tête de la négresse)* : Parfaitement !

ROBERT *(repartant vers la gauche)* : Bon, alors je vous laisse, mm ?

Il s'éloigne, tout à sa fauvette, ACCOMPAGNÉ DROITE-GAUCHE PAR UN PANO-TRAVELLING LATÉRAL ARRIÈRE.

OCTAVE *(hochement de tête)* : Pas trop tôt...

ROBERT *(seul, repassant devant le dressing et venant vers nous, cadré cuisse, tout en bricolant son objet. À Octave qui n'est plus dans le champ)* : Tu viendras à la Colinière ? *(Il met le ressort en marche.)*

OCTAVE (off, *mystérieux)* : Peut-être !...

Bref sifflement de l'oiseau mécanique.

ROBERT *(parvenu au seuil du boudoir, se retournant en direction d'Octave avec un geste de triomphe)* : Tu vois ? *(Montrant l'oiseau.)* Vingt secondes. *(Sourire de satisfaction : il enclenche à nouveau le mécanisme. Sifflement prolongé.)*

Robert passe devant nous (serré ceinture par le PANO QUI PIVOTE À 90° GAUCHE*), contemple avec ravissement sa fauvette, bifurque dans l'antichambre* (L'APPAREIL S'ARRÊTE) *et s'éloigne dos à nous vers la porte capitonnée du fond.*

52. *Nouveau sifflement* off *de la fauvette, qui se prolongera plus que les autres. Plan moyen fixe (légère contreplongée), pris du pied du lit, sur Christine de profil (légèrement floue), assise au bord cadre droit, Octave trois quarts face, toujours debout, main gauche en poche, accoudé à la statue. Il fait la tête.*

CHRISTINE *(un bol à pamplemousse à la main)* : Tu veux une tasse de thé ?

OCTAVE *(mouvements du buste, puis, bougon)* : Non.

Lisette, entrée dans le champ par la gauche, vérifie la théière à la limite inférieure du cadre. Clapet off *de la théière qu'elle referme, coïncidant avec la fin du chant de la fauvette.*

LISETTE *(se retournant sur Octave qui, toujours chafouin, la suit des yeux et lui proposant avec entrain)* : Un bon p'tit café... *(Christine occupée à manger son pamplemousse.)*

53. *Contrechamp sur Lisette, cadrée poitrine, Octave trois quarts dos en amorce bord cadre droit. Légère plongée.*

LISETTE *(en continu, le visage malicieux)* : ... avec du pain, du beurre et de la confiture, mm ?...

LENT TRAVELLING ARRIÈRE *: derrière Lisette, en profondeur, apparaissent le boudoir et le poste de TSF sur sa petite table.*

OCTAVE *(dénégation boudeuse)* : J'ai pas faim.

LISETTE *(déçue et sérieuse)* : Ah, décidément y a quelque chose de cassé ! *(*LA FIN DU TRAVELLING *a découvert, dos* *à nous, Christine assise et la silhouette massive d'Octave. Lisette, après un tour sur elle-même, prend sa maîtresse à témoin.)* C'est la première fois que je vois monsieur Octave sans appétit !

Elle sort par le fond. Christine agrippe la main gauche d'Octave toujours en poche.

CHRISTINE *(amusée par son manège)* : Tu ne veux pas t'asseoir ?

OCTAVE *(à contrecœur)* : Oh non.

Il s'assied.

54. *Contrechamp à 180° : Octave s'asseyant sur le rebord du lit à côté de Christine, tous deux cadrés genou. Octave fait vraiment la tête.*

CHRISTINE *(le tenant affectueusement sous le coude)* : Alors ? Dis-moi ton secret.

OCTAVE *(gesticulant, le regard en biais)* : J'veux t'parler d'André !

CHRISTINE *(se dégageant)* : Ah, ça non !

Elle prend sa petite cuiller et revient à son pamplemousse que l'on aperçoit derrière la théière en argent. Bruits de vaisselle. Derrière Octave, dans un miroir placé à la tête du lit, l'image, floue et réduite, d'Octave et Christine en train de converser[1].

OCTAVE *(par-dessus l'épaule de Christine)* : Tu sais qu'il a voulu s'tuer ?

CHRISTINE *(tout en picorant son pamplemousse)* : Oh, on dit ça, on n'le fait pas !

OCTAVE *(se récriant)* : J'te d'mande pardon, j'y étais !

CHRISTINE *(laissant bruyamment retomber sa cuiller, puis regard ému à Octave)* : Comment ?

OCTAVE *(grimaçant)* : Ben... comment, comment ? En auto, quoi ! *(Geste, et sur un ton de reproche.)* Il a voulu s'foutre avec sa bagnole contre un arbre !

---

1. Ce reflet du couple provenant lui-même d'un premier reflet renvoyé par un autre miroir disposé hors champ, l'image du couple dans le miroir nous apparaît légèrement de profil mais à l'endroit, identique à ce que nous voyons du couple « réel », sauf sa taille. Comme les personnages et la caméra conservent la même disposition jusqu'à la fin du plan, ce savant effet de rime visuelle (ou de mise en abyme) se poursuivra également durant le plan entier.

CHRISTINE *(surprise, les mains sur la cuisse d'Octave)* : Et c'est de ma faute ?

OCTAVE *(direct)* : Oui, c'est d'ta faute !

CHRISTINE *(mouvement sincère de la tête)* : Je ne comprends pas.

OCTAVE *(aussitôt)* : Oh, tu comprends pas ! *(La prenant par les mains et la taille.)* Écoute, ma p'tite Christine : t'as une façon d'te jeter au cou des gens... *(lui parlant dans le nez)* on dirait qu't'as toujours douze ans ! *(Grasseyant.)* Tu comprends, avec moi, ton vieux copain, cela va bien : pour moi, t'es toujours restée *(sourire et geste de la main)* la p'tite fille de Salzbourg... *(Changeant de ton.)* Mais, avec les autres, ça peut devenir *(hésitation appuyée)* disons... « gênant ».

CHRISTINE *(sortant de sa stupeur pour regarder Octave)* : Alors, ici, à Paris, on n'a... *(se justifiant)* on n'a pas le droit d'être *(articulant)* « aimable » avec un homme, sans... *(cherchant le mot).*

OCTAVE *(clair et net)* : Non.

CHRISTINE *(surprise amusée)* : Non ?

OCTAVE *(douce insistance)* : Non.

CHRISTINE *(hochant la tête. Sincérité amusée)* : Ah ! Alors, j'ai tous les torts !

OCTAVE *(retrouvant sa bonne humeur)* : Pas tous. *(Douce ironie.)* Disons... « quelques-uns » !

CHRISTINE *(pensive)* : Ah, ah ! *(Guettant son approbation.)* Et il faut que je fasse des excuses à ton ami ?

OCTAVE *(gouailleur)* : Oh, lui fais pas d'excuses, ça serait exagéré ! Tu pourrais par exemple *(il se lance, sourire en coin, faussement naturel)* l'inviter à la Colinière ?...

CHRISTINE *(réaction immédiate)* : Oh, Octave !... *(Elle saisit de nouveau sa petite cuiller.)* Tu es indécent !

55. *Raccord sur le geste de Christine revenant à son pamplemousse : plan moyen (d'abord fixe) du couple assis sur le lit vu depuis le seuil du dressing (sur le bord cadre gauche, le voilage, la négresse, les arums). Bruit de vaisselle. En profondeur on distingue derrière le couple la croisée ovale et le paravent laqué.*

OCTAVE *(de nouveau ronchon)* : Bon ! *(Se levant aus-*

sitôt.) Eh ben, j'm'en vais ! *(LÉGER PANO ASCENDANT RESSERRANT Octave dans son mouvement. Il s'avance vers nous sans se retourner.)* Au revoir ! *(S'immobilisant cadré cuisse, faussement grandiloquent.)* Ou plutôt : « adieu » !

Christine s'est rapidement levée pour le rattraper.

CHRISTINE : Oh !... *(L'ayant rejoint, elle le retourne par la manche. Sérieuse.)* Où vas-tu ?

OCTAVE *(résolu, désignant de la tête l'extérieur)* : Près de lui !

CHRISTINE *(rajustant sa robe de chambre. Jouant l'offensée)* : Tu m'abandonnes ? *(Tentatrice.)* Tu ne viens pas à la Colinière ?

OCTAVE *(entrant à son tour dans le jeu)* : On peut pas être au four et au moulin !

CHRISTINE *(éclatant de rire, elle se pend à son cou)* : Ah, ah, ah, ah, ah ! *(Il l'étreint, ravi. Elle le ramène par le cou à reculons jusqu'au lit.)* Ah, ah, viens avec moi... *(LÉGER ÉLARGISSEMENT pour revenir au cadrage du début du plan : Christine renverse Octave sur le lit.)* Tu es un niais ! *(Riant toujours, elle se penche sur son visage.)* Cher vieil idiot !

56. *Gros plan du couple allongé, pris de derrière le lit en légère plongée : sur le bord cadre inférieur, le visage d'Octave tourné vers Christine qui le surplombe. Elle lui plante un baiser sonore sur la joue.*

OCTAVE *(rayonnant)* : Tu l'invites ?

CHRISTINE *(cédant joyeusement)* : Oui !

OCTAVE : Bon.

CHRISTINE *(tout en lui caressant la joue)* : Je vais l'inviter. Je ne veux pas être la dame qui a réduit au désespoir le « héros du jour » *(le regard se détache, amusé)*, l'« idole des foules » ! *(Expliquant, ironique.)* S'il se casse la figure en avion, on dira que c'est de ma faute ! *(Grognement amusé d'Octave.)* On me traitera de *« vamp »* *(étonnement réjoui d'Octave)*, d'« ennemie publique », d'« obstacle au progrès » ! *(Faussement sérieuse.)* On parlera de « la main de l'étranger » ! *(Gloussement d'Octave. Elle sourit.)* Et puis... et puis, j'ai horreur des martyrs...

OCTAVE *(moqueur)* : Ah, dis donc, et ton mari ? Qu'est-ce t'en fais, dans l'coup ?

57. *Plan moyen sur le lit en plongée, Octave vautré au premier plan.*

CHRISTINE *(se dressant sur son séant, faussement choquée)* : Oh, ça, mon vieux, ça te regarde ! Moi, maintenant, j'ai fait mon devoir. Le reste *(geste expressif)*, je m'en lave les mains.

OCTAVE *(se redressant à son tour.* L'APPAREIL AMORCE UN MOUVEMENT ENVELOPPANT VERS LA GAUCHE, DÉCOUVRANT *derrière le couple le boudoir en profondeur)* : Christine, *du bist ein... (il saute sur ses pieds) Engel !*

Il se penche sur elle et l'embrasse. ENCHAÎNÉ DU MOUVEMENT D'APPAREIL : *derrière le couple, le seuil du dressing et la négresse.*

CHRISTINE *(traduisant en riant)* : Un ange ?

L'APPAREIL ACHÈVE AU PIED DU LIT SON MOUVEMENT À 75° GAUCHE. *Christine dos à nous, Octave en pied, la surplombant.*

OCTAVE *(en pleine forme)* : Oui : « tu es un ange ». Un ange dangereux *(se débarrassant enfin de sa gabardine en tournant sur lui-même)* mais un ange tout de même ! *(Appelant, tourné vers le dressing.)* Lisette ! *(Il laisse tomber sa gabardine tire-bouchonnée. Christine la ramasse en riant.)*

LISETTE *(apparaissant à la porte vitrée qui joint le dressing à l'antichambre)* : Monsieur Octave ?

OCTAVE *(marchant sur elle au fond du champ)* : Ma p'tite Lisette...

58. *Raccord en plan fixe sur Lisette, cadrée ceinture dans l'embrasure de la porte.*

OCTAVE *(*off*)* : Tu vas me préparer...

Octave entre dans le champ par la gauche, passe dos à la caméra, et vient se poster sur la droite, penché sur Lisette.

OCTAVE *(avec un geste de la main)* : ... de jolis œufs sur le plat *(même geste)*, une grand'tranche de jambon *(nouveau geste)*, et un coup d'vin blanc ! *(Radical.)* Je meurs de faim !

Lisette éclate de rire. Octave, radieux, passe derrière elle par la porte vitrée.

LISETTE *(le suivant des yeux)* : Mais vous allez engraisser ?

OCTAVE *(très enjoué)* : Ne t'en fais pas, Lisette *(il disparaît dans l'antichambre)*, je m'f'rai une raison !

Lisette sort par la gauche, vers la chambre de Christine. Bruit de la porte que ferme Octave.

HÔTEL PARTICULIER DES LA CHESNAYE, SALON, INTÉRIEUR JOUR

59. *Plan d'abord fixe de demi-ensemble en contre-plongée : Robert, cadré en pied derrière un grand vase d'arums blancs, téléphone face à nous. Il est toujours en robe de chambre. À sa gauche, un fauteuil de cuir clair ; à sa droite, au fond, un mince miroir vertical où se reflète son image, et la porte du vestibule, rehaussée de panneaux vitrés.*

ROBERT *(à son interlocutrice*[1]*, visiblement ennuyé)* : Oui, oui... Bon, bien... *(Une silhouette apparaît derrière la porte vitrée.)* Entendu. *(Sans enthousiasme.)* Ben, venez ! Je vous attends à la Colinière. *(La porte s'ouvre, Octave entre discrètement. Robert répond toujours à son interlocutrice.)* ... Ben, vous avez votre voiture, alors tout va bien ? *(Inclination de la tête.)* ... À demain.

Il coupe la communication et se retourne sur Octave qui referme la porte.

ROBERT *(soupirant)* : Oh !... *(Raccrochant le combiné. À Octave.)* Je suis dans une situation affreuse...

OCTAVE *(s'avançant, main gauche en poche, l'air entendu)* : Geneviève !

ROBERT : Ah, tu sais ?

OCTAVE *(complice)* : Comme tout le monde. T'en as plein l'dos, hein ?

---

1. On devine aisément qu'il s'agit de Geneviève. La conversation avec Octave va le confirmer.

LÉGER PANO À GAUCHE *pour cadrer les deux amis plein centre, face à face.*

ROBERT *(indécis)* : Mm... Non, non...

OCTAVE *(insistant)* : Enfin, t'as envie de rompre, quoi, hein ? *(Robert sourit.)* Ben mon vieux, c'est bien simple *(geste de la main)* : j'en fais mon affaire ! *(Il se détourne vers la droite.)*

ROBERT *(se détournant vers la gauche, vaguement sceptique)* : Bah, ça, si tu pouvais m'en débarrasser...

*Il fait deux pas vers un canapé jouxtant le fauteuil (*LA CAMÉRA LE SUIT EN PANO LATÉRAL GAUCHE*) derrière lequel se trouve un immense paravent laqué à motifs japonisants.*

OCTAVE *(passé hors champ.* Off*)* : Oh, c'est extrêmement facile *(Robert se mouche)* : elle crève d'envie d'se marier ! On va la marier. *(Il rentre dans le champ, dos collé à la caméra, les deux mains en poche.)*

ROBERT *(masqué par Octave)* : Avec qui ? *(Octave s'assied au premier plan* ACCOMPAGNÉ PAR UN LÉGER PANO DESCENDANT, *Robert fait de même, face à nous, à l'autre extrémité du canapé. Ironique.)* ... Avec toi ?

OCTAVE *(trois quarts dos à nous en amorce. Très hésitant)* : Oh, moi, moi, moi, tu sais, l'mariage, hein, c'est pas mon fort ! *(Se ravisant d'un geste de la main.)* Enfin, s'il fallait absolument m'sacrifier, je m'sacrifierais ! *(Précisant.)* Pas pour toi : pour Christine !

ROBERT *(sourire las)* : Mm, mm, je sais...

60. *Contrechamp : en amorce droite, Robert de dos, à l'autre extrémité du canapé, les jambes croisées, Octave, la main gauche toujours en poche. Sur le fond droite, le bas d'une imposante tapisserie murale Grand Siècle.*

OCTAVE *(droit dans les yeux)* : En échange... *(baissant la voix)* faut qu'tu m'rendes un service...

ROBERT *(sérieux)* : Tu as besoin d'argent ?

OCTAVE *(songeur)* : Non.

Il se lève, d'un air décidé, et fait quelques pas vers la gauche. LA CAMÉRA, L'ACCOMPAGNANT EN LE SERRANT AU GENOU, DÉCOUVRE *une partie de la pièce : au premier plan, devant Octave, le bouquet d'arums, derrière lui un autre fauteuil de cuir, une lampe sur pied, deux grandes baies et leurs tentures.*

OCTAVE *(se retournant brusquement sur Robert désormais hors champ)* : Tu sais qu't'es un bon type, toi, dans l'fond ?

61. *Contrechamp en plongée sur Robert toujours assis, cadré genou derrière les arums.*

ROBERT *(amusé par le manège d'Octave)* : J'tiens ça de ma mère[1] ! *(Regard en coin.)*

62 = fin 60. *Octave, embarrassé, n'a pas bronché.*

OCTAVE *(se lançant, grave)* : Voilà : j'voudrais qu't'invites... *(un temps)* André Jurieux.

63 = 61.

ROBERT : À la Colinière ?

OCTAVE (off*)* : Oui.

ROBERT *(sincère et ennuyé)* : C'est extrêmement grave, ce que tu me demandes là... *(Il se lève en regardant Octave dans les yeux.* PANO VERTICAL QUI LE SUIT.*)*

OCTAVE (off*)* : Grave ?

Robert contourne le bouquet pour rejoindre Octave, LA CAMÉRA LE SUIT EN RECULANT.

ROBERT *(gêné)* : Tu comprends que je n'ignore pas du tout ce qui s'est passé entre Christine et *(baissant la tête)* ton ami... *(Il passe sans s'arrêter devant Octave, tous deux cadrés ceinture.)* Je ne suis tout de même pas idiot.

OCTAVE *(lui emboîtant le pas)* : Oh, il s'est rien passé !

Ils sortent du champ par la gauche.

64. *Plan d'ensemble du salon, pris en diagonale depuis le canapé. À droite, sur une table basse en verre, le téléphone et le vase d'arums, au-delà les deux baies vitrées, des fauteuils de style, au mur des sculptures. Au centre de la pièce, une table massive aux pieds sculptés sur laquelle est posé un phono-*

---

1. L'esquive de Robert, amusante mais anodine, trouvera plus tard sa signification, malicieuse et élégante, lorsque dans les cuisines du château un butor de chauffeur révèlera à ses camarades que la mère du marquis de La Chesnaye était... une juive née Rosenthal (voir plan 115).

graphe à pavillon. Sur la paroi du fond, une porte en boiseries encastrée dans un vaste panneau en miroiterie, une console surmontée de chandeliers. Accroché au mur, un énorme et luxueux miroir. Les deux hommes remontent la pièce vers le fond, entre table et fenêtres. LÉGER PANO GAUCHE D'ACCOMPAGNEMENT.

ROBERT *(dos à nous, presque au fond de la pièce, répondant à Octave)* : Ah ! Mais heureusement !

OCTAVE *(suivant Robert. Un instant d'hésitation)* : Alors invite-le !

ROBERT *(pas convaincu)* : Oh !... j'risque gros ! *(Il se retourne brutalement sur Octave qu'il prend au veston. Dans un cri.)* Parce que j'l'aime, moi, Christine ! Si je venais à la perdre, je ne m'en consolerais pas !

Il reprend sa ronde autour de la pièce (REPRISE DU PANO À GAUCHE), *poussant machinalement quelque chose à terre du bout de sa pantoufle. Un clavecin apparaît dans le champ en amorce au premier plan gauche. Octave est resté planté entre les deux fenêtres, les mains en poche.*

OCTAVE *(brusquement)* : Dis donc, vieux : j'ai envie d'foutre le camp...

ROBERT *(sans le regarder, le nez à terre, rire forcé)* : Hé ?

OCTAVE *(reprenant la marche, tout à son idée)* : J'ai envie de... de disparaître, dans un trou !

Robert est parvenu à l'autre coin de la pièce. Occupant tout le premier plan, le clavecin, au-delà de Robert, un canapé ancien et, accrochés sur le mur du fond, dans une niche, un violon et trois instruments de musique exotiques.

ROBERT *(se retournant, moqueur)* : Euh ! Et ça t'avancerait à quoi ? *(*FIN DU PANO D'ACCOMPAGNEMENT.*)*

OCTAVE *(à nouveau arrêté)* : Ben, ça m'avanc'rait à pus rien voir !... *(Robert se dirige vers la table du centre. Octave le suit en fond de pièce, agitant les bras.)* À pus chercher... à savoir c'qu'est bien, c'qu'est mal ! *(Déclamant, les bras ballants, tandis que Robert avise le phonographe.)* Pass'que, tu comprends, sur cett'terre, y a une chose... *(forte scansion)* effroyable *(radouci, à Robert qui prend quelque chose sur la table)* : c'est qu'tout l'monde a ses raisons.

65. *Plan d'abord fixe sur Robert seul, cadré ceinture derrière la table et le pavillon du phonographe tourné vers nous au premier plan. Derrière lui, à gauche, on retrouve la porte du vestibule, à droite, une commode de style surmontée d'une cage à oiseaux et de deux chandeliers. Au mur, deux petits miroirs ouvragés encadrant une sculpture de bois. Sur la table, de nombreuses boîtes de cylindres phonographiques*[1].

ROBERT *(choisissant une boîte. Réponse à Octave du tac au tac)* : Mais bien sûr que tout le monde a ses raisons ! *(Octave entre dans le champ par la droite.)* Mais moi, je suis pour que chacun les expose librement. *(Tout en manipulant ses boîtes. Octave, la mine basse au côté de Robert, en prend une distraitement, l'ouvre.)* Je suis contre les barrières, contre les murs. *(Jetant un regard à Octave, décidé.)* D'ailleurs c'est pour ça que j'vais inviter André !

OCTAVE *(ne sachant plus)* : Tu crois que c'est bien ?

ROBERT *(reposant une boîte)* : Mais, j'ai confiance en Christine. *(Il a sorti un cylindre.)* Si elle doit aimer Jurieux, ce n'est pas en les séparant que je l'en empêcherai ! *(Il met en place le cylindre tandis qu'Octave attrape une autre boîte au-delà du phonographe.)* Alors autant qu'ils se voient *(haussement d'épaules)*, qu'ils s'expliquent.

OCTAVE *(sourire en coin, à Robert qui règle le mécanisme)* : Dis donc, vieux : on pourrait p't'être, euh... *(sous-entendu blagueur)* orienter Geneviève sur André ?...

ROBERT *(riant de la trouvaille)* : Idiot ! Ça serait vraiment trop commode ! *(Il abandonne le phonographe, lançant un couvercle sur la table. Ton détaché.)* Bon, je vais m'habiller. *(Il s'éloigne vers la porte du vestibule :* LÉGER PANO À GAUCHE L'ACCOMPAGNANT.*)* Tu déjeunes ?

---

1. Les phonographes à aiguille et leurs cylindres se sont développés dans les années 1880 avant d'être progressivement remplacés, au début de notre siècle, par les premiers appareils à disques 78 tours. Il s'agit donc ici de pièces de collection.

OCTAVE *(resté près de la table, avisant la fauvette mécanique posée dessus)* : Oui, j'déjeune.

Il remonte la manivelle du phonographe, tandis que, en profondeur, Robert ouvre la porte (on aperçoit deux domestiques[1] *qui, attendant leur maître, se raidissent à son apparition).*

HÔTEL PARTICULIER DES LA CHESNAYE, VESTIBULE PREMIER ÉTAGE, INTÉRIEUR JOUR[2]

66. *Plan d'ensemble fixe du vestibule pris dans toute sa longueur. À gauche, le panneau de glaces, la banquette, une statue ; à droite, l'escalier ; au fond, faisant la haie de part et d'autre de la porte qui vient de s'ouvrir, le chauffeur et Paul face à Mitzi et à Adolphe. Entre eux, Corneille referme la porte derrière son maître. Robert s'avance vers nous.*

CORNEILLE : Monsieur le marquis, pour la Colinière ?

Les domestiques se déploient derrière Robert.

ROBERT *(indifférent, jouant avec une vis qu'il jette en l'air)* : Mais je ne sais pas, mon ami ! Demandez-le à mon secrétaire.

MITZI *(gagnant Robert)* : Est-ce que Madame emmène ses chiens ?

ROBERT *(battant des bras)* : Je ne sais pas, Mitzi, demandez-le à Madame.

Il laisse échapper sa vis, qui roule par terre. Affolé, il tourne sur lui-même, les yeux à terre. Le chauffeur et Paul l'observent benoîtement.

ROBERT : Ma vis ?

CORNEILLE *(comme en écho)* : La vis !

ROBERT *(éperdu)* : Ben, quoi, ben, ma vis !

Il se penche vers la banquette.

---

1. Il s'agit du chauffeur de Robert et de Paul, le valet de pied déjà vu dans une précédente séquence. **2.** Les deux scènes suivantes (plans 66 et 67) ne figuraient pas dans la plupart des copies circulant avant la restauration de 1959.

ROBERT *(tirant la banquette. À Corneille)* : Enlevez ce meuble *(à genoux sur la banquette, cherchant derrière)*, ce canapé...

Lisette, de trois quarts dos, est entrée par la droite, venant de chez sa maîtresse. Elle remonte prestement le vestibule, un plateau en mains (la collation commandée par Octave), et se faufile entre les domestiques.

ROBERT *(allongé sur la banquette, le nez au sol)* : Vous comprenez, Corneille, c'est la vis de ma fauvette : j'y tiens !

CORNEILLE *(resté debout, monocorde)* : Oui, oui, monsieur, évidemment...

HÔTEL PARTICULIER DES LA CHESNAYE, SALON, INTÉRIEUR JOUR

67. *Lisette passe la porte du salon, souriante. Par la porte restée ouverte, on aperçoit Robert et ses domestiques*[1]. *PANORAMIQUE À DROITE SUIVANT Lisette cadrée en pied.*

OCTAVE *(d'abord* off*)* : Ma p'tite Lisette *(elle le rejoint au centre de la pièce, toujours penché sur le phonographe)*, pose ça sur la table ! *(Fièrement.)* Pis j'vais t'annoncer une grande nouvelle !

Lisette passe dos à nous et pose son plateau au milieu des boîtes de cylindres. FIN DU PANORAMIQUE À 90° DROITE.

OCTAVE *(réglant le phonographe)* : Tu sais, « mon aviateur », comme tu l'appelles : eh ben, j'l'emmène à la Colinière ! *(Il se penche sous le pavillon.)*

LISETTE *(éclatant de rire, incrédule et moqueuse)* : Eh bien, vous en avez, des inventions !

Une musique nasillarde émerge du pavillon. Elle se prolongera, accompagnant la chanson[2]*, jusqu'à la fin de la scène.*

---

1. Le début du plan, monté un peu trop court, crée un léger effet de faux raccord : Robert, qui l'instant d'avant était vautré sur la banquette, fait un pas en direction du salon. **2.** *Un coup de soleil*, polka-marche de Léopold Gangloff (musique) et J. Baldran (paroles), 1891.

OCTAVE *(reparaissant de derrière le pavillon en scandant avec gouaille)* : « Des inventions » ? *(Se récriant toujours, il contourne lestement la table.)* T'appelles ça « des inventions », toi ? *(Il la pince aux hanches. Cri de Lisette, elle s'enfuit.)* « Des inventions » ? *(Il la poursuit vers le fond de la pièce,* ACCOMPAGNÉ PAR UN PANO LATÉRAL DROITE.*)* « Des inventions » ? *(La rejoignant, il la pince à nouveau aux hanches. Nouveau cri ravi de Lisette, qui repart vers le coin gauche de la pièce. Cavalcade* SUIVIE PAR L'APPAREIL, *rires.)*

VOIX DU CHANTEUR *(sortant du pavillon)* : « En revenant d'la pêche / D'la pêche au Bas-Meudon... »

*Lisette, ayant échappé à Octave, revient vers nous en courant par la droite de la table. Octave, coupant par la gauche de la table, la prend à revers (*TOUJOURS SUIVI PAR LE PANORAMIQUE À GAUCHE*).*

VOIX DU CHANTEUR *(en continu)* : « J'avais mon casque à mèche[1] / Ma femme son pompon... »

Octave a rejoint Lisette avant la porte et, dans un dérapage, l'a saisie à la taille. PAUSE DU PANORAMIQUE : *le couple s'immobilise, l'air de rien, en voyant rentrer Robert.* LE PANORAMIQUE REPART EN SENS INVERSE POUR SUIVRE, À 90° DROITE, *Robert tout sourire jusqu'à la table.*

VOIX DU CHANTEUR *(en continu)* : « Nous avions pris sans doute / Un coup d'soleil en plein... »

Robert, dos à nous, resserré à la ceinture, est penché sur la table et tape quelque chose avec son tournevis. FIN DU PANORAMIQUE.

VOIX DU CHANTEUR *(en continu)* : « Car tout le long d'la route... »

ROBERT *(se retournant en direction d'Octave)* : Oh, excuse-moi ! *(Tournevis en main.)* Tu sais, tu n'es pas un idiot : tu es un poète...

VOIX DU CHANTEUR *(en continu)* : « Car tout le long d'la route[2] / Nous chantions ce refrain... »

1. Bonnet de nuit. 2. Le redoublement de ce vers, difficilement perceptible, s'explique soit par une simple répétition dans la chanson, soit par une manipulation de la bande son, soit par un saut de l'aiguille sur le cylindre consécutif à l'activité de Robert sur la table avec son tournevis.

ROBERT *(sourire complice, enchaînant)* : Un dangereux poète[1] !...
VOIX DU CHANTEUR *(en continu)* : « Tra la la, la la... » *(Robert jette son tournevis sur la table en riant et sort du champ par la gauche. La table et le phonographe restent seuls à l'écran*[2]*.)* « Tra la la, la la... Tra la la, la la, la la... Tra la la, la la, la la... »
Fondu au noir.

CHÂTEAU DE LA COLINIÈRE, ESPLANADE D'ACCÈS, EXTÉRIEUR JOUR[3]

68. *Ouverture au noir.* PANORAMIQUE À DROITE *suivant deux automobiles (une blanche, une noire), cadrées en plan général au-delà d'un canal bordé d'arbres (bruit lointain des moteurs) : elles remontent à vive allure l'esplanade qui conduit, par une rampe et un pont-levis de bois enjambant un bras du canal, à la poterne du château. La voiture de tête franchit le pont (bruit des planches) et s'engouffre sous le porche.*

---

1. Expression à rapprocher de celle d'Octave qualifiant tout à l'heure Christine d'« ange dangereux » (plan 57). **2.** L'image se fige pour les dernières secondes. Les restaurateurs de 1959 ont dû recourir à cet artifice – la bande image dont ils disposaient pour ce plan étant légèrement plus courte que la bande son – afin que l'on entende la chanson jusqu'au bout. **3.** Nouvelle ellipse temporelle après plus de six minutes d'action ininterrompue. L'agitation dont bruissait l'hôtel La Chesnaye dès le lever du jour ainsi que de nombreuses répliques permettent d'établir que le départ des maîtres pour la Colinière était, dans les scènes précédentes, imminent. Pour un conducteur comme Robert, la Sologne n'est qu'à deux heures de voiture de Paris. C'est donc le jour même, dans l'après-midi, que les châtelains parviennent à leur résidence de chasse, précédant d'une journée l'arrivée de leurs invités.

CHÂTEAU DE LA COLINIÈRE[1], COUR D'HONNEUR, EXTÉRIEUR JOUR

69. *Raccord dans le mouvement de la voiture de tête (une Delahaye blanche) passant en plan moyen le porche ensoleillé, suivie de la seconde voiture (une Hotchkiss noire). Bruit rapproché des moteurs.* REPRISE DU PANORAMIQUE À DROITE *sur les voitures qui remontent la cour du château en longeant les écuries (plan d'ensemble). Des cloches au loin (*off*) saluent à toute volée l'arrivée des maîtres.* LE PANORAMIQUE DÉCOUVRE, *au-delà d'une vaste pièce de pelouse, l'imposant château de la Colinière. Les autos s'en approchent.*

CHÂTEAU DE LA COLINIÈRE, PERRON, EXTÉRIEUR JOUR

70. *Au pied du perron, le vieux jardinier et Schumacher, dos à nous, cadrés ceinture, accueillent l'arrivée de la voiture de tête[2]. À l'arrière-plan, on aperçoit l'aile gauche du château et la balustrade de pierre du perron. La voiture s'arrête (crissement*

1. Dans la réalité, il s'agit du château de La Ferté-Saint-Aubin (Loiret), édifié au XVIe-XVIIe siècle sur une petite île rectangulaire reliée à la terre ferme par quatre passerelles de pierre ou de bois. La majeure partie de l'île est occupée par une vaste cour intérieure plantée de pelouses, flanquée d'une écurie et d'une orangerie, et à l'extrémité de laquelle se dresse perpendiculairement le château. Une seconde île, abritant une chapelle, et un parc boisé de quarante hectares complètent, entre autres, ce domaine privé qui, à l'époque du tournage de *La Règle du jeu*, appartenait à la famille O'Gorman, des amis de Renoir. Quant au nom prêté par le cinéaste au château des La Chesnaye, il a pu être inspiré par « Les Colinières », lieu-dit proche de Brinon-sur-Sauldre (Loir-et-Cher) où s'était installé le QG de l'équipe de tournage, ou encore de « La Collinière » proche de Lamotte-Beuvron (Loiret). Quoi qu'il en soit, le château est, dans le film, explicitement situé en Sologne – la partie de chasse et maints détails le confirmeront. **2.** L'automobile utilisée ici – dont le numéro d'immatriculation visible est 1812 RM3 – appartenait... à Marcel Dalio.

des pneus sur le gravier), les deux hommes ôtent leur casquette. Son assourdi des cloches.

ÉDOUARD SCHUMACHER *(s'avançant vers la portière droite du conducteur*[1]) : B'jour, m'sieur l'marquis ! *(Il ouvre la portière.)*

CHRISTINE *(assise à côté de son mari)* : Bonjour, Schumacher !

SCHUMACHER *(se penchant à l'intérieur de la voiture dont s'extrait Robert)* : Bonjour, madame la marquise.

La seconde voiture vient se garer derrière la première.

ROBERT *(sortant côté conducteur ; il est en costume de voyage)* : Bonjour.

Début d'un TRAVELLING LATÉRAL DROITE *suivant Robert qui tourne sur lui-même, embrassant le paysage d'un regard satisfait, puis contourne la voiture par l'avant. Bruit des pas sur le gravier, son des cloches* off. *Le chauffeur de Monsieur émerge... du siège arrière.*

SCHUMACHER *(moustache et velours de chasse, suivant Robert en tripotant sa casquette)* : M'sieur l'marquis m'excusera de lui parler de ça pendant le service, seulement *(les deux hommes passent devant nous de profil)* voilà : c'est à cause de ma femme...

ROBERT *(marchant vers le perron en ôtant ses gants, sans regarder Schumacher)* : Oui, oui, je sais, mon ami : vous m'avez écrit tout ça.

Il lève le nez vers le château, se retourne en direction de Corneille qui est sorti de la seconde voiture, gravit quelques marches du perron (légère contreplongée, cadré cuisse).

SCHUMACHER *(le suivant toujours)* : M'sieur l'marquis se rend compte ? *(Agitant sa casquette dans ses mains.)* Ma femme tout l'temps à Paris *(Robert a fait volte-face et revient vers sa voiture d'où émerge Christine, portière tenue par le chauffeur. Bref* TRAVELLING ARRIÈRE ENVELOPPANT, *découvrant au fond les écuries)*, moi ici : c'est pas une vie ! Autant dire que j'suis veuf ! *(*LA CAMÉRA S'IMMOBILISE *: sur le bord cadre gauche reparaît le jardinier en tablier, au centre Schumacher, à droite*

1. La Delahaye avait le volant à droite.

Robert dos à nous. Christine, en chapeau et manteau à col de fourrure, remercie le chauffeur.) Qu'est-ce que m'sieur l'marquis a décidé ?... *(Fin des cloches.)*

ROBERT *(rajustant son manteau)* : Mais rien, mon ami *(un regard à Schumacher)* : qu'est-ce que vous voulez que je décide ? Si votre femme a envie de rester avec vous et de quitter le service de Madame, c'est elle que ça regarde *(il marche vers Christine debout devant la voiture)*, pas moi ! *(Brefs chants d'oiseaux.)*

SCHUMACHER *(vaincu)* : Bien, m'sieur l'marquis.

CHRISTINE *(rayonnante)* : Oh *(elle donne le bras à Robert)*, comme je suis heureuse d'être ici !

REPRISE DU TRAVELLING LATÉRAL DROITE (légère contre-plongée) : le couple gravit les marches, le vieux jardinier s'avance vers eux sans être remarqué.

ROBERT *(tendre)* : Moi aussi !

LE VIEUX JARDINIER *(fort accent campagnard. Humblement)* : Bonjour, monsieur l'marquis. *(À l'arrière-plan, Corneille aux ordres, et trois domestiques – Lisette, Mitzi et le chauffeur de la seconde voiture – affairés autour de leur auto. NOUVEL ARRÊT DU TRAVELLING.)*

ROBERT *(se retournant distraitement à l'appel du jardinier)* : Oui ?

LE VIEUX JARDINIER : Bonjour, madame la marquise. *(Le chauffeur de Robert grimpe lestement les marches en portant des bagages.)*

CHRISTINE *(redescendant vers le jardinier)* : Oh, bonjour ! *(Tape sur l'épaule.)*

ROBERT *(en écho)* : Bonjour !

LE VIEUX JARDINIER : Monsieur l'marquis, j'ai allumé l'calorifère et j'ai garni toutes les cheminées !

ROBERT : Bon... *(apercevant Corneille qui s'approche)* eh bien, adressez-vous à Corneille, mon ami. *(Il remonte les marches.)*

CHRISTINE *(s'adressant au jardinier, bien que son mari la tire par le bras)* : Comment va Gertrude ?

LE VIEUX JARDINIER : Je remercie madame la marquise, Gertrude *(inclination du buste)* va très bien !

CHRISTINE *(lui tapotant le bras, entraînée par Robert)* : Bravo ! *(Le couple sort du champ.)*

CORNEILLE *(qui attendait sévèrement, chapeau à la main,*

la fin du bavardage du jardinier) : Est-ce que le charbon a été livré ?

LE JARDINIER *(hochement de tête)* : Oui, monsieur Corneille !

CORNEILLE *(toujours sèchement)* : Vous avez fait rentrer du bois ?

LE JARDINIER *(hochement de tête)* : Oui, monsieur Corneille !

CORNEILLE : Très bien, mon ami.

Il sort à droite pour rejoindre ses maîtres, le jardinier s'en retourne vers la cour. Schumacher fait un signe à Lisette. Mitzi, enchapeautée, a gravi les marches à l'arrière-plan, portant une valise et un chien. Lisette (manteau, chapeau rond et valises), d'abord masquée par Corneille, est apparue sur les marches. Schumacher rentre par la gauche et la prend aux épaules. TRÈS LÉGER RECENTRAGE.

SCHUMACHER *(heureux)* : Bonjour, Lisette.

LISETTE *(elle se laisse embrasser sur les deux joues, souriante)* : Bonjour, Édouard. *(Petit rire.)*

REPRISE DU PANO-TRAVELLING LATÉRAL DROITE : *le couple, profil à nous, gravit les marches en forte contreplongée.*

SCHUMACHER *(suivant sa femme)* : Ça va ?

LISETTE *(sans se retourner, pressée de rejoindre sa maîtresse)* : Oui, ça va. *(Petit rire.)*

Le couple passe entre les deux montants de la balustrade de pierre qui borde la terrasse. Ornant l'extrémité de chacun de ces montants, deux imposants globes de pierre.

SCHUMACHER *(maintenant masqué par la balustrade qui barre toute la largeur du champ. Soupir de contentement)* : Ah ! enfin, te voilà !

Bruits des pas sur la pierre. Début du fondu enchaîné.

LISETTE *(entrant dans le bâtiment. Léger agacement)* : Oui, me voilà !

FIN DU TRAVELLING LATÉRAL *et suite du fondu*[1].

---

1. Une photographie de plateau – parfois reproduite et montrant dans le hall du château Christine, Lisette, Corneille, Mitzi, le chauffeur de Monsieur et, devant son limonaire encore emballé, Robert – peut faire croire qu'après la scène du perron prenait place une seconde scène

DOMAINE DE LA COLINIÈRE, UNE ALLÉE FORESTIÈRE[1], EXTÉRIEUR JOUR[2]

71. *Ouverture du fondu enchaîné sur Robert, assis trois quarts face à nous, cadré cuisse. Coups de fusil au loin.* LENT TRAVELLING ARRIÈRE *: Robert jette des regards interrogateurs de droite et de gauche. Derrière lui, une lande bordée d'arbres et la silhouette d'une ferme. Robert est assis sur un pliant, élégamment vêtu (chapeau, gilet-cravate, gabardine courte). Nouveau coup de feu.*

ROBERT *(l'air mécontent)* : Mais qu'est-ce que c'est que ça ? *(Coup de feu.)*

SCHUMACHER *(d'abord* off*)* : M'sieur l'marquis *(il apparaît sur le bord cadre droite)*, c'est ceux d'chez m'sieur des Réaux[3] : ils font de la destruction de lapins. *(Coup de feu. Schumacher, en costume noir de garde-chasse, fusil à l'épaule, tient une chienne fox-terrier en laisse.)*

ROBERT *(pivotant sur son pliant, vers Schumacher)* : Ben, et vous, qu'est-ce que vous attendez pour en faire ? *(Ils sont désormais cadrés en pied. Robert porte des guêtres montantes.)*

SCHUMACHER *(se justifiant)* : M'sieur l'marquis, on a fait

à l'intérieur du château. En réalité, il s'agit juste d'un plan, consigné dans le scénario à la fin de la scène d'arrivée des maîtres à la Colinière et prévu pour être réalisé en studio. On ignore si ce plan a été effectivement tourné mais il est de toute façon perdu. **1.** Il est évidemment impossible de déterminer avec certitude où furent tournées les scènes d'extérieur qui suivent. Il ne s'agit pas des bois trop touffus qui environnent le château de La Ferté-Saint-Aubin, mais bien plutôt des alentours du petit village déjà cité de Brinon-sur-Sauldre, à une trentaine de kilomètres de La Ferté, où était basée une partie de l'équipe du film, et qui serviront également au tournage des scènes de battues. **2.** Nouvelle ellipse après la minute et demie que dure l'arrivée des maîtres à la Colinière. Comme il est peu probable que le marquis entame aussitôt la tournée d'inspection de son domaine, c'est le lendemain matin qu'il va tancer Schumacher sur l'invasion des lapins et sauver la mise du braconnier Marceau en l'engageant comme domestique. S'ouvre donc à présent une journée longue (malgré trois ellipses, on le verra) de cinquante-six plans et d'une vingtaine de minutes, et fertile en événements. **3.** Nom authentique, désignant un domaine, proche de Brinon-sur-Sauldre, auquel Renoir emprunta des hommes et du matériel pour le tournage de la chasse.

un fermé[1] aux Épinereaux, un autre aux Tixiers[2]. *(Robert se penche et caresse la chienne.* FIN DU TRAVELLING ARRIÈRE.*)* Avec c'que les gardes ont fureté *(coup de feu)* dans la semaine *(Robert se lève)*, on en a fait *(coup de feu)* environ deux cent cinquante.

ROBERT *(fermant son pliant d'un coup sec, se dirige vers la gauche)* : C'est tout ?

PANO-TRAVELLING À GAUCHE ACCOMPAGNANT les deux hommes.

SCHUMACHER *(suivant son patron qui se sert de son pliant comme d'une canne)* : Ah, dame ! avec la pleine lune, on en fait moins que d'habitude ! *(Ils passent un petit talus, cadrés en pied et légère plongée.)* Maintenant, pour la plantation, il faudrait mettre un grillage, sans ça...

ROBERT *(sans se retourner, mécontent)* : Ah non...

SCHUMACHER *(sur sa lancée)* : ... ils vont tout ronger !

ROBERT *(même jeu. Haussant le ton)* : Non, non ! Je ne veux pas de grillage.

Il est arrivé sur l'allée forestière bordée d'arbres qui, perpendiculaire à nous, dessine une profonde ligne de fuite. Robert tourne le dos à deux autres gardes (un grand en velours noir, un épagneul à ses pieds, l'autre en vareuse grise, portant gibecière) qui attendent, en retrait au milieu de l'allée.

SCHUMACHER *(soumis)* : Bien, m'sieur l'marquis.

ROBERT *(se retournant enfin vers Schumacher.* FIN DU MOUVEMENT DE CAMÉRA À 90°*)* : Non, ça, je ne veux pas de grillages *(ferme)*, je ne veux pas de lapins ! *(Geste d'impuissance de Schumacher et regard à la dérobée aux deux autres.)* Arrangez-vous, mon ami !

SCHUMACHER *(s'inclinant)* : Bien, m'sieur l'marquis. *(À Robert qui a déjà tourné les talons.)* Je peux continuer ma tournée ?

---

1. Fermé : enclos constitué par des grillages, des filets ou des banderoles, et employé pour la capture ou la destruction des lapins. Un tel enclos sera utilisé, lors du tournage de certains plans de la chasse, pour... contenir les lapins dans le champ de la caméra. **2.** Les Épinereaux : nom d'un groupe d'habitations à une quinzaine de kilomètres de Brinon-sur-Sauldre. Les Tixiers : nom d'un bois jouxtant le domaine des Réaux.

ROBERT *(souriant)* : Bien sûr, Schumacher.

Schumacher salue, Robert sort du champ après un regard aux deux autres qui ôtent leur casquette. Schumacher fait un geste de l'épaule pour appeler ses deux acolytes et lâche sa chienne. Les deux gardes s'approchent de lui.

SCHUMACHER *(montrant devant lui la direction, aux deux autres, sans se retourner)* : Allez, on va redescendre par les Foucherolles !

DOMAINE DE LA COLINIÈRE, LES FOUCHEROLLES[1], EXTÉRIEUR JOUR

72. *Plongée en plan serré sur le sol d'une lande : un lapin traverse la largeur de l'écran (gauche-droite), poursuivi par la chienne de Schumacher.* PANORAMIQUE ASCENDANT QUI RECADRE *en plan d'ensemble le garde-chasse et ses acolytes venant vers nous. Au fond, la ligne des arbres. Un oiseau siffle* off.

SCHUMACHER *(à sa chienne hors champ)* : Tiens, tiens, tiens, Musette ! *(Il tend le bras.)* Apporte ! *(Il la siffle.)*

La chienne rentre par la droite, tenant le lapin dans sa gueule. LÉGER RECADRAGE À DROITE POUR SUIVRE *le groupe.*

SCHUMACHER *(au premier garde qui le suit avec l'épagneul) :* Va l'ramasser, prends-le !

La chienne dépose le lapin – qui s'échappe. La chienne part vadrouiller... en sens inverse.

LE SECOND GARDE *(marchant à hauteur de Schumacher)* : Qu'est-ce qu'il a dit, l'patron ?

Ils bifurquent dans un sentier au premier plan, et remontent vers nous, rejoints par le premier garde.

SCHUMACHER *(haussement d'épaules)* : Il a dit qu'il veut

---

1. Sauf erreur, aucun lieu-dit ne porte ce nom dans la région du tournage. Comme il est malaisé de différencier avec précision les différents lieux où vont évoluer maintenant Schumacher et ses acolytes, puis Marceau, enfin Robert et les quatre hommes, la même dénomination servira pour localiser les scènes qui s'ouvrent ici.

pas de grillages et qu'il veut pas de lapins ! *(Ils passent devant nous cadrés genou,* TRAVELLING ARRIÈRE POUR LES SUIVRE.*)* Comment qu'tu veux qu'on arrange ça[1] ?

Le groupe s'immobilise, ayant repéré quelque chose au sol. Schumacher se détache, LA CAMÉRA LE SUIT, *cadré ceinture, venant se pencher, au premier plan près d'un chêne nain, sur une cage grillagée dans laquelle il cogne : un animal s'agite dans le piège.*

73. LE SECOND GARDE *(en plan ceinture, le premier garde en arrière-plan)* : Ah ! l'salaud ! C'est l'fameux chat du moulin Méneau[2] !

74. *Raccord dans l'axe en plan moyen : au premier plan, en pied, Schumacher prend son fusil, les deux autres gardes derrière lui.*

LE SECOND GARDE : Il nous 'n a fait des dégâts, çui-là !

Les deux gardes rejoignent Schumacher qui ouvre du pied la trappe du piège. Bruit de grillage. L'un des deux gardes secoue la cage, l'autre effraie le chat qui s'échappe bord cadre gauche. Les trois hommes le suivent des yeux, Schumacher épaule, vise à droite, tire.

SCHUMACHER *(content de lui)* : Ben, maintenant, il nous fichera la paix !

LE PREMIER GARDE *(fort accent solognot)* : Oui, mais c'est Marceau qu'i'faudrait avoir *(mouvement de la tête)* comme ça !

Schumacher laisse retomber la trappe et remet son fusil à l'épaule.

LE SECOND GARDE : Marceau ? I's'fiche pas mal de nous !

SCHUMACHER *(reprenant sa marche, sûr de lui)* : I's'fiche peut-être de nous *(*LÉGER RECADRAGE*)* mais ça durera pas dix ans !

Il sort par la droite en passant devant nous.

SCHUMACHER *(rappelant sa chienne)* : Tiens, tiens, tiens, *(maintenant* off*)* Musette !

Les deux autres gardes sortent sur ses pas.

75. *Plan serré en plongée d'un lapin mort au pied*

---

1. La suite (jusqu'à la fin du plan 74) fut écartée par Renoir dès le montage, et rétablie en 1959. **2.** On trouve dans les environs de Brinon-sur-Sauldre un Tertre-Meneau.

d'un arbre. La chienne vient le saisir par la gueule, mais le lapin reste accroché à l'arbre par un collet.

SCHUMACHER (off, *tout proche)* : Tiens, tiens ! *(PANORAMIQUE ASCENDANT DÉCOUVRANT Schumacher qui s'approche, cadré en pied, au milieu des chênes nains.)* Qu'est-ce que t'as trouvé, fifille ?

LE SECOND GARDE *(contournant un arbuste)* : Y a un lapin qu'est cravaté !

BREF TRAVELLING ARRIÈRE RECADRANT les deux hommes (bruits des pas sur les feuilles) et, à leurs pieds, la chienne tirant toujours sur le lapin pour le dégager.

SCHUMACHER *(satisfait)* : Ah ! C'est c't'animal de Marceau qu'a posé une bordée de collets ! *(Le garde à l'épagneul entre par la gauche. Le garde en vareuse se penche pour décrocher le collet.)* N'y touche pas : faut pas lui donner l'éveil ! *(Coup de feu au loin.)*

LE PREMIER GARDE *(intervenant)* : Oh, i'va pas l'rel'ver maintenant !

LE SECOND GARDE *(masqué par une branche)* : D'main matin au p'tit jour ?

LE PREMIER GARDE *(geste affirmatif du bras)* : À moins qu'i'fasse sa noce, parce qu'quand il fait la noce, l'lend'main, mon vieux, i's'lève pas d'bonne heure !

LE SECOND GARDE *(envieux)* : Ah, l'cochon : i's'la coule douce ! *(À Schumacher.)* Qu'est-ce qu'on fait ?

SCHUMACHER : On va tout de même le guetter ! *(Geste du menton pour donner le signal de la marche.)*

Ils sortent par la droite, l'un derrière l'autre. Bruits de feuillages.

SCHUMACHER *(rappelant sa chienne)* : Tiens, tiens ! *(Il la siffle* off.*)* Musette !

76. *À l'orée du bois. Plan fixe de Marceau avec, à ses pieds, sa bicyclette couchée dans l'herbe. Coup de feu au loin. Il ôte sa vareuse en jetant des regards à gauche et à droite. Il porte une casquette et une veste claires, un pantalon de velours sombre. Il est mal rasé. Il étend sa vareuse sur sa bicyclette pour la masquer, se penche sur un panier d'osier pour y prendre un petit chapeau noir, y place sa casquette tout en regardant autour de lui, et sort du cadre par* *la droite en mettant son chapeau. Coup de feu au loin.*

77. *Plan de demi-ensemble sur la lande parsemée de chênes nains, de bouleaux, d'un grand pin. Trois coups de feu au loin. Marceau entre par la gauche d'un pas décidé.* TRAVELLING LATÉRAL À DROITE LE SUIVANT *en plongée. Il ralentit, jette un œil derrière lui, se penche sur un collet accroché à une branche morte, le détache et repousse la branche, reprend sa marche. Nouveau coup de feu au loin. Marceau pénètre dans le petit bois de chênes nains, bifurque vers nous entre deux arbres, arrache au pied de l'un un autre collet (*L'APPAREIL RALENTIT*), s'avance vers nous (*L'APPAREIL REPART EN LE RECADRANT *taille) en regardant quelque chose au sol. Nouveau coup d'œil derrière lui (*NOUVELLE PAUSE*); il se penche sur un troisième collet (*SUIVI PAR LA CAMÉRA, PUIS NOUVELLE PAUSE*), le détache de l'arbuste, le chiffonne et le jette, reprend sa marche vers la droite. Sourire : il a aperçu quelque chose et presse le pas (*LE MOUVEMENT REPART À DROITE*).*

MARCEAU *(ragaillardi, il passe juste devant nous, cadré poitrine)* : Ah, enfin, m'en v'là un !

SÉRIE DE RECADRAGES ÉPOUSANT LES GESTES *de Marceau qui jette un œil vers la gauche, se penche à terre (coup de feu au loin), attrape le lapin pris au collet, l'arrache d'un coup sec, jette à nouveau un œil, va pour cacher le lapin sous sa veste.*

SCHUMACHER *(voix* off *venant de la droite)* : Marceau !

Marceau tourne aussitôt la tête vers la droite : UN PANO-TRAVELLING FILÉ[1] GAGNE À DROITE *les trois gardes embusqués derrière des chênes nains.*

---

1. Sur les copies consultées, on observe un léger saut à l'image. Il semble que le panoramique, qui vient ici après une longue suite de mouvements d'appareil, soit « triché » : Renoir a ménagé une coupe et un raccord afin que le pano-travelling aboutisse aux trois gardes. Si tel est le cas, *La Règle du jeu* compterait un plan supplémentaire, bien que ce raccord, presque imperceptible, permette de donner l'illusion que ce plan 77 est d'un seul tenant.

SCHUMACHER *(se relevant, imité par ses sbires, tout sourire)* : Bonjour, Marceau.

FIN DU PANO-TRAVELLING.

78. *Marceau face à nous, cadré ceinture au milieu des branchages.*

MARCEAU *(sourire innocent, voix de même)* : Bonjour, Schumacher. *(Sollicitude angélique.)* Tu vas bien ? *(Doucereux, montrant le lapin pour l'amadouer.)* Tu veux mon lapin ?

79. *Contrechamp sur les trois hommes l'un derrière l'autre, Schumacher au premier plan cadré ceinture au milieu des branchages. Il s'avance, le regard mauvais, ACCOMPAGNÉ PAR LA CAMÉRA, passe devant nous de profil. Bruits de feuillages.*

LE PREMIER GARDE *(se penchant sur Marceau hors champ)* : Donne-moi ça !

SCHUMACHER *(rejoignant Marceau. Geste du menton)* : Allez, marche devant !

Marceau, résigné, tourne les talons et s'éloigne par la gauche, suivi par Schumacher et le premier garde, dos à nous (LA CAMÉRA PIVOTE). Le second garde entre par la droite, passe dos à l'objectif, rejoint le groupe qui s'éloigne. Les chiens sont en laisse. Au loin, la lande, des pins, la ligne de la forêt. Deux coups de feu proches.

80 débute comme en 72. *Plongée sur le sol, un lapin traverse comme un éclair le cadre. Coup de feu. RAPIDE PANO ASCENDANT RECADRANT le lapin qui s'enfuit au loin. LE PANORAMIQUE VIRE À GAUCHE, BALAIE un paysage semblable au plan précédent et DÉCOUVRE, près d'un chêne nain, Robert (cadré cuisse) qui, cigarette au bec, regarde excédé en direction du lapin, battant le sol de sa canne.*

SCHUMACHER *(voix* off *au loin)* : Allez, avance, là, quand t'auras fini d'traîner, allez !

LE PANORAMIQUE ACCOMPAGNE Robert qui se retourne, au premier plan droite : au fond, remontant un chemin à découvert, Schumacher et les trois autres traversent le plan de gauche à droite.

ROBERT *(interpellant le groupe)* : Mais qu'est-ce qu'il y

a ? *(Haussant le ton.)* Qu'est-ce que c'est ? *(FIN DU PANORAMIQUE.)*

SCHUMACHER *(fermant la marche, répondant sans s'arrêter)* : C'est Marceau, m'sieur l'marquis !

ROBERT *(même ton)* : Marceau quoi ? Marceau qui ?

SCHUMACHER *(marchant toujours, tourné vers Robert)* : Ben, Marceau l'braconnier !

ROBERT *(ne comprenant pas)* : Mouais, venez ici !

81. *Raccord dans l'axe sur les quatre hommes, venant à nous, en plan de demi-ensemble. Sur la gauche, Schumacher et sa chienne ; sur la droite, Marceau flanqué des deux sbires, l'un d'eux le tient par la manche.*

SCHUMACHER *(à Robert hors champ)* : On l'a pris en flagrant délit !

ROBERT *(ne comprenant toujours pas.* Off*)* : Mais en flagrant délit de quoi ?

Le groupe est maintenant près de nous, cadré cheville. LÉGER PANO DE RECADRAGE.

SCHUMACHER *(sûr de son fait)* : Il a posé des collets *(geste du menton)* en bordure du p'tit bois !

82. *Contrechamp sur Robert, cadré cuisse.*

ROBERT *(ôtant sa cigarette des lèvres, le visage rayonnant)* : Destruction de lapins ? *(Plaisantant.)* Mais c'est un homme précieux ! *(Gesticulation enjouée.)* Faut le r'lâcher tout de suite !

Il sort précipitamment par la gauche en écartant une branche.

83. *BREF PANORAMIQUE À DROITE ACCOMPAGNANT le groupe profil à nous, tous cadrés en pied. À gauche, Schumacher ; au centre, Marceau et le premier garde, lapin en main, qui se découvre ; en retrait, le second garde.*

SCHUMACHER *(aussitôt interloqué)* : M'sieur l'marquis veut plaisanter ?

MARCEAU *(retrouvant sa verve, alternativement à Schumacher et à Robert qui entre par la droite)* : Mais j'savais bien que monsieur l'marquis m'comprendrait ! *(Faisant la leçon, ulcéré, à Schumacher en désignant*

Robert.) C't un homme intelligent, lui ! *(Désignant Schumacher au marquis.)* C'est pas comme c'te... *(indignation moqueuse)* c'te grande brute !

SCHUMACHER *(piqué au vif)* : « Grande brute » ?

Ils parlent tous les deux en même temps.

SCHUMACHER *(réagissant vivement)* : J'vais t'apprendre la politesse, moi ! *(En direction du marquis.)* On devrait avoir le droit d'tirer sur des crapules pareilles !

MARCEAU *(défense outragée)* : Moi... moi... après tout, qu'est-ce que j'ai fait ? *(Agrippant le lapin que tient le garde. De plus en plus véhément.)* Pour un p'tit lapin *(le garde tient bon)*, enfin un p'tit lapin *(lâchant prise et levant le bras au ciel)*...

MARCEAU *(sur sa lancée)* : ... de rien !

ROBERT *(aux deux)* : Taisez-vous !

MARCEAU *(encore lancé, mais radouci)* : ... de rien du tout ! *(Il rajuste son chapeau en guise d'excuses.)*

84. *Recadrage serré : Marceau, flanqué des deux gardes (Schumacher hors champ), face à Robert, tous quatre cadrés cuisse.*

ROBERT *(amusé)* : Et tu t'appelles Marceau ?

MARCEAU *(se grattant la joue tout en regardant Schumacher à la dérobée)* : Oui, monsieur l'marquis.

ROBERT *(sur le même ton)* : Tu es braconnier ?

MARCEAU *(explication embarrassée)* : Euh, j'suis plutôt rempailleur de chaises, seulement dans ma partie *(geste fataliste)* c'est comme dans tout : y a... la crise... *(Interrompant son laïus, montrant Robert à Schumacher, un ton au-dessus.)* Monsieur l'marquis m'comprendra, lui ! *(Revenant à Robert avec un geste d'impuissance.)* Alors... j'm'occupe !

SCHUMACHER (off, *hargneux)* : T'appelles ça « t'occuper » ? *(Marceau lève les yeux au ciel.)* M'sieur l'marquis, pendant la guerre, j'ai tiré sur des gars qu'en avaient fait moins que lui[1].

---

1. La réplique ne manque pas de sel si l'on songe que, Schumacher étant alsacien, donc, durant la Grande Guerre, soldat de l'armée allemande, c'est forcément sur des Français qu'il avait « tiré ».

ROBERT *(qui a écouté Schumacher d'un air las. Calmant le jeu)* : Ça va, ça va... *(Revenant à Marceau en riant.)* Marceau, tu as une tête qui me revient !

MARCEAU *(flatté et flatteur)* : Monsieur l'marquis est bien bon.

85. *Bref insert en contreplongée de Schumacher serré poitrine, face à nous.*

SCHUMACHER *(vive révolte)* : C'est d'la graine de crapule, m'sieur l'marquis !

86. *Contrechamp sur Robert en légère plongée, cadré poitrine face à nous (Marceau en amorce gauche).*

ROBERT *(indisposé par Schumacher, fermement)* : Taisez-vous. *(Bref regard en coin de Marceau vers Schumacher.)*

ROBERT *(sourire à l'adresse de Marceau)* : Au lieu de travailler... disons « en amateur » *(caressant)*, tu n'aimerais pas mieux détruire les lapins pour mon compte ?

87. *Contrechamp sur Marceau en légère contre-plongée, cadré poitrine, trois quarts face (Robert en amorce droite ; entre eux deux, le second garde).*

MARCEAU *(mimique béate)* : Oh !... Monsieur l'marquis veut m'engager ? *(Rayonnant.)* Oh ben j'dis pas non ! *(Humilité cabotine.)* Bah, après tout, moi, si j'braconne, c'est pas par méchanceté : c'est pour nourrir ma *(bêlant)* vieille mère !

88 = 85.

SCHUMACHER *(explosant)* : M'sieur l'marquis, il n'a pas de vieille mère !

89 = 87.

MARCEAU *(se récriant, à Schumacher. Fureur théâtrale)* : Moi *(la main sur le cœur)*, j'en ai pas, d'vieille mère ? *(Encore plus fort.)* Moi, j'en ai pas, d'vieille mère ?

90 = 86.

ROBERT *(mécontent)* : Schumacher, continuez votre tournée *(ferme)*, et laissez-moi tranquille !

91 = 84, *mais Schumacher dans le plan avec les quatre autres, tous cadrés en pied.*

SCHUMACHER *(vaincu)* : Bien, m'sieur l'marquis.

Il salue, tourne les talons et s'éloigne, suivi du premier garde (l'autre garde sort par la droite). La troupe s'égaille. Robert, au premier plan, se ravise et rappelle Marceau.

ROBERT *(à mi-voix)* : Eh, dis donc, Marceau ! *(Marceau se retourne vers Robert. Attendant que les gardes soient loin.)* Tu as sûrement posé d'autres collets, par ici ? *(Amusement complice.)* Tu n'veux pas m'en montrer un ?

MARCEAU *(avec déférence)* : Volontiers, monsieur l'marquis. *(Expliquant.)* Puisque j'suis à vot'service, j'peux pas vous r'fuser ça. *(Montrant le chemin, à mi-voix, également complice.)* Par ici.

Ils sortent l'un derrière l'autre par la gauche en traversant le champ. Robert jette son mégot. Deux coups de feu au loin.

92. *Plan rapproché d'abord fixe sur des arbustes secoués par le vent. Nouveau coup de feu* off. *Bruit du vent.*

MARCEAU *(entrant par la droite, cadré genou)* : Eh ben, tenez ! *(Geste de la main, voix très à son aise.)* Tenez, monsieur l'marquis ! *(Il se penche à terre ; Robert le rejoint et l'observe.)* Voyez-vous, 'pas, eh ben voilà un collet *(tous deux sont accroupis,* BREF RECADRAGE DESCENDANT*)* : il est mal posé !

ROBERT *(intéressé)* : Pourquoi ?

MARCEAU *(expliquant de la main)* : Parce que c'est une coulée[1] qu'est pus fréquentée. *(Vexé.)* J'aurais dû le voir *(il arrache le collet)* !

Il se redresse, aidé par Robert. BREF RECADRAGE ASCENDANT.

ROBERT *(civil)* : Ben, tout le monde peut se tromper !

MARCEAU *(protestant)* : Ah non ! ah non : c'est contrariant ! *(*LÉGER TRAVELLING ARRIÈRE *: Robert se relève, aidé*

---

1. Coulée : piste suivie par le gibier et repérable à ses empreintes.

par Marceau. Tous deux cadrés en pied.) Parce que si Schumacher voyait ça, i's'paierait bien ma tête !

ROBERT *(obligeant)* : Ah ! Tu peux compter sur ma discrétion.

MARCEAU *(reconnaissance obséquieuse)* : J'vous remercie bien, monsieur l'marquis.

Ils sortent par la droite.

93. *Raccord dans le mouvement : plan rapproché en forte contreplongée sur des bouleaux et le ciel. Marceau entre par la gauche, cadré poitrine.*

ROBERT (off, *derrière lui, relançant la conversation)* : Alors ? *(Marceau se retourne sur Robert qui s'immobilise, sa canne sous le bras, tous deux serrés à la poitrine.)* Ça te plaît de travailler chez moi ?

MARCEAU *(tracassé)* : Ça m'plaît, mais j'aurais mieux aimé travailler au château...

ROBERT *(remettant ses gants)* : Mais pourquoi ? T'aimes pas ça *(regards à la ronde)*, les bois *(moue de Marceau)*, la nature ?

MARCEAU *(nouvelles grimaces)* : Ben, avec Schumacher, pas plus que ça ! *(Montrant du nez les alentours.)* Ici, vous vous croyez chez vous, mais c'est plutôt son domaine *(rire de Robert)*, tandis qu'au château *(regardant Robert)*, il serait bien obligé de m'laisser tranquille ! *(Il va pour sortir, mais revient à Robert, sur un ton de confidence malicieuse.)* Et puis j'ai toujours rêvé d'être domestique...

ROBERT *(yeux ronds)* : Quelle drôle d'idée ! Pourquoi ça ?

MARCEAU *(s'expliquant, sur le même ton)* : À cause du costume... *(Épanchement angélique, comme pour lui.)* Ah ! avoir un habit, c'est mon rêve. *(Rire de Robert.)*

Il sort par la droite, imité par Robert.

Fondu au noir.

CHÂTEAU DE LA COLINIÈRE, PERRON, EXTÉRIEUR JOUR[1]

94. *Ouverture au noir.* PANORAMIQUE GAUCHE-DROITE À 45°, *balayant, en plan d'ensemble depuis le haut du perron, la cour d'honneur. Il pleut. Une automobile de luxe remonte la cour le long des écuries et passe devant des voitures déjà garées. Bruits de flaques d'eau et de moteur. Au moment où l'auto va s'immobiliser au pied des marches,* PANORAMIQUE FILÉ À 45° DROITE *qui,* DÉCOUVRANT *au premier plan les deux globes de pierre de la balustrade du perron, puis la partie gauche de la terrasse,* ABOUTIT *à la porte d'entrée entrouverte d'où jaillit un parapluie. Roulements du tonnerre,* PAUSE DU MOUVEMENT D'APPAREIL. *Paul, le valet, sort pour accueillir les nouveaux arrivants avec son parapluie, mais Corneille apparaît à la porte.*

CORNEILLE *(le rappelant de la main)* : Paul !

PAUL *(se retournant alors qu'il allait sortir du champ)* : Oui ?

Il revient chercher Corneille, et l'abrite sous son parapluie. LE PANORAMIQUE REPART EN SENS INVERSE, ACCOMPAGNANT *les deux hommes. Fin des roulements du tonnerre, bruit* off *d'une portière que l'on claque. Corneille et Paul (dos à nous, cadrés depuis la balustrade) parviennent à l'automobile (en plan de demi-ensemble) juste à temps pour tenir la portière à Geneviève qui s'extrait de l'auto* (NOUVELLE PAUSE DU PANORAMIQUE À 75° GAUCHE) *: Paul l'abrite de son parapluie.*

GENEVIÈVE *(s'ébrouant. Elle porte un manteau et une toque en ocelot)* : Oh ! là ! là ! *(Corneille a pris le parapluie des mains de Paul. Saint-Aubin sort de l'auto à la suite de Geneviève.)* Quel temps ! *(Nouveaux roulements du tonnerre, assourdis, jusqu'à la fin du plan.)*

CORNEILLE *(l'abritant tout en montant les marches)* : Eh oui.

---

1. Première des trois brèves ellipses temporelles dans cette longue journée commencée au plan 71. Nous sommes maintenant au milieu de l'après-midi, quelques heures après l'embauche de Marceau.

LE PANORAMIQUE REPART EN SENS INVERSE.

GENEVIÈVE *(rabattant son col)* : Ça fait longtemps qu'il pleut comme ça ?

CORNEILLE *(passant avec Geneviève entre les deux globes de pierre, Saint-Aubin derrière eux, suivi de Paul)* : Il y a une demi-heure, madame. À midi, il faisait un temps superbe.

GENEVIÈVE *(parvenue sur la terrasse)* : Et ça va durer longtemps ?

CORNEILLE *(couvrant le bruit de la pluie)* : Ah, je ne sais pas, madame *(le groupe passe devant nous, cadré cheville)*, mais la dernière fois que nous sommes venus avec monsieur le marquis *(pince-sans-rire)*, ça a duré quinze jours ! *(Ils sont devant la porte fermée. FIN DU PANORAMIQUE.)*

GENEVIÈVE *(poussant elle-même la porte)* : Oh ben, c'est gai ! *(Elle s'engouffre dans la maison, suivie par Saint-Aubin.)*

> **95.** *Raccord dans l'axe et dans le mouvement*[1] *: Corneille, cadré ceinture, s'efface pour laisser entrer Saint-Aubin. Bref raccord sonore du tonnerre.*

SAINT-AUBIN *(à quelqu'un dans le hall)* : Mon général, bonjour !

CORNEILLE *(se retournant vers Paul resté hors champ et lui rendant le parapluie. Sur un ton impérieux)* : Bagages !

LÉGER PANO À DROITE POUR RECENTRER l'intérieur du hall en profondeur depuis le chambranle de la porte en amorce. Au premier plan, la pluie tombe (bruit de l'eau qui ruisselle jusqu'à la fin du plan).

LE GÉNÉRAL *(au milieu du hall au côté de Geneviève, en réponse à Saint-Aubin qui lui tend la main, tous trois cadrés en pied)* : Tiens, mon p'tit Saint-Aubin !

---

1. À la différence du plan précédent, tourné sur le vrai perron du château de La Ferté-Saint-Aubin, celui-ci a été réalisé en studio, puisqu'il nous découvre, en profondeur de champ, l'intérieur du château de la Colinière. Un œil attentif remarquera que la sonnette, ici visible à gauche de Corneille, est plus haute que ne l'était celle du vrai château, également visible au plan précédent.

Corneille s'est engouffré dans le hall et disparaît par la droite. FIN DU PANO.

GENEVIÈVE *(se laissant prendre la main par le général)* : Oh, quel temps !

LE GÉNÉRAL *(lui baisant la main, attendri)* : Oooh !

GENEVIÈVE *(claironnant)* : Chaque fois que je viens à la campagne *(Jackie et la grosse Charlotte de La Plante passent au fond du hall)*, c'est comme ça : il pleut ! *(Rire de Saint-Aubin en train de s'ébrouer.)*

LE GÉNÉRAL *(gaillard)* : Mais c'est excellent pour la santé : ça rafraîchit les idées !

Saint-Aubin s'écarte, Geneviève s'ébroue et tend la main à La Bruyère venu à sa rencontre par la gauche.

GENEVIÈVE *(toujours sur le même ton)* : Bonjour, La Bruyère ! *(Elle lui tend la main.)*

CHÂTEAU DE LA COLINIÈRE, HALL, INTÉRIEUR JOUR

96. *Raccord à 90° droite sur la poignée de main : nous sommes dans le hall. Geneviève au premier plan, dos à nous, encadrée par La Bruyère et le général, tous trois serrés cuisse (Saint-Aubin masqué par le général). Derrière eux, on devine la porte ouverte de l'armurerie. La Bruyère est éclaboussé par Geneviève. Cris de Geneviève, du général. Des éclats de voix inaudibles parviennent de l'armurerie, ouverte à l'arrière-plan où l'on aperçoit Cava, à demi masqué par Geneviève, en train d'expliquer à Berthelin une passe d'escrime.*

LE GÉNÉRAL *(galamment, à Geneviève)* : Permettez-moi, chère amie. *(Il l'aide à retirer son manteau. Dans le mouvement, elle se retourne face à nous, souriante, en chemisier blanc.)* Là : vous êtes trempée comme une soupe. *(Lui retirant obligeamment son écharpe.)* Le petit foulard...

GENEVIÈVE *(après un sourire au général, se retourne sur La Bruyère pataud)* : Et votre femme ? Qu'est-ce que vous en avez fait ? *(Le général s'éloigne vers l'armu-*

rerie avec le vestiaire de Geneviève, suivi par Saint-Aubin.)

LA BRUYÈRE *(au garde-à-vous)* : À la cuisine, avec Christine : elles parlent ménage...

GENEVIÈVE *(attachant autour de sa taille la ceinture de son manteau, faussement intéressée)* : Oh !... Très intéressant ! *(Enchaînant.)* Vous arrivez de Tourcoing ?

LA BRUYÈRE : Oui.

GENEVIÈVE *(défaisant ses gants noirs)* : Ah... *(Enchaînant.)* Il pleut dans vos usines ?

LA BRUYÈRE : Comme partout. *(Paul passe avec les bagages derrière La Bruyère qui enchaîne, tout fier.)* Nous sommes venus en huit heures, y compris la traversée de Paris ! *(Sourire poli de Geneviève.)* Et les routes sont glissantes...

GENEVIÈVE *(cherchant du regard comment se débarrasser de ce raseur)* : C'est un r'cord ! *(Avisant quelqu'un hors champ.)* Bonjour, ma p'tite Jackie !

Elle sort par la droite, découvrant au fond de l'armurerie le général conversant avec Cava à demi masqué par l'un des battants de la porte (nouvel éclat de voix inaudible).

97. *Le fond du hall (à gauche un canapé sous une immense glace ouvragée, à droite une porte-fenêtre donnant sur le parc) : Jackie, une jeune fille d'allure sage, profil à nous, sourit à Geneviève qui traverse le champ gauche-droite (toutes deux cadrées genou).*

GENEVIÈVE *(s'arrêtant à peine, avec une tape sur l'épaule)* : Oh, mais tu as grandi ! *(TRÈS LÉGER RECADRAGE À DROITE.)*

JACKIE *(pivotant pour la suivre)* : Vous trouvez ?

GENEVIÈVE : Et tes études, ça va ? *(Se faisant préciser.)* C'est bien le chinois que tu apprends ?

JACKIE *(sérieuse)* : Mais non, Geneviève : j'étudie l'art précolombien !

Bruit de pas off *venant de droite.*

GENEVIÈVE *(faussement admirative)* : Oh, ça doit être passionnant ! *(Se retournant brusquement vers la droite : NOUVEAU RECADRAGE À DROITE.)* Bonjour, ma p'tite Charlotte, comment vas-tu ?

La grosse Charlotte, enveloppée dans une ample chasuble noire, a jailli de la porte du petit salon[1].

CHARLOTTE DE LA PLANTE *(elles s'embrassent)* : Bonjour, ma petite chérie ! *(Se dégageant pour scruter la ligne impeccable de Geneviève.)* Ah, dis donc : toi, tu as maigri ?

GENEVIÈVE *(protestant)* : Ah non !

Une amie de Charlotte est apparue sur le seuil du petit salon à côté de Dick, tous deux des cartes en main. À gauche, Jackie a suivi Geneviève mécaniquement.

CHARLOTTE *(poursuivant sa leçon à Geneviève)* : Méfie-toi, ça te jouera un vilain tour !

GENEVIÈVE *(se récriant)* : Mais, Charlotte, j'te le jure !

CHARLOTTE *(montrant ses propres cernes)* : Et ça, là ? On ne me la fait pas ! *(Rire vaincu de Geneviève, à qui Charlotte fait faire un tour complet pour l'inspecter.)*

DICK *(tapotant le dos de Charlotte avec ses cartes)* : Enfin, Charlotte, tu joues ou tu ne joues pas ?

CHARLOTTE *(geste de la main, sans se retourner)* : Je joue, je joue ! *(Les deux joueurs s'esquivent.)* Tu en es, Geneviève ?

GENEVIÈVE : Oh, moi, le bridge *(geste de dédain)*, je trouve ça assommant !

CHARLOTTE *(repartant vers le petit salon)* : Mais qui te parle de bridge ? *(Levant les bras au ciel.)* La belote, ma p'tite *(disparaissant dans le petit salon,* off*)*, la belote[2] !

Geneviève, ayant avisé quelqu'un hors champ gauche, va à sa rencontre. Jackie rejoint Charlotte au petit salon en se regardant les ongles, Dick est reparu à la porte.

DICK *(rappelant Geneviève qui ne se retourne pas)* : Dis donc, Geneviève *(sous-entendu appuyé)*, tu me donneras l'adresse de ton coiffeur !

98. *Plan de demi-ensemble sur l'imposant escalier de chêne descendant du premier étage (à mi-hauteur, un palier, une petite porte, une console sous*

---

1. Dans son scénario, Renoir appelle cette pièce le « salon de jeu ». Nous conservons notre dénomination pour la distinguer du grand salon que l'on découvrira plus tard. **2.** Ces grands mondains s'amusent à faire peuple en jouant à la belote.

un tableau). C'est Robert qui descend, croisant Saint-Aubin sur le palier au moment où le général rejoint Geneviève au pied de l'escalier.

ROBERT *(serrant la main de Saint-Aubin tout en continuant à descendre)* : Bonjour. Vous savez où est votre chambre ?

SAINT-AUBIN *(montant)* : Oui, mon cher, merci. *(Il disparaît à l'étage.)*

LE GÉNÉRAL *(prenant la main de Geneviève)* : Vous n'avez pas eu trop froid, chère amie *(il lui baise la main)* ?

GENEVIÈVE : Non.

LE GÉNÉRAL : À la bonne heure *(il s'esquive par la droite)* !

TRAVELLING AVANT SUR Robert parvenant au bas de l'escalier où Geneviève l'attend. Robert vient prendre la main de Geneviève.

GENEVIÈVE *(maintenant cadrée cuisse, une main dans la poche de sa jupe. Se laissant baiser la main, doucereuse)* : C'est vrai que vous avez invité André Jurieux ?

ROBERT : Oui. *(FIN DU TRAVELLING, tous deux cadrés ceinture, face à face.)* Ça vous gêne ?

GENEVIÈVE *(lui prenant le bras)* : Mm... *(sous-entendu caressant)* au contraire...

Soupir de Robert. Elle l'entraîne par la droite. TRÈS BREF RECADRAGE À GAUCHE SUR L'ESCALIER.

CHÂTEAU DE LA COLINIÈRE, CUISINES, INTÉRIEUR JOUR

99. *Plan de demi-ensemble sur les cuisines cadrées en profondeur de derrière une table au premier plan. Les cuisines se composent de deux pièces en enfilade séparées par une cloison vitrée : dans la seconde pièce, on distingue des cuivres accrochés aux murs et un vasistas ouvert sur l'extérieur. Adolphe, en livrée noire, s'affaire dans cette seconde pièce tandis que Célestin, l'aide-cuisinier (toque et tablier blancs), sortant de la pièce du fond, vient à nous avec un cageot plein de légumes. Au mur, une pendule marque 16 h 10. Bruit des pas, DÉBUT D'UN*

LÉGER PANO À GAUCHE POUR INTÉGRER Christine (vêtue d'une simple robe grise).

CHRISTINE *(derrière la table, cadrée genou, à Célestin)* : Jean[1] n'est pas là ?

CÉLESTIN *(posant son fardeau sur la table)* : Ah non, madame la marquise *(POURSUITE DU PANO INTÉGRANT À GAUCHE la ronde Mme La Bruyère, en manteau et chapeau)* : il est à Orléans avec la camionnette, pour le poisson.

MOUVEMENT TOURNANT DE L'APPAREIL À DROITE autour de la table, toujours centré sur les trois personnages.

CHRISTINE *(désignant de la tête Mme La Bruyère à Célestin)* : Vous lui expliquerez pour madame La Bruyère *(geste de la main, il opine)* : elle mange de tout *(nouveau geste de la main)*, mais *(index levé)* pas de sel !

SUITE DU MOUVEMENT TOURNANT QUI DÉCOUVRE, derrière les trois personnages cadrés cuisse derrière la table, un monte-plats encastré dans le mur.

MME LA BRUYÈRE *(arrêtant Christine, puis faisant alternativement la leçon à Christine et à Célestin)* : Non !... Au contraire : beaucoup de sel ! *(Adolphe est entré et se dirige vers le monte-plats.)* Mais du sel marin ! *(FIN DU MOUVEMENT TOURNANT, QUI A EFFECTUÉ UN QUART DE CERCLE À DROITE. Germaine, l'aide-cuisinière, est apparue derrière Mme La Bruyère, vaquant à ses occupations. Bruits de vaisselle.)* Et... seulement après la cuisson ! *(Ponctuant de la main.)* Oh, c'est très facile, un enfant comprendrait *(insistance maniaque)* : après cuisson !

CHRISTINE *(gênée et amusée, à Célestin)* : Vous avez du « sel marin » ?

CÉLESTIN *(il n'a pas bronché)* : Non, madame. *(Pas contrariant.)* Mais on fera le nécessaire !

CHRISTINE *(se retournant sur Adolphe affairé au monte-plats, à côté de la cuisinière qui essuie de la vaisselle)* : Adolphe ! Pour madame de La Plante ?...

---

1. Désigne probablement le chef cuisinier – que l'on verra dans des scènes ultérieures, mais sans que ce prénom lui soit jamais attribué.

ADOLPHE *(s'inclinant)* : Ah, oui, madame la marquise, j'allais oublier : pas de thé, du café !

CHRISTINE *(acquiesçant)* : Et pour le général, un rond de citron dans de l'eau chaude !

ADOLPHE *(s'inclinant)* : Bien, madame la marquise. *(Il remet le nez dans son monte-plats.)*

MME LA BRUYÈRE *(prenant des airs perspicaces)* : Mmm... je sais : l'arthritisme[1] !...

Elles sortent par la gauche. Adolphe fourrage bruyamment dans le mécanisme du monte-plats, Célestin vient face à nous étendre un torchon sur la table, levant les yeux au ciel en repensant à Mme La Bruyère.

ADOLPHE *(partiellement masqué par Célestin, et criant dans la conduite du monte-plats)* : Paul ? Attends un instant !

100. *Raccord sur Germaine à sa vaisselle et Adolphe à son monte-plats, trois quarts dos à nous, cadrés taille. Adolphe sort par la droite. Bruit de pas des deux dames s'éloignant. Ayant guetté leur départ, Germaine se retourne vers Adolphe hors champ.* DE TRÈS LÉGERS RECADRAGES ACCOMPAGNENT *la conversation suivante.*

GERMAINE *(une assiette à la main, chuchotement malicieux)* : Et pour André Jurieux ?...

ADOLPHE *(reparu en amorce droite, un doigt sur les lèvres, les yeux levés en direction des dames)* : Chut !...

Germaine étouffe un rire, pose son assiette sur une pile, empoigne le plateau, fait demi-tour et l'emporte vers la gauche en se composant aussitôt un visage sérieux. Elle passe devant nous cadrée poitrine, ACCOMPAGNÉE PAR UN TRAVELLING LATÉRAL À GAUCHE QUI LA SUIT *(bruit des pas) jusqu'au pied de l'escalier de service communiquant avec le hall.* FIN DU MOUVEMENT D'APPAREIL *(Germaine sort du champ) : sur le palier, à mi-hauteur, les deux dames (cadrées cheville en contreplongée) vont quitter la cuisine.*

MME LA BRUYÈRE *(se retournant brusquement sur Chris-*

---

1. Arthritisme : disposition constitutionnelle à développer des crises de rhumatisme, d'asthme, d'eczéma, etc. Mme La Bruyère se pique de connaissances médicales.

tine) : Que pensez-vous *(pointant vers elle son face-à-main)* du vaccin antidiphtérique[1] ?
CHRISTINE *(interloquée)* : Moi ?... Je ne sais pas.
MME LA BRUYÈRE *(fièrement)* : Au dispensaire de l'usine, nous avons eu de *(forte scansion)* très beaux résultats !
CHRISTINE *(neutre)* : Vraiment[2] ?

CHÂTEAU DE LA COLINIÈRE, HALL, INTÉRIEUR JOUR

101. *Plan général de la cour d'honneur cadrée en profondeur depuis la porte ouverte du hall visible en amorce gauche[3] : on aperçoit la balustrade et l'un de ses globes de pierre, un cabriolet blanc garé au pied des marches et, au-delà, les pelouses, les écuries et le porche d'entrée. Il pleut toujours à verse (bruit fort de la pluie). André Jurieux (gabardine et nu-tête) remonte rapidement les marches, abrité par Paul qui porte le sac de voyage du nouvel arrivant. Parvenu sur le perron, André (cadré cheville) se retourne vers la voiture dans laquelle fouille une masse informe, Octave, dont on ne voit que les fesses émergeant par la portière entrouverte. TRÈS LÉGER RECENTRAGE À DROITE.*

ANDRÉ *(vers Octave)* : Mais qu'est-ce que tu cherches, ta valise ?

102. *Raccord son de la pluie* off. *Plan moyen de la petite porte des cuisines, sous l'escalier du hall, d'où sortent Mme La Bruyère et Christine. Elles montent les quelques marches menant au hall (plongée).*

MME LA BRUYÈRE *(intarissable)* : ... Oui, et mon aîné a eu une angine *(se retournant depuis le hall sur Christine,*

---

1. La vaccination obligatoire contre la diphtérie se développa en France dans les années qui suivirent la découverte du vaccin en 1923.
2. Toute la scène en cuisine (plans 99-100) avait été écartée par Renoir dès le montage et ne fut découverte que grâce à la restauration du film.
3. Ce plan, qui donne l'illusion d'être pris depuis le hall, fut en réalité tourné sur le seuil de la vraie porte du château de La Ferté-Saint-Aubin dont on reconnaît distinctement la cour d'honneur.

encore au bas des marches et qui referme la petite porte), et le petit la rougeole ! *(Christine, sourire poli, la rejoint au haut des marches, toutes deux cadrées cheville.)* Alors vous voyez d'ici *(Christine a aperçu André hors champ)* les soucis que ça a pu me...

Remarquant le regard de Christine, elle s'interrompt et se retourne aussitôt pour suivre ce regard. Fort bruit de la pluie.

MME LA BRUYÈRE *(prenant son face-à-main)* : Qui est ce monsieur ?

DÉBUT D'UN TRAVELLING ENVELOPPANT PAR LA DROITE les deux dames.

CHRISTINE *(embarrassée, mettant la main dans la poche de sa robe)* : C'est André Jurieux.

MME LA BRUYÈRE *(surprise ravie)* : L'aviateur ?

CHRISTINE *(cachant son émotion)* : Oui.

L'APPAREIL CONTOURNE UNE COLONNE, MASQUANT un instant les deux dames.

MME LA BRUYÈRE : Ah !... Quelle chance ! *(DÉBOUCHANT DE DERRIÈRE LA COLONNE, L'APPAREIL RECADRE maintenant les deux dames dos à nous.)* Je vais lui demander un autographe *(tout au fond du hall, André est apparu dans l'encadrement de la porte d'entrée, abrité par le parapluie de Paul)* pour mon aîné.

Roulement lointain du tonnerre. FIN DU TRAVELLING CIRCULAIRE À 90° DROITE. Christine et Mme La Bruyère au premier plan, cadrées cuisse, dos à nous, et, en profondeur, par-delà la rampe de l'escalier montant à l'étage, la porte ouverte du hall[1] *(on distingue à sa gauche un sofa et un buste de marbre). Sur le seuil, André s'est figé à la vue de Christine. Octave, gesticulant, surgit derrière André. Apercevant à son tour Christine, il pousse son ami à l'intérieur du hall, le dépasse (bruit des pas sur le damier de marbre), puis s'arrête. Portant chapeau trempé, cravate et manteau, il tient à la main droite, au*

1. Cette fois, par-delà la porte du hall édifié en studio, ce n'est plus la vraie cour du château que l'on aperçoit, mais une « découverte » photographique figurant la cour d'honneur dans le lointain. Renoir était familier de ces imbrications entre décor réel et décor reconstitué en studio qui, d'un plan à l'autre, servaient sa dramaturgie.

bout d'une ficelle, un « bagage » minuscule et, sur le bras gauche, sa gabardine.

OCTAVE *(sa voix résonne dans le hall)* : Bonjour, Christine. *(Paul pose derrière eux le bagage d'André et ferme son parapluie.)*

CHRISTINE *(soulagée de l'apparition d'Octave, elle marche à lui d'un pas décidé, plantant là Mme La Bruyère)* : Ah ! Bonjour, Octave ! *(Il lui tend les bras. Bruit des hauts talons de Christine sur le sol de marbre.)*

103. *Contrechamp. Octave, dos à nous cadré taille, embrasse Christine sur les deux joues. Derrière eux, la descente d'escalier et, au fond, statue de sel, Mme La Bruyère. Rire de bien-être de Christine. Octave se dégage sur le côté droit puis, rayonnant, tend le bras vers André resté hors champ, et entraîne Christine par la taille vers lui.* TRAVELLING À DROITE ENVELOPPANT QUI RESSERRE *Christine à la poitrine : Octave a disparu et André, entré par la gauche, fait face à Christine (tous deux profil à nous).*

CHRISTINE *(sourire un peu gêné)* : Bonjour, André *(elle lui tend la main).*

SUITE ET FIN DU TRAVELLING À 90° : *en amorce gauche, Octave ; au centre, le couple ; en profondeur derrière le couple, la porte entrouverte de l'armurerie et Cava qui observe. Paul traverse gauche-droite derrière le couple.*

ANDRÉ *(baisant la main de Christine)* : Bonjour, Christine.

Cava a fait signe à La Bruyère qui le rejoint dans l'encoignure de la porte.

CHRISTINE *(aimable)* : C'est très gentil à vous d'être venu.

ANDRÉ *(ému)* : C'est vous qui êtes très aimable.

Saint-Aubin passe la tête entre La Bruyère et Cava.

104. *Nouveau contrechamp, prenant cette fois le hall en diagonale : au premier plan, cadrés genou et en contreplongée, Christine, André et Octave, trois quarts dos à nous*[1]*, regardent Robert déboucher du petit salon et remonter vers eux d'un pas de course affecté. Sur le mur de séparation entre le*

1. On notera un très léger faux raccord : Octave tient à présent André par l'épaule, de son bras enveloppé de sa gabardine mouillée.

hall et le petit salon, une statue de marbre grandeur nature représente un cerf assis en majesté.

ROBERT *(s'approchant, rire empressé et vaguement forcé)* : Ah, mon cher André ! Alors nous sommes très heureux *(il lui tend la main et se penche sur Octave qu'il pince. Couinement d'Octave qui le pince en retour)* et très honorés *(il prend ostensiblement sa femme par la main et par l'épaule)* de vous voir parmi nous ! *(Désignant l'assistance groupée hors champ à la porte de l'armurerie.)* Vous connaissez tout le monde ? *(Il se dégage de sa femme et va chatouiller Octave.)*

André s'est retourné vers nous : La Bruyère entre par la droite.

LA BRUYÈRE *(serrant la main d'André)* : Mon cher Jurieux, vous ne connaissez pas ma femme *(il désigne celle-ci du menton au moment où elle entre par la gauche)* : elle voudrait vous demander un autographe *(passant devant Christine, Mme La Bruyère serre la main d'André, émue)* pour notre aîné !

ROBERT *(s'amusant derrière André avec Octave)* : Te voilà, toi ?

Octave s'ébroue en arrosant Robert de son manteau et de son chapeau. Gesticulations de Robert.

ROBERT *(riant)* : Mais tu es une gouttière !

OCTAVE *(se faisant retirer son manteau par Robert)* : Ah oui, alors !

Saint-Aubin est entré par la gauche, cherche un chemin pour accéder à André et contourne tout le groupe en passant entre Octave et André. Le général est apparu à la porte du petit salon et remonte à son tour vers le groupe.

MME LA BRUYÈRE *(très aimable)* : J'espère qu'on vous verra un de ces jours, à Tourcoing. *(Son mari, traversant le champ droite-gauche, la prend par le bras, masquant Christine.)*

OCTAVE *(achevant de se débarrasser de son manteau avec l'aide de Robert)* : Fais attention, hein ?

Tous deux disparaissent par la droite.

SAINT-AUBIN *(parvenu à droite, dans le dos d'André, le*

retourne) : Mon cher Jurieux *(il lui tend sa main gauche)*, je ne vous ai pas vu depuis : c'est magnifique !

LE GÉNÉRAL *(parvenu à gauche d'André. Tonitruant, couvrant la réponse d'André à Saint-Aubin)* : Mon cher Jurieux *(Cava coupe le champ gauche-droite)*, je suis ravi de vous voir ! *(Il tend la main à André qui se retourne. Solennel.)* Et très fier de vous serrer la main !

ANDRÉ *(balbutiant)* : Mon général...

Cava s'est posté en amorce droite au côté de Saint-Aubin, derrière André.

LE GÉNÉRAL *(lui secouant la main)* : Si, si, si, si ! *(Geneviève a débouché du petit salon, suivie de Jackie. Berthelin coupe le champ gauche-droite comme Cava. Enchaînant, toujours solennel.)* Très fier ! Vous êtes un homme, vous *(tape sur l'épaule, forte scansion)* : un vrai ! *(Conclusion à la cantonade, et coup d'œil malicieux à Saint-Aubin.)* C'est une race qui disparaît ! *(Il entraîne Saint-Aubin.)*

CAVA *(se penchant vers André qu'il force à se retourner encore. Fort accent italien)* : Bonjour ! *(André lui serre la main.)*

GENEVIÈVE *(elle a pris la place du général, retourne encore André)* : Bonjour, Jurieux ! *(Familière.)* Vous n'êtes pas venu en avion ? *(Elle l'agrippe.)* Oh, il faut que je vous embrasse ! *(Elle l'embrasse sur les deux joues. Joie excessive.)* Je suis trop contente de vous voir ici ! *(Elle fait un pas en arrière.)*

À l'arrière-plan droite, sous le cerf, le général et Saint-Aubin, souriant, rejoints par Berthelin, regardent le groupe. De la porte du petit salon a débouché Charlotte qui remonte à nous pesamment, suivie de Dick et de son amie.

JACKIE *(qui attendait son tour derrière Geneviève)* : Et moi, André, tu permets que je t'embrasse aussi ? *(Elle l'embrasse sur les deux joues.)*

MME LA BRUYÈRE *(toujours sur le bord cadre gauche, à son mari hors champ)* : Oh, j'ai envie de lui demander une photographie !...

CHARLOTTE *(arrivant, à tue-tête)* : Eh bien *(Jackie cède sa place)*, et moi, et moi ? *(Elle va pour embrasser André.)*

105. *Plan rapproché de Christine trois quarts face, cadrée épaule, entre Jackie (amorce gauche) et Geneviève.*

CHRISTINE *(posément)* : Et moi ? *(Hochement de tête.)* Il me semble que *(elle s'avance : PANO FILÉ À DROITE)* j'y ai droit !

Brouhaha confus des voix des assistants (on perçoit le nom de « Jurieux »). Christine, passant devant Cava, vient embrasser André sur les joues (tous deux cadrés poitrine) sous le regard de Berthelin (lunettes, complet trois pièces et nœud papillon). FIN DU PANO.

DICK *(*off*)* : Est-ce que tu crois qu'il joue à la belote ?

CHARLOTTE *(*off, *d'évidence)* : Mais bien sûr !

DICK *(*off*)* : Si on lui demandait ? *(Christine se dégage d'André.)*

CAVA *(*off, *tirant Berthelin par la manche pour commenter l'exploit d'André)* : Dites-moi *(LE PANORAMIQUE REPART VERS LA GAUCHE, SUIVANT Berthelin et Cava)*, *mio caro Bertolino*, vous ne croyez pas *(ils passent devant le général et Saint-Aubin)* que, si ça « continue » *(ON RESSERRE EN TRAVELLING AVANT SUR le général et Saint-Aubin en plan poitrine)*, bientôt *(à nouveau* off*)* on pourra aller prendre l'apéritif à « Nouv-York » ?

SAINT-AUBIN *(perfide, penché sur le général radieux)* : Ça s'passe « en famille » !... *(FIN DU TRAVELLING AVANT.)*

LE GÉNÉRAL *(se tournant vers Saint-Aubin, d'un ton cinglant)* : Qu'est-ce que ça veut dire ?

BERTHELIN *(*off*)* : Jamais de la vie ! Ça restera toujours une chose [inaudible], un moyen de transport réservé à des [la suite se perd, recouverte par le dialogue principal].

Brouhaha des conversations off.

SAINT-AUBIN *(embarrassé, désignant du nez le couple hors champ)* : Ben... Jurieux et Christine !...

LE GÉNÉRAL *(remettant Saint-Aubin à sa place)* : Mais qu'est-ce que ça peut vous foutre ? *(Coupant court.)* Nous sommes ici pour chasser, bon Dieu d'bois *(ironique)*, pas pour écrire nos Mémoires !

Il se détourne par la gauche.

106[1]**.** *Raccord sonore sur le brouhaha. Charlotte et Dick de face, serrés aux épaules, guettent Christine et André hors champ.*

DICK *(la main sur l'épaule de Charlotte, à mi-voix)* : Enfin, « ont-ils » ou « n'ont-ils pas » ?

CHARLOTTE *(levant les yeux au ciel, comme si la question ne se posait pas)* : « Ils ont »...

DICK *(déçu)* : Dommage !... *(Connaisseur.)* Un garçon si distingué !...

107. *Christine, serrée aux épaules, de trois quarts dos, se retourne vers nous. En retrait derrière elle, André engoncé dans sa gabardine. Raccord sonore du brouhaha.*

CHRISTINE *(regardant à la ronde)* : Mes chers amis ! *(Le brouhaha s'estompe, puis se tait.)* Il faut que je vous fasse une *(hésitation)* « confidence » à propos de mes relations avec André Jurieux... *(Elle fait un pas en arrière et se place à côté d'André interdit.)* C'est que j'ai *(mystérieuse)* ma « petite part » dans la réussite de son exploit. *(Elle lui a pris la main, tous deux trois quarts face et cadrés poitrine.)* Et voici comment *(elle le regarde amicalement)* : pendant ses préparatifs *(de nouveau à la cantonade. Robert et Octave sont entrés par la gauche et se postent à l'arrière entre André et Christine, ponctuant la suite du discours de mimiques diverses)*, André venait souvent me voir. *(Octave écoute, dubitatif ; Robert, intrigué, un mouchoir dans la main, a les yeux au sol et l'index à la bouche.)* Nous passions de longues heures ensemble, des heures très agréables *(regardant André)*, des heures placées sous le signe si rare *(articulant à la ronde)* de l'amitié *(moue amusée de Robert dans son mouchoir)*. Il me racontait ses projets *(Octave et Robert donnent des signes d'impatience)* et je l'écoutais. C'est quelque chose de savoir écouter ! *(Sourire malicieux de Robert. Octave jovial, mains en poche.* DÉBUT D'UN TRAVELLING ARRIÈRE TRÈS LENT.*)* Dans

---

1. Renoir avait écarté dès le montage toute la fin de cette scène (plans 106 à 108). Jusqu'en 1959, nul ne vit donc l'importante déclaration de Christine qui va suivre.

ce cas, ça n'a pas été inutile ! *(Elle tient toujours la main d'André. La Bruyère apparaît en amorce droite ; derrière lui, la porte ouverte de l'armurerie.)* J'en suis très fière, et *(concluant)* j'ai éprouvé le besoin *(rire du général qui apparaît en amorce droite)* de vous le dire maintenant !

Rire soulagé de Robert. Le général tend les deux mains à Christine.

LE GÉNÉRAL *(lui baisant les mains)* : Bravo, Christine !

JACKIE *(se jetant par la droite dans les bras de Christine avec émotion)* : Oh ! ma tante, que je suis heureuse ! *(Elle se dégage et gagne le bord cadre gauche.)*

André se retourne vers Octave qui lui adresse une mimique complice.

ROBERT *(s'interposant entre Christine et le général, satisfait)* : Eh ben, voilà ! Eh bien, moi, je suis d'avis *(il s'adresse au général,* SUIVI PAR L'APPAREIL GAUCHE-DROITE *et cadré cuisse)* de donner une fête *(à la ronde)* : une grande fête en l'honneur de Jurieux !

Octave a pris Christine aux épaules. LE TRAVELLING LATÉRAL ACCOMPAGNE TOUJOURS *Robert.*

LE GÉNÉRAL *(tapotant l'épaule de Robert)* : Excellente idée !

ROBERT *(continuant vers Geneviève)* : Nous jouerons la comédie *(sourire glacial de Geneviève. Robert parvient entre Dick, dos à nous, Charlotte et son amie. Il surenchérit)*, nous nous déguiserons ! *(Il secoue Charlotte par les épaules.)*

CHARLOTTE *(éclatant de rire)* : C'est ça *(à tue-tête)* : nous nous déguiserons !

Éclats de rire divers. LE TRAVELLING REPART EN SENS INVERSE, RECADRANT *Robert entre le général et Geneviève.*

ROBERT *(pivotant sur lui-même)* : Enfin, on essaiera *(gesticulant)* de s'amuser entre nous le plus librement possible. *(Imitant un garde-à-vous comique.)* Quand faisons-nous cela, mon général ? *(Octave éclate de rire.* FIN DU TRAVELLING, *les personnages sont cadrés aux chevilles.)*

LE GÉNÉRAL *(se retournant vers Christine)* : Eh bien, mais...

CHRISTINE *(à qui le général a passé la parole)* : Dans une semaine, après les battues[1].

ROBERT *(toujours très agité)* : Parfait ! C'est ça, dans une semaine, après les battues ! *(Il agrippe aussitôt André.)* Voilà. Alors venez avec moi, Christine *(entraînant André par la manche)*, nous allons l'installer ! *(Christine a pris l'autre manche, Octave le pousse en avant.)* Allez !

Ils sortent par la droite. Éclats de rire d'Octave et du général. Jackie regarde ses ongles.

LE GÉNÉRAL *(avisant Saint-Aubin au bord cadre gauche)* : Eh, eh ! Ben mais *(malicieux)*, ils sont très gentils *(désignant les La Chesnaye)*, ces p'tits !

NOUVEAU TRAVELLING LATÉRAL DROITE SUIVANT Octave qui se déplace le long du mur, mains derrière le dos.

LE GÉNÉRAL *(tapotant Saint-Aubin passé hors champ)* : Allez, Saint-Aubin, v'nez faire mon billard !

Octave, passant derrière Dick et ses deux amies, a rejoint Geneviève accoudée, profil à nous, au bas de l'escalier. FIN DU TRAVELLING.

SAINT-AUBIN *(*off*)* : À vos ordres, mon général.

Octave, large sourire, prend les mains de Geneviève qui regarde disparaître en haut des marches les La Chesnaye et André. Le général traverse le champ gauche-droite, et sort en entraînant Cava, suivi par Saint-Aubin.

CHARLOTTE *(masquée par Dick)* : Qu'est-ce qui vient faire une partie de ping-pong avec moi[2] ?

DICK *(excitation ravie)* : Oh, moi, moi ! *(Interpellant Geneviève.)* Tu viens, Geneviève ? *(Charlotte, tout sourire, sort à la suite du général, imitée par Jackie, l'air morose.)*

GENEVIÈVE *(une cigarette au bec, ennuyée)* : Non merci !

MME LA BRUYÈRE *(traversant à son tour le champ gauche-droite, entre son mari et l'amie de Charlotte)* : Une fête ? Mais pour quoi faire ?

---

1. Battue : chasse au cours de laquelle on bat les arbres pour faire sortir les animaux du bois. Voir note 3, p. 137. **2.** Ce jeu de salon, lancé par les Anglais à la fin du XIXe siècle, était très en vogue dans la bonne société d'avant 1914, puis devint un sport dans les années 1920.

LA BRUYÈRE : Comment, « pour quoi faire » ?

SAINT-AUBIN *(off)* : Pour s'amuser...

MME LA BRUYÈRE *(comprenant)* : Ah ! on pourrait la donner *(désormais* off*)* au bénéfice d'un dispens...

Octave et Geneviève s'avancent vers nous. Octave rit béatement ; Geneviève, après un dernier coup d'œil vers l'étage, gratte nerveusement une allumette.

CHÂTEAU DE LA COLINIÈRE, PETIT SALON, INTÉRIEUR JOUR

108. *Plan rapproché cadrant le hall depuis la porte vitrée du petit salon (on distingue au fond les colonnes du hall et la rampe de l'escalier). La Bruyère entre face à nous, suivi de sa femme et de Jackie*[1]*. Bruit des pas.*

JACKIE *(passant la porte avec Mme La Bruyère, serviable)* : Votre manteau, madame ?

DÉBUT D'UN TRAVELLING LATÉRAL GAUCHE ACCOMPAGNANT les deux femmes dans la pièce.

MME LA BRUYÈRE *(sans se retourner)* : Euh, je l'enlèverai tout de suite *(elles passent devant nous, serrées poitrine)* en montant dans ma chambre, merci.

L'APPAREIL LES SUIT, l'une derrière l'autre.

MME LA BRUYÈRE *(maintenant à gauche, se retournant sur Jackie)* : Quel charmant garçon, ce monsieur Jurieux ! *(Jackie acquiesce en silence.)*

Elles traversent droite-gauche le petit salon que l'on aperçoit en profondeur, passant, profil à nous, devant La Bruyère qui parle avec l'amie de Charlotte.

L'AMIE DE CHARLOTTE : Eh bien, La Bruyère, je vais vous faire une réussite ?

LA BRUYÈRE *(déjà* off*)* : Mais avec plaisir.

Au fond du petit salon, flou, Cava prend des poses d'escrime.

---

1. Nouveau faux raccord : en une seconde, Jackie a remplacé auprès de Mme La Bruyère l'amie de Charlotte, qui a disparu mais qu'on va retrouver dans le petit salon.

MME LA BRUYÈRE *(à Jackie, toutes deux passées trois quarts dos à nous)* : Il doit avoir une grosse situation...

JACKIE *(dos à nous, simplement polie)* : Oh, certainement.

Elles s'arrêtent devant une méridienne placée devant la cheminée. FIN DU MOUVEMENT D'APPAREIL À 120° GAUCHE *(toutes deux cadrées taille).*

MME LA BRUYÈRE *(fine insinuation)* : Ça ferait un bon parti pour toi, Jackie ? *(Jackie se retourne prestement vers elle.)*

JACKIE *(soupir)* : Oh, vous savez, je ne crois pas qu'André *(se forçant à sourire, face à nous)* s'aperçoive seulement que j'existe !

MME LA BRUYÈRE *(entêtée)* : Mais, on pourrait peut-être arranger *(elle reprend sa marche vers le grand salon, bref recadrage vers la gauche)* une petite réunion chez moi *(insistance maligne)*, à Tourcoing ? Mm ?

Fondu au noir.

CHÂTEAU DE LA COLINIÈRE, CUISINES, INTÉRIEUR SOIR[1]

109. *Ouverture au noir.* LARGE PANO-TRAVELLING LATÉRAL GAUCHE-DROITE : *franchissant la cloison qui sépare les deux parties de la cuisine, le chauffeur de Robert ôte sa casquette et suit Germaine, la cuisinière, qui porte un plateau.* L'APPAREIL LES SUIT, *cadrés genou,* REMONTANT GAUCHE-DROITE *la cuisine dans sa longueur.*

GERMAINE *(fort accent du Midi, au chauffeur)* : Ce Jurieux, c'est un bel homme, hein ? *(Bruit* off *de conversations de table. Ils passent devant un buffet surmonté d'une poupée mécanique.)* C'est dommage que la patronne *(n'en disant pas plus)*...

LE CHAUFFEUR DE MONSIEUR *(ils passent derrière la table*

---

1. Deuxième pause temporelle, à nouveau de quelques heures, avant le souper des domestiques. À noter que Renoir avait envisagé de montrer également le dîner des maîtres, scène écrite mais non tournée, dont la première réplique du chauffeur conserve pourtant la trace.

de cuisine chargée de légumes) : Vous savez qu'elle l'a placé à sa droite !

GERMAINE *(ils passent devant la première porte vitrée d'une office)* : « À sa droite » ? *(Ne comprenant pas.)* Où ça, « à sa droite » ? *(Derrière elle, sur le mur de l'office, le réfrigérateur.)*

LE CHAUFFEUR DE MONSIEUR *(la dépassant)* : À sa droite *(agitant sa casquette)* : à table !

GERMAINE *(maintenant devant la porte médiane de l'office)* : Oooh ! Eh ben, elle a tort !

L'APPAREIL ACHÈVE SA COURSE À 150° DROITE EN DÉCOUVRANT, par-delà la rampe de l'escalier de service au premier plan, la table des domestiques (perpendiculaire à la pièce) au bout de laquelle est assise Lisette. Le chauffeur (désormais en pied) accroche sa casquette et sa vareuse au mur de l'office.

GERMAINE *(allant à la table, dos à nous)* : Moi, je suis pour faire ce qui me plaît dans la vie, mais *(péremptoire)* les convenances sont les convenances !

110. *Plan serré en légère plongée sur l'extrémité gauche de la table des domestiques en train de dîner. En amorce gauche, Paul ; en amorce droite, l'épaule de William (le valet de chambre anglais) ; cadrée entre les deux, en bout de table, Lisette à côté du chauffeur de Madame*[1] *– qui dévore. Sur la table, un bocal de cornichons, une bouteille de vin. Derrière Lisette, une baie vitrée ouvre sur l'extrémité de l'office chargée de vaisselle. Sur les vitres, le même motif Vichy que sur la nappe.*

LISETTE *(attrapant une assiette d'asperges sur le plateau de Germaine)* : Oui, ben t'occupe pas de Madame ! *(Aigre.)* Elle a pas besoin de tes conseils ! *(Présentant l'assiette à son voisin.)* Des asperges ?

LE CHAUFFEUR DE MADAME *(geste cassant de la main)* : Non merci, jamais de conserves : je n'aime que le frais ! *(Il plonge sa fourchette dans le bocal à cornichons.)* À cause des vitamines ! *(Regard dépité de Lisette.)*

---

1. Identité douteuse : peut-être s'agit-il aussi d'un chauffeur en visite.

WILLIAM *(tendant le bras. Fort accent anglais)* : Voulez-vous me donner la moutarde ?

PAUL : Voilà, voilà.

LISETTE *(plus rapide que Paul, tend le pot)* : *If you please*[1]... *(Petit rire.)*

WILLIAM : Merci.

111. *À l'autre extrémité de la cuisine, deux cuisiniers aux fourneaux (casseroles, fumées) cadrés de biais en légère contreplongée. En profondeur, on distingue la cloison vitrée de séparation et, au loin, l'escalier de service. Le chef cuisinier tourne une sauce, Célestin à son côté (tous deux en toque et tablier, cadrés ceinture).*

CÉLESTIN *(passant au chef un œuf)* : Chef, vous avez pensé au sel marin pour la mère La Bruyère ?

LE CHEF CUISINIER *(impérial)* : Madame La Bruyère mangera *(il casse l'œuf sur le rebord d'une casserole)* comme tout le monde ! *(Vidant l'œuf dans un bol.)* J'accepte les régimes, mais *(tout à son œuf)* pas les manies...

112. *Retour à la tablée : la cuisine prise cette fois dans sa profondeur. Au premier plan, dos à nous en amorce, le chauffeur de Monsieur et un autre domestique attablés ; face à eux, Corneille (le nez chaussé de lunettes) et William. Au-delà de la table, on aperçoit à gauche la descente d'escalier à laquelle est accroché un fer à cheval et, tout au fond derrière William, les deux cuisiniers à leurs fourneaux.*

GERMAINE *(présentant le plateau à Corneille qui se sert)* : Tout de même, la patronne, elle exagère avec son aviateur !

WILLIAM *(fort accent anglais, se tournant vers elle, amusé)* : Où il y a de la gêne, il n'y a pas de *pleasure*[2] !

Rire poli de Germaine, bruits de fourchettes. Elle passe

---

1. « Je vous en prie » – réplique évidemment prononcée avec un fort accent français. 2. Plaisant démarquage, de la part d'un Anglais, du vieux dicton français « Où y a de la gêne, y a pas de plaisir ».

derrière Corneille : DÉBUT D'UN TRAVELLING LATÉRAL À GAUCHE.

GERMAINE *(persiflant)* : Qu'est-ce que vous en pensez, monsieur Corneille ? *(PAUSE DANS LE TRAVELLING.)*

CORNEILLE *(pète-sec)* : Si on vous le demande, vous direz que vous n'en savez rien ! *(Il tend une assiette à Mitzi, sa voisine de droite, qui se sert en riant.* LÉGÈRE REPRISE DU MOUVEMENT LATÉRAL À GAUCHE[1].*)*

GERMAINE *(passant derrière Mitzi, ironie piquée)* : Oh, pas gracieux l'adjudant *(elle sort par la gauche)* !

MITZI *(accent autrichien, riant toujours)* : « Le » moutarde, s'il vous plaît. *(Elle tend le bras.)*

113. *Raccord dans le geste, mais la tablée cadrée perpendiculairement à nous en légère plongée : assis à gauche, Mitzi, puis Corneille, William et Paul ; assis à droite, deux domestiques, puis les deux chauffeurs ; tout au bout de la table, face à nous, assise devant la baie vitrée de l'office, Lisette mange.*

WILLIAM *(tendant la moutarde à Mitzi en passant le bras devant Corneille) : Excuse me !*

MITZI : Merci.

LE CHAUFFEUR DE MONSIEUR *(s'adressant à Corneille au travers de la table)* : Enfin, mon cher Corneille, vous qui avez servi dix ans chez le comte de Vaudoy...

CORNEILLE *(rectifiant)* : Pardon, douze ans ! *(Les autres continuent à manger. Bruits de fourchettes.)* Et j'y serais encore si monsieur le comte n'avait pas été ruiné *(scandant de sa fourchette)* dans les produits alimentaires !

Germaine s'est postée, en amorce droite, derrière le chauffeur de Monsieur. Elle tend par-dessus la table une assiette à William.

LE CHAUFFEUR DE MONSIEUR *(tout à sa démonstration)* : Bon. Eh bien, est-ce que la comtesse...

CORNEILLE *(se fâchant)* : Mon cher ami *(Lisette lève le nez)*, la comtesse n'avait pas d'amant !

---

1. On aperçoit à peine, sur la cloison du fond, le cadran de la pendule qui semble marquer 21 h 15 (19 h 20, si l'on en croit le scénario original du film).

114 = 110, *mais Lisette seule à l'image, serrée poitrine.*

LISETTE *(répondant à Corneille)* : Oh, ben évidemment ! *(Gouailleuse.)* Elle avait quatre-vingt-cinq ans, et on la traînait *(faisant le geste)* dans une petite voiture ! Vous allez tout de même pas la comparer à Madame, non ? *(Elle éclate de rire.)*

LE CHAUFFEUR DE MONSIEUR *(ajoutant,* off*)* : Le comte de Vaudoy n'était pas un métèque...

LISETTE *(se tournant vers lui, sans rire)* : Qu'est-ce que ça veut dire encore, ça ?

115. *Le chauffeur cadré poitrine entre ses deux voisins en amorce, de trois quarts face tourné vers Lisette.*

LE CHAUFFEUR DE MONSIEUR *(sourire aux lèvres)* : Simplement qu'la mère de La Chesnaye avait un père qui s'appelait Rosenthal et qui arrivait tout droit de Francfort *(content de lui)* : c'est tout[1] !

116 = 114. *Lisette sans voix. Bruit de pas dans l'escalier.*

LE CHAUFFEUR DE MONSIEUR *(*off*)* : Je suis sûr, d'ailleurs, que ton mari est de mon avis.

Lisette tourne la tête vers l'escalier. Sourire.

117[2] = 112, *mais l'appareil est placé plus haut de façon à cadrer, de biais par-dessus les têtes des convives, Schumacher descendant l'escalier.*

---

1. Rosenthal était un des officiers de *La Grande Illusion* (1937), déjà interprété par Dalio. Mais, l'action de ce film se déroulant en 1916-1917, la coïncidence des noms, bien que piquante, interdit que Robert de La Chesnaye, homme d'âge mûr, soit le petit-fils de ce Rosenthal. Pour compliquer la généalogie du marquis de *La Règle du jeu*, ajoutons que La Chesnaye était aussi le patronyme d'un officier de la cour de Louis XVI dans *La Marseillaise* (1938), authentique « Français » s'il en est. **2.** Débute ici le plan le plus long de tout le film – 1 min. 51 s., soit six fois plus que la durée moyenne d'un plan dans *La Règle du jeu*. Pourtant, la fluidité des mouvements d'appareil, le va-et-vient des personnages et des conversations au centre desquelles prendra place le discours clé du chef cuisinier, tout concourt à faire oublier la virtuosité de cet extraordinaire morceau de bravoure.

LE CHAUFFEUR DE MONSIEUR *(dos à nous, au premier plan)* : N'est-ce pas, Schumacher ?

SCHUMACHER *(s'arrêtant au palier intermédiaire, penché sur la rampe, face à nous. Il porte toujours son costume de garde-chasse)* : Je ne sais pas de quoi tu parles : j'arrive. J'peux pas savoir ! *(Il achève sa descente.)*

LA CAMÉRA DESCEND sur la tablée et SE POSTE derrière les deux chauffeurs.

LE CHEF CUISINIER *(d'abord* off, *s'approchant)* : À propos de juifs *(LA CAMÉRA, PASSANT PAR-DESSUS les têtes des chauffeurs, S'AVANCE sur le chef qui vient à la table. Derrière lui, la cuisine en profondeur et Schumacher qui se dirige vers Lisette restée hors champ)* : avant de venir ici, j'étais chez le baron d'Épinay. *(Il se plante, cadré cuisse, derrière William et Paul, fixant le chauffeur de Monsieur dans les yeux.)* Je vous garantis que là, il n'y « en » a pas. *(FIN DU MOUVEMENT AVANT sur le chef, face à nous entre William et Paul.)* Mais je vous garantis aussi qu'ils bouffaient comme des cochons ! *(Concluant.)* C'est d'ailleurs pour ça que je les ai quittés *(il retourne vers ses fourneaux)* !

PANORAMIQUE FILÉ RECADRANT À DROITE Schumacher en plongée, penché sur Lisette.

SCHUMACHER *(souriant)* : T'en as pour longtemps, Lisette ?

LISETTE *(levant les yeux vers lui)* : Oh, ben je ne sais pas, Madame a encore besoin de moi.

LE CHEF CUISINIER *(d'abord* off, *mais revenant à son idée)* : La Chesnaye *(LE PANORAMIQUE REPART EN SENS INVERSE POUR RECADRER le chef de retour à la table)*, tout « métèque » qu'il est *(il a repris sa position entre William et Paul, toujours à l'intention du chauffeur)*, m'a fait appeler l'autre jour *(FIN DU RECADRAGE)* pour m'engueuler pour une salade de pommes de terre *(doctoral)* : vous savez – ou plutôt vous ne savez pas *(début d'un air de valse joué* off[1]) – que pour que cette salade

1. Il s'agit de la valse de Chopin en *ré* bémol majeur, *op.* 64, n° 1, (1847) qui, apparaissant en plein cœur de la plaidoirie du chef, s'achèvera en même temps que la séquence sur la vue d'un poste de radio. Elle donne en outre le signal, pour ainsi dire, des multiples thèmes de

soit mangeable, il faut verser le vin blanc sur les pommes de terre lorsque celles-ci sont encore *(insistant)* absolument bouillantes *(Schumacher s'éloigne dans la cuisine, les mains derrière le dos)*, ce que Célestin n'avait pas fait *(sourire)*, parce qu'il n'aime pas se brûler les doigts ! *(Haussant le ton.)* Eh bien, lui, l'patron, il a r'niflé ça *(mouvement de tête)* tout de suite ! *(Définitif.)* Vous me direz ce que vous voudrez, mais ça *(geste à l'appui)*, c'est un homme du monde ! *(Il tourne les talons.)*

LA CAMÉRA REPART À GAUCHE PAR-DESSUS les têtes de William et de Corneille ET CADRE *Schumacher remontant pesamment l'escalier de service : il croise Marceau qui descend les marches. Les deux hommes se fixent un bref instant.*

SCHUMACHER *(voix sourde)* : Ah, te v'là, toi ?

LA CAMÉRA, SUIVANT MARCEAU, REDESCEND sur la table à la hauteur de Mitzi et de Corneille (en plongée).

LE CHAUFFEUR DE MONSIEUR (off, *moqueur)* : Oh ! Oh ! Qu'est-ce que c'est qu'celui-là ?

Mitzi et Corneille se retournent vers Marceau, qui s'est arrêté timidement au pied de l'escalier. Il est habillé... en costume-cravate et casquette clairs et tient à l'envers par une ficelle un mince carton à vêtements[1].

MARCEAU *(mal à l'aise)* : J'voudrais parler à monsieur Corneille.

FIN DU MOUVEMENT LATÉRAL DROITE, CADRANT au premier plan Corneille et William accoudés sur leur chaise et, en profondeur, la cuisine (le chef a ouvert le buffet, Germaine s'éloigne vers le fond, Célestin est toujours aux fourneaux).

---

valse qui domineront lors de la fête à la Colinière. Rappelons que la valse, danse aristocratique, puis populaire, fut le rythme de prédilection du XIXe siècle musical. **1.** Sur ce carton, on peut déchiffrer, au gré des déplacements de Marceau, l'inscription suivante : « Sportmer / Vêtements de plage / Tél. 40-07 JUAN-LES-PINS ». Un tel carton, qui provient de la boutique d'une élégante station balnéaire de la Côte d'Azur, ne laisse pas de surprendre entre les mains d'un braconnier solognot. Une seconde allusion à la plus célèbre des régions touristiques mondaines va dans un instant être faite par le chauffeur de Monsieur.

CORNEILLE *(ôtant ses lunettes pour toiser Marceau)* : Vous désirez, mon ami ?

MARCEAU *(s'avançant entre eux deux)* : J'suis l'nouveau domestique. M'sieur l'marquis a dû vous parler d'moi ? *(Il se poste derrière William, cadré en pied.)*

CORNEILLE *(de haut)* : Qu'est-ce que vous savez faire, mon ami ?

MARCEAU *(pris de court)* : Moi ? Oooh, ben, je n'sais pas... *(dansant d'un pied sur l'autre)* cuh... *(jetant un regard à William)* un p'tit peu d'tout !

CORNEILLE *(précis)* : Vous savez graisser les bottes, mon ami ?

Germaine revient vers la table avec une assiette, croisant le chef qui regagne ses fourneaux.

MARCEAU *(sérieux)* : Ah, oui, monsieur Corneille *(le rassurant)* : moi, pour tout c'qu'est d'la « toilette », j'suis comme qui dirait un *(geste expressif d'escamoteur)* « spécialiste » !

CORNEILLE : Bon. *(Impérieux.)* Eh bien, demain matin *(il revient à son assiette)* vous irez prendre les bottes devant les portes des chambres *(chaussant ses lunettes)* et vous vous en occuperez !

MARCEAU *(pas contrariant)* : Bien, monsieur Corneille. *(Un pas en avant, un regard à la tablée. Se penchant à l'oreille de Corneille, intéressé.)* C'est là qu'on dîne ?

DÉBUT D'UN TRAVELLING LATÉRAL À DROITE PARCOURANT *en plongée la table en direction de Lisette.*

CORNEILLE *(sans se retourner)* : Oui, mon ami.

PAUL *(sortant de table au moment où* L'APPAREIL PARVIENT À SA HAUTEUR*)* : Ah, il faut que j'aille prendre mon service. *(Il prend une banane.)*

LISETTE *(apparue en bord cadre droit, attentive au nouvel arrivant)* : Eh ben... t'nez *(montrant à Marceau la place de Paul)* : mettez-vous là !

LA CAMÉRA DESCEND *sur la nuque du chauffeur de Madame* ET CADRE *Lisette à droite, Marceau venant pour s'asseoir face à nous, la cuisine en profondeur (Paul gagne l'escalier en mangeant sa banane).*

LISETTE *(en direction de la cuisine)* : Germaine, une assiette !

GERMAINE (off, *au loin)* : Oui !

FIN DU MOUVEMENT D'APPAREIL.

LISETTE *(retirant l'assiette sale de Paul)* : Comment vous appelez-vous ?

MARCEAU *(encore debout)* : Marceau. *(Une main sur le dossier de la chaise.)* Et vous, mademoiselle ?

LISETTE *(rectifiant avec un large sourire)* : Madame. *(Marceau légèrement déçu.)* J'm'appelle Lisette : je suis madame Schumacher !

Marceau accuse le coup et tourne aussitôt les talons. Germaine est sortie de l'office avec une assiette.

LISETTE *(rappelant Marceau)* : Oh, ben faut pas que ça vous empêche de vous asseoir !

Germaine dispose une assiette propre à côté de Lisette tandis que Marceau revient à la table, penaud (derrière lui, la cuisine en profondeur).

UN DOMESTIQUE (off, *à son voisin*[1]*)* : Est-ce qu'il connaît son affaire, le garde ?

SON VOISIN (off*)* : Pas mal.

UN TROISIÈME (off, *à la cantonade)* : J'espère qu'il va nous faire des tableaux convenables ! *(Marceau s'assied en retirant sa casquette.)* L'année dernière, chez les Cahen, le premier jour : à peine soixante faisans. Lamentable !

Marceau s'éponge le front, jette un œil de biais à Lisette, va pour se servir dans l'assiette posée près de lui, mais elle contient... des bananes.

118. *Les deux chauffeurs cadrés poitrine. LÉGER TRAVELLING AVANT sur eux.*

LE CHAUFFEUR DE MONSIEUR *(acariâtre)* : Moi, pourvu qu'ils ne me fassent pas manger du lapin, le reste *(geste de la main),* j'm'en fiche !

LE CHAUFFEUR DE MADAME *(épluchant une banane)* : Ah ?

PANO À GAUCHE GAGNANT Lisette, qui regarde, avec un sourire intrigué, Marceau en amorce gauche.

---

1. Il est difficile d'attribuer les trois voix *off* différentes que l'on va entendre maintenant à un de ceux qui ont déjà parlé. Or, entrevus face à Mitzi et Corneille, il ne reste que deux domestiques qui n'aient encore rien dit. Quoi qu'il en soit, la discordance élevée de l'échange porte à croire que ce bref dialogue a été retravaillé, voire ajouté au mixage.

LE CHAUFFEUR DE MONSIEUR *(désormais* off*)* : Tout ce qu'ils voudront, mais j'refuse de manger du garenne !

On pose une assiette entre Marceau et Lisette.

119. *Contrechamp sur Marceau cadré poitrine (on distingue nettement sa cravate blanche à pois), les cheveux de Lisette en amorce droite, l'épaule de William en amorce gauche. Marceau mord dans une tranche de saucisson en jetant à Lisette un regard coquin.*

LE CHEF CUISINIER *(s'éloignant de la table*[1]*)* : Tu as déjà mangé du garenne ici autrement qu'en terrine ?

Rire de Lisette devant les mimiques de Marceau.

LE CHAUFFEUR DE MONSIEUR *(*off*)* : Oh, je ne dis pas cela !

UN DOMESTIQUE *(*off[2]) : Dis donc, La Chesnaye[3], tu es content de ta Delahaye ? *(Marceau continue ses mimiques de séduction en mordant dans son saucisson.)*

LE CHAUFFEUR DE MONSIEUR *(se vantant* off*)* : Le mois dernier : Cannes-Paris *(Germaine passe à l'arrière-plan)*, dix heures trente-cinq[4]...

120. *Plan rapproché d'un poste de TSF posé sur une petite table à côté d'une casquette.*

LE CHAUFFEUR DE MONSIEUR *(*off*)* : ... y compris le casse-croûte !

Fondu enchaîné.

Fin de l'air de valse.

---

1. Seul petit faux raccord dans l'étourdissante chorégraphie de cette séquence : le chef, que cinq secondes plus tôt l'on apercevait près de ses fourneaux, quitte ici la tablée. Sa voix est du reste postsynchronisée, comme d'autres menus détails sonores de ce bref passage. **2.** Voix du troisième domestique entendu à la fin du plan 117. **3.** Le domestique interpelle le chauffeur en lui donnant le patronyme de son patron. A noter que, dans le scénario, le prénom initial du chauffeur de Monsieur était Bob, diminutif de Robert. **4.** Ce qui suppose une moyenne de 90 km/h environ. On comprend dans ces conditions que, pour le marquis, le château de la Colinière ne soit qu'à un jet de pierre de Paris.

CHÂTEAU DE LA COLINIÈRE, PREMIER ÉTAGE, COULOIR, INTÉRIEUR NUIT[1]

121. *Enchaîné sur une pendulette se découpant sur un mur blanc et posée sur un guéridon. Il est 23 heures. Sonnerie de la pendulette qui se prolongera au plan suivant. Bruits de pas.*

ROBERT *(*off*)* : Hé, hé ! Pardon ! *(Léger brouhaha.)* Alors c'est entendu, mes chers amis...

122. *Raccord sonore de la pendulette. Robert, cadré poitrine (veston noir, gilet et cravate clairs), au centre de l'image, entouré de Geneviève (robe noire piquée d'un œillet blanc, fume-cigarette) et du général (cigare) à sa gauche, de Dick (élégant) et d'Octave à sa droite. Le groupe se trouve sur le palier de l'escalier montant du hall.*

ROBERT *(souriant à la ronde)* : ... après les battues nous organisons une petite fête !

RAPIDE TRAVELLING ARRIÈRE DÉCOUVRANT l'assistance groupée autour de Robert : Saint-Aubin derrière le général, Christine (robe noire) derrière Octave.

GENEVIÈVE *(à Robert)* : Mais, quelle fête ?

LE TRAVELLING DÉCOUVRE André (complet-cravate) derrière Geneviève, au côté de Jackie (robe à pois) masquée par Mme La Bruyère...

OCTAVE *(gesticulant)* : Not' fête à nous !

Rires. FIN DU TRAVELLING (tous cadrés mollet).

DICK *(enfantin)* : On pourra s'déguiser ?

ROBERT : Mais bien sûr ! *(Sagement.)* Mais maintenant, au lit ! *(geste prometteur de la main)* parce que demain...

GENEVIÈVE *(se détachant pour embrasser Christine, sans chaleur)* : Bonne nuit. *(Elle donne le signal des embrassades croisées.)*

CHRISTINE *(à Geneviève)* : Bonne nuit.

ROBERT *(la main sur l'épaule du général)* : Mon général...

1. Troisième et dernière ellipse, de quelques heures à peine, dans cette longue journée commencée cinquante plans plus tôt.

LE GÉNÉRAL *(à André qui lui tend la main)* : Bonsoir.

GENEVIÈVE *(s'est approchée de Mme La Bruyère. Sourire et poignée de main)* : Bonsoir, madame. *(Elle serre la main de Jackie, puis sort par la gauche.)*

ROBERT *(insistant)* : ... je vais vous conduire.

SAINT-AUBIN *(serrant la main d'André)* : Bonsoir, Jurieux.

ROBERT *(toujours au général)* : Je vais voir si vous avez tout ce qu'il vous faut.

André baise la main de Christine sous les yeux de Robert.

MME LA BRUYÈRE *(tendant la main vers Robert)* : Bonsoir, monsieur La Chesnaye *(mais c'est André qui la lui serre).*

ROBERT *(se faufilant, baise la main de Mme La Bruyère)* : Pardon.

SAINT-AUBIN *(tendant la main à Jackie)* : Bonsoir, mademoiselle.

LE GÉNÉRAL *(se récriant, à l'intention de Robert)* : Oh ! mais chez vous, mon cher La Chesnaye, on a *(proclamant)* toujours tout c'qu'il faut !

Dick baise la main de Christine.

LE GÉNÉRAL *(pérorant au centre du groupe)* : C'est une bonne maison, et elles se font rares !

JACKIE : Bonsoir, monsieur. *(Se retournant sur André qui lui tend la main.)* Bonsoir, André. *(Il sort par la gauche.)*

Une cloche égrène au loin ses onze coups.

SAINT-AUBIN *(à Mme La Bruyère qui lui tend la main)* : Madame. *(Dick baise la main de Mme La Bruyère.)*

ROBERT *(resté en amorce gauche, l'index levé)* : Par ici, mon général !

LE GÉNÉRAL *(baisant la main de Christine)* : Ma p'tite Christine, vous êtes le modèle des maîtresses de maison !

CHRISTINE *(s'inclinant)* : Bonsoir.

LE GÉNÉRAL *(passant entre Jackie et Mme La Bruyère)* : Pardon.

MME LA BRUYÈRE *(s'inclinant avec un petit rire)* : Général !

Le général serre la main de Jackie et sort par la gauche. Dick fait de même.

OCTAVE *(au général, poignée de main virile)* : Mon général !

SAINT-AUBIN *(prenant la main de Christine)* : Bonsoir, chère madame *(il lui baise cérémonieusement la main).*

CHRISTINE : Bonsoir. *(Il sort par la droite, Christine entraîne Octave par la droite.)*

JACKIE *(serrant la main de Mme La Bruyère)* : Bonsoir, madame La Bruyère[1].

MME LA BRUYÈRE : Bonsoir, ma petite Jackie. *(Elles sont désormais seules au centre de l'image. Derrière elles, la cage d'escalier, l'ombre de la rampe sur une paroi et un trophée de cerf accroché sur l'autre paroi. Retenant Jackie.)* Dis-moi, avant de te coucher, je voulais te d'mander *(ON RESSERRE SUR ELLES EN TRAVELLING AVANT)* : qu'est-ce c'est, là, qu'tu étudies *(intriguée)*, ton « art précolombien » ?

JACKIE *(face à elle, récitant)* : C'est l'étude de la civilisation américaine avant l'arrivée de Christophe Colomb.

ROBERT (off, *au loin*) : Voilà votre chambre !

LE GÉNÉRAL (off) : Ah ! bien.

MME LA BRUYÈRE *(rassurée, elle va pour sortir)* : Ah oui ! Des histoires de nègres... *(FIN DU TRAVELLING, toutes deux cadrées poitrine. Dernier des onze coups de cloche.)*

JACKIE *(protestation amusée)* : Mais non, madame : il n'y avait pas encore de nègres en Amérique !

MME LA BRUYÈRE *(se ravisant, stupéfaite)* : Tiens ! ben qu'est-ce qu'il y avait, alors ?

JACKIE *(martelant)* : Mais des Indiens !

MME LA BRUYÈRE *(riant de sa méprise)* : Évidemment !

---

1. La suite de cette longue scène (jusqu'à la fin du plan 126) fut coupée après la sortie du film en juillet 1939.

« Nous sommes en retard, chère amie. »
Christine, la petite négresse romantique et Robert
Plan 18

« Heureusement que vous êtes un homme faible ! »
Le Bouddha, Geneviève et Robert
Plan 34

« *Christine,* du bist ein Engel ! »
Christine et Octave
Au fond, le boudoir et, sur la tablette, le poste de radio
Plan 57

« *Dis donc, vieux : j'ai envie d'foutre le camp…* »
Robert et Octave
Plan 64

« Vous comprenez, Corneille, c'est la vis de ma fauvette. »
Corneille, Robert, Paul, Adolphe, Lisette,
le chauffeur de Monsieur et Mitzi
Plan 66

L'arrivée des maîtres
au château de la Colinière
Plan 69

« Les chaussures de ma femme ont disparu ! »
Octave, Corneille, Cava baisant la main de Christine, Dick, Berthelin baisant la main de Geneviève, La Bruyère
Plan 215

« Allez… allez, allez, allez ! … Allez ! »
Corneille, Lisette, Schumacher, Marceau
Plan 224

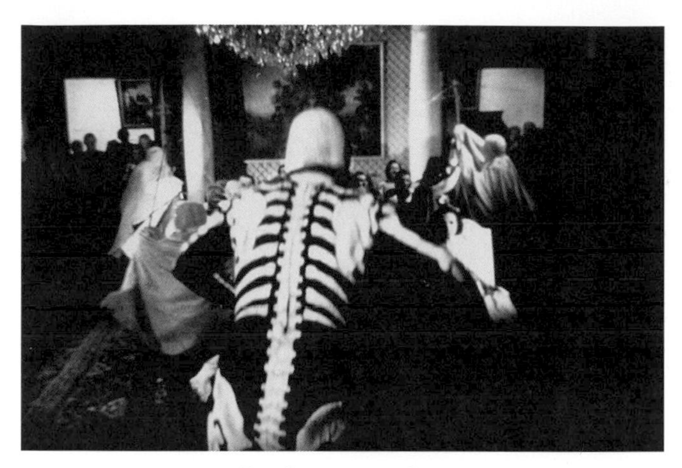

La danse macabre
Berthelin face à son public
Plan 235

« J'en ai assez de ce " théâtre ", Octave ! »
Christine, Saint-Aubin et l'ours Octave
Plan 240

« Et… la salle croulait, hein ! »
Christine adossée à la porte-fenêtre
et Octave sur la terrasse du château
Plan 276

« C'est une nature si délicate ! »
André, la grosse Charlotte et Robert
Plan 286

« Octave est tout à fait exceptionnel. »
En profondeur de champ, Octave et Lisette
En amorce droite, à peine perceptible, l'épaule d'André
Plan 314

« Madame sera pas heureuse avec vous ! »
Octave, Lisette et leurs reflets
Plan 316

« Alors, bonne chance ! »
Octave et Marceau
Plan 330

« Ce La Chesnaye n'manque pas d'classe ! Et... ça d'vient rare, mon cher Saint-Aubin, croyez-moi : ça d'vient rare ! »
Le général et Saint-Aubin
Plan 336

J'suis bête *(gloussement écervelé)* : Buffalo Bill ? *(Elle éclate d'un rire enfantin.)*

Moue de Jackie qui sort à droite. PANO FILÉ À 90° GAUCHE ACCOMPAGNANT *Mme La Bruyère.*

MME LA BRUYÈRE *(maintenant dos à nous, à l'adresse de Jackie)* : Bonsoir !

ON DÉCOUVRE, *en profondeur légèrement de biais, le couloir desservant les chambres où vont et viennent les invités. Mme La Bruyère descend les trois marches qui mènent du palier au couloir.*

DICK *(au bas des marches à droite devant une chambre ouverte, face à Cava)* : On se croirait au régiment !

CAVA *(à Dick)* : « Plous » la salle de bains « individouelle ». *(Dick traverse le couloir et disparaît.)*

MME LA BRUYÈRE *(lui tendant la main dans un rire)* : Bonne nuit ! *(FIN DU PANORAMIQUE.)*

CAVA *(lui baisant la main)* : *Buona notte !*

Plus au fond, Robert, dos à nous, est en conversation avec Geneviève et le général.

CAVA : *Ma*, ma valise ?... *(Il l'a repérée dans la chambre d'en face, de l'autre côté du couloir qu'il traverse à son tour.* LÉGER PANO LE SUIVANT, RECADRANT *le couloir exactement à la perpendiculaire.)* Ah, la voilà ! *(Il sort par la gauche.)*

Dick retraverse le couloir gauche-droite au moment où Mitzi dévale les marches, dos à nous, vers le fond du couloir. Le général vient de rentrer dans sa chambre.

MME LA BRUYÈRE *(se dirigeant vers Robert qu'elle interpelle d'une voix aiguë et partiellement inaudible alors qu'il allait baiser la main de Geneviève)* : [Ah, monsieur La Chesnaye,] dites-moi, je ne sais plus : ma chambre, c'est à gauche ou à droite ?

Cava, au premier plan, retraverse le couloir, sa valise à la main, en direction de sa chambre. Mitzi descend le couloir à la suite de Mme La Bruyère.

ROBERT *(galant)* : Mais je vais vous y conduire.

Mitzi entre dans une chambre à gauche à la hauteur de Geneviève.

LA BRUYÈRE *(apparu tout au fond du couloir, devant une fenêtre)* : Ma chère amie *(recueillant sa femme que lui remet Robert)*, nous devons avoir une vue superbe !

(Bruit sourd d'un cor de chasse.) C'est dommage qu'il fasse nuit. *(Dick est ressorti de sa chambre et vient jusqu'au milieu du couloir jeter un œil dans la chambre de l'autre côté du couloir.)*

MME LA BRUYÈRE *(ravie, joignant son mari)* : Ah ? mais ça tombe bien !

Robert revient vers Geneviève au moment où Berthelin jaillit de la chambre de gauche, brandissant un cor : Dick s'enfuit dans sa chambre à droite, Cava est ressorti dans le couloir.

BERTHELIN *(à Robert qui baise enfin la main de Geneviève)* : Une trompe ! *(Cava fait semblant de s'entraîner à l'escrime. André, à mi-distance du couloir, sort la tête de sa chambre et dépose ses chaussures.)* Vous avez chassé à courre, autrefois ? *(Geneviève entre dans sa chambre, celle où a disparu Mitzi.)*

ROBERT *(remontant vers nous)* : Eh oui, du temps de mon père. *(S'arrêtant devant André.)* Octave ne fait pas trop de bruit ? *(Il lui serre la main.)*

ANDRÉ : Non, justement, j'l'attends.

CAVA *(ôtant son veston, à Berthelin qui a embouché le cor)* : *Per la festa*, moi je ferai *una grande dimostrazione* d'épée !

BERTHELIN *(à Robert qui les a rejoints)* : Moi, autrefois, je savais un tour de cartes – mais je ne sais plus lequel.

Une pendule se remet à sonner gravement.

ROBERT *(s'inclinant)* : Mais ce que vous ferez sera bien fait.

Berthelin souffle dans la trompe ; Dick, jailli de sa chambre, lui envoie un polochon à la tête et disparaît ; Robert manque de tomber à la renverse.

CAVA *(à Berthelin)* : Vous êtes « oune » grand musicien ! *(Il se fend.)*

ROBERT *(passant entre eux)* : Amusez-vous bien !

Berthelin rentre dans la chambre de gauche en sonnant de la trompe (son aubade va se prolonger, de plus en plus assourdie mais jusqu'au plan suivant). Robert monte les trois marches devant nous, serré à la poitrine et ACCOMPAGNÉ DANS SON MOUVEMENT PAR LA CAMÉRA QUI PIVOTE EN PANO FILÉ À 150° DROITE.

ROBERT *(maintenant dos à nous, cadré épaule)* : William !

(ON DÉCOUVRE *la seconde moitié du couloir au fond duquel se tient William, droit comme un* i *dans l'embrasure de la porte.)* Je n'ai plus besoin de vous *(*FIN DU PANORAMIQUE *: le couloir en profondeur de biais)*, vous pouvez disposer.

Au premier plan gauche, Octave sort à reculons d'une chambre au moment où, plus loin sur la gauche, apparaît la grosse Charlotte. Contre le mur de droite, un buffet surmonté d'un vase d'arums blancs.

ROBERT *(dépassant Octave, bifurque sur Charlotte)* : Ma petite Charlotte !

Dernier coup de la pendule. William, après avoir salué, remonte vers nous le couloir avec flegme. Christine est apparue en retrait d'Octave sur le seuil de sa chambre : ils s'embrassent sur les joues au même moment que Charlotte et Robert.

CHRISTINE : Bonne nuit, Octave.

OCTAVE *(lui secouant les bras)* : Dors bien !

CHRISTINE *(toujours sur le pas de sa porte)* : Merci !

Octave fait quelques pas vers Robert qui revient vers sa femme, au moment où William passe juste devant nous.

OCTAVE *(serrant la main de Robert)* : Bonsoir, vieux ! Dors bien !

Saint-Aubin débouche au fond à gauche, derrière Charlotte.

OCTAVE *(à Christine, au moment où Robert va la rejoindre)* : Contents, hein ? *(William a disparu.)*

ROBERT *(tandis que Christine acquiesce en riant)* : Très !

Saint-Aubin, remontant le couloir, s'arrête devant Christine. Robert donne des signes d'impatience.

SAINT-AUBIN *(s'inclinant devant Christine)* : Encore bonsoir, chère madame. *(Il lui baise la main.)*

CHRISTINE : Bonsoir.

OCTAVE *(se dandinant vers Charlotte)* : Oh, toi, ma p'tite Charlotte *(il lui ouvre les bras)*, j't'adore ! *(Embrassade. Ils disparaissent par la gauche.)*

SAINT-AUBIN : Bonne nuit, La Chesnaye *(poignée de mains)*.

ROBERT : Bonne nuit.

CHÂTEAU DE LA COLINIÈRE, PREMIER ÉTAGE, CHAMBRE DE CHRISTINE, INTÉRIEUR NUIT

123. *Raccord sur Christine et Robert sur le seuil de la chambre, cadrés cuisse. Derrière eux, par la porte ouverte, on aperçoit en diagonale dans le couloir le vase d'arums se reflétant dans un miroir. On entend toujours au loin la trompe de Berthelin.*

ROBERT *(il fait un pas dans la chambre, profil à nous, tenant le bras de Christine)* : Ma chère Christine *(LÉGER RECADRAGE À GAUCHE)*, je vous suis très reconnaissant. *(Christine baisse les yeux en souriant.)*

CHRISTINE *(lui faisant face)* : Pourquoi donc ?

Plan fixe jusqu'à la fin de leur conversation.

ROBERT *(simplement)* : Ben, de ne pas m'avoir rendu ridicule. La situation était délicate : ces gens-là nous guettaient. *(Christine légèrement froissée. Fin du cor.)* André Jurieux aussi a été très bien. *(Rire embarrassé.)* C'est une épreuve insupportable dont vous vous êtes admirablement tirée[1]. *(Nouveau thème au cor.)* Je vous en fais mes compliments *(il cache son émotion en baisant longuement la main de sa femme).*

CHRISTINE *(sincère)* : Bonsoir, Robert.

ROBERT *(lui secouant longuement les mains. Gravement)* : Bonsoir, Christine.

Il sort. LÉGER PANO À GAUCHE : *Christine se retourne vers l'intérieur de sa chambre au moment où Lisette y pénètre par une porte vitrée en retrait.*

CHRISTINE : Lisette ? *(Lisette s'approche.)* Tu peux me laisser. *(Fin du cor. La main sur la porte.)* Je n'ai plus besoin de toi. *(Songeuse.)*

LISETTE *(sérieuse)* : Ah ? bon. *(Reprenant une voix enjouée.)* Bonsoir, madame. *(Elle tourne les talons.)*

---

1. Ces répliques – qui se comprennent par l'« aveu » de Christine lors de l'arrivée d'André au château – font également allusion à la scène déjà mentionnée, écrite mais non tournée, du dîner au cours duquel Christine et André revenaient devant les convives sur leurs relations passées. Certains propos ultérieurs (fin du plan 125 et plan 126) confirment cette hypothèse (comme l'avait fait la réplique du chauffeur au début du plan 109).

CHRISTINE *(les yeux à terre, plongée dans ses pensées)* : Bonsoir.

Lisette tire la porte vitrée, Christine ferme la porte du couloir[1].

CHRISTINE *(toujours pensive, s'adossant à sa porte, puis haussant la voix)* : Lisette ?

BREF RECADRAGE À DROITE POUR SUIVRE LE MOUVEMENT de Christine. La porte vitrée se rouvre, bruit de porte.

LISETTE *(*off*)* : Oui, madame ? *(Elle entre par la gauche et vient à sa maîtresse.)*

CHRISTINE *(se lançant)* : Tu n'aimerais pas avoir des enfants ?

LISETTE *(s'illuminant)* : Oooh ! si, madame ! *(Revenant à la réalité.)* Seulement... ça occupe beaucoup ! Il faut être tout l'temps après, ou alors, c'est pas la peine d'en avoir !

CHRISTINE *(pensive)* : C'est ça qui est beau : on ne pense plus à autre chose !...

LISETTE *(joyeuse)* : Madame sait qu'il y a un nouveau domestique ? *(Christine, chassant ses pensées, la regarde.)* Il est très gentil, mm ! *(Christine pouffe de rire.)* Il s'appelle Marceau. *(Large sourire.)*

CHRISTINE *(amusée)* : Attention à ton mari *(elle ouvre la porte à laquelle elle était adossée. Ironique)* : il s'appelle *Schumacher* ! *(Elle pousse gentiment Lisette dehors.)*

LISETTE *(s'esquive en riant, puis se penche par la porte entrebâillée, malicieuse)* : Et l'ami de monsieur Octave s'appelle André Jurieux. *(Pointue.)* Bonsoir, madame !

Elle disparaît. Christine étouffe un faux rire, et repousse la porte, à nouveau songeuse.

---

1. La fin du plan, contenant l'étonnante déclaration de Christine, avait été écartée par Renoir dès le montage.

CHÂTEAU DE LA COLINIÈRE, PREMIER ÉTAGE, COULOIR, INTÉRIEUR NUIT

124. *Plan d'ensemble de tout le couloir en enfilade. Lisette, sortant de chez Christine, traverse en diagonale pour venir fermer à gauche la porte du buffet aux arums. Contre les murs, de part et d'autre, des chaises de style. Claquement de la porte du buffet ; Lisette tourne les talons et dos à nous redescend le couloir au fond duquel apparaît Cava, passant une robe de chambre sur ses épaules.*

OCTAVE *(jaillissant du premier plan droite, à Charlotte sans doute)* : Bonsoir !

Il se dépêche de rattraper Lisette. Cava remonte lentement vers sa chambre.

OCTAVE : Eh, Lisette ! *(Elle jette un œil en arrière ; Octave l'appelle de nouveau.)* Liii-sette ? *(Elle s'arrête. Il la rejoint près de la rampe d'escalier, sur la droite à mi-distance de la profondeur de champ.)* Eh ben, il est pas si terrible que ça, « mon aviateur ». *(Il la prend aux épaules.)* Tu sens rudement bon, tu t'es mis du parfum !

LISETTE *(elle se débat, fâchée)* : Laissez-moi ! *(Elle s'échappe à droite par l'escalier.)*

OCTAVE : Oh ! Y a quelque anguille sous roche ! *(Il continue dans le couloir, fait grincer sous son poids les trois marches de séparation, tend la main à Cava sans s'arrêter.)* Bonsoir, Cava !

CAVA : « Bona nouit » !

Octave bifurque sur la porte d'André, mais remarque Saint-Aubin qui passe droite-gauche tout au fond du couloir.

OCTAVE : Hep ! Z'êtes pas encore couché, vous ?

SAINT-AUBIN *(disparaissant sur la gauche)* : Non.

À ce moment, Mitzi sort de chez Geneviève et, remontant vers nous, passe devant Octave qui va pour lui taper sur les fesses.

125. *Raccord sur le geste d'Octave, mais Mitzi et Octave serrés poitrine, face à nous. Bruit de la tape sur les fesses, propulsant hors du champ Mitzi qui glousse de rire. Large sourire satisfait d'Octave.*

GENEVIÈVE (off, *venant de la gauche)* : Octave ! Voyons !

BREF PANO À GAUCHE MENANT Octave devant Geneviève debout sur le seuil de sa chambre. Tous deux cadrés cuisse.

OCTAVE *(content de lui)* : Et voilà !

GENEVIÈVE *(s'adossant à sa porte, tout sourire)* : Voilà quoi ?

OCTAVE *(lui prenant l'œillet blanc qu'elle porte à son corsage)* : Ben voilà, tout s'arrange. Vous êtes contente ?

GENEVIÈVE *(radieuse)* : Oui ! Enchantée ! *(Octave respire l'œillet. Sérieuse.)* Enfin on commence à jouer cartes sur table.

OCTAVE *(lui secouant l'œillet sous le nez)* : Oui, mais votre intérêt à vous, eh ben c'est d'pas trop montrer vot'jeu ! *(Sourire entendu.)* Bonsoir, Geneviève !

GENEVIÈVE *(sourire complice)* : Bonsoir, Octave ! *(Elle rentre et ferme sa porte.)*

Octave s'est retourné : BREF RECADRAGE GAUCHE-DROITE.

OCTAVE : Bonsoir, mon général !

REPRISE DU PANO GAUCHE-DROITE MENANT Octave vers le général.

LE GÉNÉRAL (off) : Ah ! mon bon ami ! *(Il est en robe de chambre rayée, occupé à poser ses souliers devant sa porte.)* Mais, j'ignorais cette histoire de radio ! *(Il se redresse face à Octave qui respire la fleur qu'il tient toujours en main. FIN DU PANO. Tous deux cadrés ceinture.)* Et ça m'renforce dans mon opinion *(il lui prend l'œillet des mains)* : cette petite Christine *(il renifle la fleur)* a d'la classe *(même geste)* ! Et ça s'perd *(il tapote Octave avec la fleur)*, à notre époque ! *(Le nez dans la fleur.)* Ça s'perd ! *(Il rentre dans sa chambre en tenant l'œillet.)*

OCTAVE *(acquiesçant)* : Dormez bien, mon général !

Il sort par le bord cadre droit.

LE GÉNÉRAL (off) : Merci. Bonsoir !

CHÂTEAU DE LA COLINIÈRE, PREMIER ÉTAGE, CHAMBRE D'ANDRÉ ET D'OCTAVE, INTÉRIEUR NUIT

126. *Plan moyen de la chambre cadrée de biais : contre la cloison du couloir, à gauche de la porte une armoire rustique ; à droite de la porte une petite commode et un tableau au mur. En amorce droite, le pied d'un lit. Bruit de la porte qui s'ouvre : Octave fait irruption, jette un œil dehors au moment où Mitzi repasse devant sa porte, qu'il referme prestement.* MOUVEMENT GAUCHE-DROITE ACCOMPAGNANT *Octave vers le lit.*

OCTAVE : Qu'est-ce t'en dis ? *(Il ôte son veston.)*

LE PANORAMIQUE DÉCOUVRE *deux lits simples côte à côte. Assis sur le lit de gauche, André, sans veston, fume une cigarette.* FIN DU PANORAMIQUE.

ANDRÉ *(levant à peine les yeux)* : De quoi ?

OCTAVE *(se penchant sur lui)* : Ben... de tout ! Ça va bien ?

Il jette en boule son veston sur son lit et s'assied vis-à-vis d'André.

ANDRÉ *(écrasant son mégot dans un cendrier)* : Oh, moi, j'ai envie de foutre le camp, oui !

OCTAVE *(ôtant ses chaussures)* : Oh ! non, mon vieux ! *(Protestant.)* Je m'suis donné assez d'mal pour t'amener ici ! *(Reprise assourdie du chant du cor.)* Maintenant qu'tu y es *(bruit d'une chaussure qui tombe à terre)*, eh ben t'y resteras ! *(Il se relève, va prendre son oreiller qu'il chiffonne.)* Dis donc, t'aimes ça, les oreillers ? *(Il envoie promener le sien à l'autre bout de la pièce.)* Moi, j'ai horreur de ça !

ANDRÉ *(toujours assis)* : T'as fini de gesticuler comme ça ?

OCTAVE *(se figeant une seconde)* : Ouais ! *(Mais il enjambe son lit de plus belle et remonte vers nous.)*

Fondu au noir, le chant du cor s'éteint.

DOMAINE DE LA COLINIÈRE, UN CHEMIN EN FORÊT[1], EXTÉRIEUR JOUR[2]

127. *Ouverture au noir. Plan général d'un chemin découvert, venant perpendiculairement à nous ; en amorce droite, les branches dénudées d'un arbre ; bordant le chemin à gauche, des arbustes et un pin ; ciel chargé. Sur le chemin s'avancent vers nous une troupe de rabatteurs en blouse blanche, devancés par Saint-Aubin et La Bruyère en grande conversation. Tous deux sont en habit et chapeau de chasse (Saint-Aubin a des bottes, La Bruyère des culottes de golf et des chaussettes écossaises) ; ils portent leur fusil ouvert sur l'avant-bras*[3].

LA BRUYÈRE : Excusez-moi, Saint-Aubin. J'ai été un peu

---

1. Aucun des lieux qui servirent à tourner les extérieurs de la chasse ne peut évidemment être identifié avec précision. On sait seulement que ces scènes furent réalisées dans les environs immédiats de Brinon-sur-Sauldre (voir note 1, p. 86). **2.** Nouvelle ellipse temporelle. Contrairement à ce qu'une réplique de Robert au début de la scène du coucher pouvait laisser imaginer, la journée de chasse qui s'ouvre ici n'est pas immédiatement consécutive à celle de l'arrivée des invités au château. Elle lui est même postérieure de quelques jours et marque la fin des battues. Dans un grand domaine comme celui des La Chesnaye, les battues duraient évidemment plusieurs jours, ce que Renoir avait envisagé de rendre en écrivant deux scènes de chasse distinctes – tout en se réservant de développer la seconde comme nous le voyons dans le film. Craignant sans doute longueurs et doublons, il ne tourna finalement pas la première – dont le dialogue comique entre Saint-Aubin et La Bruyère qui ouvre notre épisode, parmi maintes autres allusions, conserve néanmoins la trace. **3.** Il est préférable de décrire ici d'emblée le cérémonial de la chasse auquel vont se livrer La Chesnaye et ses invités. Une telle chasse, communément appelée « à la ligne », consiste à disposer les chasseurs dans un champ, face à un bois, sur une ligne d'affûts numérotés dont l'emplacement a été déterminé en fonction de la végétation, de la configuration du terrain et du sens du vent. Les affûts (postes de guet couverts de branchages) sont distants les uns des autres d'une dizaine de mètres. Les « rabatteurs », reconnaissables à leur blouse blanche, pénètrent dans le bois par son autre extrémité et, prenant le gibier en tenaille, le chassent méthodiquement en direction des chasseurs en faisant le plus de bruit possible (cris, coups de canne sur les troncs d'arbres, etc.). Ainsi contraint de s'échapper par la seule issue laissée libre, le gibier (généralement, dans ce type de chasse, des lièvres et de petits volatiles) est méthodiquement tiré dès qu'il parvient à découvert.

gêné en tirant ce faisan : j'ai cru qu'il venait sur moi, mais en réalité *(il lui touche le bras)* il était à vous !

SAINT-AUBIN *(ils sont parvenus cadrés en pied et contre-plongée)* : Pas du tout, c'était très net *(grand seigneur)* : il était bien à vous !

Ils passent devant LA CAMÉRA QUI PIVOTE À GAUCHE POUR LES SUIVRE.

LA BRUYÈRE : Mais non : quand je l'ai tiré, il était au-delà du petit pin.

SAINT-AUBIN *(cigarette au bec)* : Je vous assure que non, mon cher : il était à vous.

LA BRUYÈRE *(ils passent cadrés ceinture, profil à nous)* : Ah, ah ! Vous êtes trop aimable.

LA CAMÉRA, POURSUIVANT SON RETOURNEMENT À 180°, DÉCOUVRE *en plan américain le reste de la troupe arrêtée au milieu du chemin. On répartit les affûts.*

ROBERT *(d'abord* off*)* : Alors, mon général *(celui-ci apparaît face à Robert)*, je vous ai réservé le septième affût.

FIN DU PANORAMIQUE : *Robert et le général cadrés cuisse, de profil. Derrière eux, à l'arrière-plan, on distingue Geneviève et Octave.*

LE GÉNÉRAL *(sans fusil mais les mains dans un manchon de fourrure, acquiesçant)* : Hein, hein.

ROBERT *(veston cintré, fusil sur l'avant-bras)* : C'est un peu loin, mais le faisan y vole très bien d'habitude.

Le général accepte en riant. Octave, en retrait entre eux deux, les regarde en souriant.

ROBERT *(à Saint-Aubin qui s'était arrêté derrière le général)* : Saint-Aubin, vous serez le voisin du général.

SAINT-AUBIN : Bon.

LE GÉNÉRAL : Merci, cher ami. *(En se retournant vers la droite, à Robert qui s'éloigne.)* Mais où vont les rabatteurs ? *(Il montre la mauvaise direction.)*

SAINT-AUBIN *(lui montrant la gauche)* : Par là, mon général ! *(Robert rejoint Octave qu'il interpelle.)*

LE GÉNÉRAL *(pivotant à nouveau, montrant la bonne direction)* : Par là-bas ? *(Touchant Saint-Aubin.)* Ah, alors le gibier va venir *(rabattant de la main)* comme ça ?

Ils nous tournent le dos au moment où deux rabatteurs coupent le champ droite-gauche au premier plan.

SAINT-AUBIN *(ils font quelques pas vers Octave et Robert)* : Ah, au moins, à ce traque-là[1], nous sommes à bon vent. *(Rires.)*

Geneviève n'a pas bronché depuis tout à l'heure. C'est que Robert est en compagnie de Christine, auparavant masquée par le général et Saint-Aubin. Au bord cadre droit, un garde tient deux braques noirs en laisse. Un nouveau groupe de rabatteurs coupe le champ droite-gauche.

ROBERT *(tenant sa femme par l'épaule, à la cantonade)* : Oh, excusez-moi, messieurs...

SAINT-AUBIN *(s'éloignant avec le général)* : Pardon, mon général.

ROBERT *(à demi retourné vers nous)* : C'est Schumacher qui va vous placer ! *(Il entraîne sa femme vers le fond, suivi de Saint-Aubin et du général.)*

Octave, qui porte son chapeau, des bottes en caoutchouc et le même complet que d'habitude (mais sans pardessus), est sorti par la gauche, mains en poche.

SCHUMACHER *(apparaissant par la droite, derrière l'homme aux chiens. Salut militaire)* : Bien, m'sieur l'marquis !

Tandis que toute la troupe des rabatteurs défile au premier plan, LÉGER PANO À GAUCHE POUR SUIVRE *Schumacher s'avançant vers Geneviève, une canne de chasse à la main.*

SCHUMACHER : Madame de Maras...

GENEVIÈVE *(résignée)* : Oui, je sais. *(Elle salue et sort en direction de Robert et de Christine.)*

SCHUMACHER : Ah ? merci. *(Cherchant les autres. André apparaît au bord cadre gauche. Berthelin, en culotte, casquette et fusil sur l'épaule, coupe le champ en diagonale gauche-droite.)* Monsieur Jurieux ? *(*ON RESSERRE EN PANORAMIQUE *sur André, très élégant, fusil sur l'épaule, nez au sol, au côté d'Octave).* Vous pourriez monter en retour[2] *(montrant la direction gauche)* de

---

1. Traque : synonyme d'affût. **2.** En retour : position qui consiste à marcher en bordure latérale du bois afin de tirer le gibier qui parviendrait à s'échapper par les côtés. Comme va le dire Octave dans un instant, le retour est une position dangereuse, prise entre la ligne des rabatteurs et celle des affûts. On appréciera que ce soit

c'côté-ci ! *(FIN DU PANO, les trois hommes cadrés cheville.)* Il faudrait que vous alliez assez haut *(Jurieux et Octave regardent dans la direction qu'il désigne)* et que vous marchiez un peu en avant de la ligne des rabatteurs, parce qu'il y a pas mal de gibier qu'essaie d'sauter l'chemin.

Il sort par la droite. ON RECADRE TRÈS LÉGÈREMENT À GAUCHE *sur André et Octave.*

SCHUMACHER *(*off, *à d'autres chasseurs)* : Messieurs-dames, voulez-vous me suivre ?

ANDRÉ *(qui allait sortir, se retourne sur Octave toujours planté les mains dans les poches)* : Ah, tu viens avec moi ?

SCHUMACHER *(s'éloignant* off) : Monsieur Berthelin... *(la suite est couverte par Octave).*

OCTAVE *(montrant du doigt la direction désignée)* : Là-bas ? *(Réaliste.)* Mais c'est très dangereux, mon vieux ! *(Moqueur.)* Ils vont nous prendre pour des lapins !

ANDRÉ *(riant, geste du coude)* : Mais... fais pas l'idiot. *(Il l'entraîne.)*

DOMAINE DE LA COLINIÈRE, EN AVANT DE LA LIGNE DES AFFÛTS, EXTÉRIEUR JOUR

128. *Plan de demi-ensemble en contreplongée sur la forêt : Schumacher, cadré en pied face à nous, donne des indications aux chasseurs s'installant à leurs affûts hors champ.*

SCHUMACHER *(d'un geste de sa canne)* : ... Le dernier affût, c'est ça ! *(Voix confuses* off.*)* Oui, monsieur. *(Éclats de voix à la ronde.)*

Berthelin est entré par la gauche et passe devant Schumacher sans le regarder.

SCHUMACHER *(aimable)* : Ah, m'sieur Berthelin, ça vous plaît d'être en retour ?

Schumacher qui expose André (et Octave) à cette place, lui qui, dans une tout autre circonstance, finira par tirer André... comme un lapin.

BERTHELIN *(finissant par se retourner)* : Oh, je suis très content ! *(Un chasseur passe gauche-droite à l'arrière-plan. Ajoutant avec supériorité :)* Et tellement ravi d'être loin des bavards[1] !

Schumacher ressort par la gauche en riant.

DOMAINE DE LA COLINIÈRE, EN RETOUR, EXTÉRIEUR JOUR

129. *Plan de demi-ensemble en légère plongée en bordure d'un bois de bouleaux. Le sol est plein de terriers.*

ANDRÉ *(retourné sur Octave occupé à fourrager dans un terrier avec une branche morte)* : Dis donc, Octave ?

OCTAVE *(sans se retourner)* : Hein ?

ANDRÉ : T'as vu Christine avec La Chesnaye ? *(Il s'avance vers nous.)*

OCTAVE *(courbé sur son terrier)* : Ouais ! *(Il nous tourne les fesses.)* Qu'est-ce qu'ils t'ont fait ?

DÉBUT D'UN TRAVELLING LATÉRAL ARRIÈRE ACCOMPAGNANT André remontant vers nous, le nez au sol.

ANDRÉ *(révolté)* : Ah ! j'trouve ça dégoûtant ! Ah, non, ils vont fort[2] !

OCTAVE *(abandonnant le terrier pour rejoindre André)* : C'est absolument leur droit : ils sont mariés !

André est monté sur un petit talus, TOUJOURS SUIVI PAR LE TRAVELLING ARRIÈRE.

ANDRÉ *(droit devant lui, avec une rage enfantine)* : Oh, j'la déteste !

OCTAVE *(en contrebas du talus, changeant de ton devant le désarroi de son ami)* : André !

---

1. Nouvelle allusion à un passage non tourné où les chasseurs devisaient bruyamment, déclenchant les protestations de Berthelin, chasseur maniaque. Les scènes qui suivent ont conservé certains détails d'une telle idée. **2.** Nouvelle allusion – sans laquelle la brutale exaspération d'André est ici peu compréhensible – à une scène écrite, mais sans doute non tournée, où Robert, quittant le château avec sa troupe, prodiguait à sa femme, aux yeux de tous, des marques autrement appuyées de son affection que le geste tendre aperçu quelques instants plus tôt (plan 127).

Il le rejoint et l'arrête d'une main sur l'épaule. LE TRAVELLING MARQUE UNE PAUSE. *Criaillements* off *d'un faisan.*

ANDRÉ *(à demi-retourné)* : Quoi ?

OCTAVE *(tous deux côte à côte, arrêtés)* : C'que t'as *(compréhension chaleureuse)*, c'est très dur, c'est très pénible... *(réconfort bourru)* mais ça passe ! *(Cherchant à convaincre.)* Crois-en ma vieille expérience *(ils se remettent en marche vers la gauche,* SUIVIS PAR L'APPAREIL *qui les serre aux genoux)* : faut du temps mais ça passe. *(Bruit des pas dans le feuillage ; au loin, deux coups de feu. Plaisantant à nouveau :)* Un beau matin *(nouvel arrêt, Octave profil à nous devant André)*, tu t'réveilles *(un coup d'œil vers le ciel)* : tu t'aperçois que la fille de ta concierge *(geste de la main)* a des yeux magnifiques ! *(Lui touchant le bras.)* Ça y est : t'es guéri !

ANDRÉ *(rire forcé)* : « Tu t'réveilles », « tu t'réveilles »... *(Se récriant.)* Mais pour ça, faudrait que j'dorme !

OCTAVE *(gigotant)* : Mais...

ANDRÉ *(insistant, sérieux)* : Parce que j'dors pas, moi !

OCTAVE *(houspillant André avec force gesticulations)* : ... J'm'en aperçois, mon vieux (LE TRAVELLING LATÉRAL ARRIÈRE REPART), je l'sais ! *(Ils se remettent en marche, Octave ronchonne toujours.)* C'que tu peux être barbant, la nuit[1] !

DOMAINE DE LA COLINIÈRE, À L'ENTRÉE DU BOIS, EXTÉRIEUR JOUR

130. *Plan général de la ligne des rabatteurs en diagonale face au bois (en amorce droite). Au premier plan, deux troncs noueux.*

SCHUMACHER *(à gauche de la ligne)* : Vous y êtes, la

1. La conversation entre Octave et André ne s'arrêtait pas là : les restaurateurs de 1959 ont retrouvé le son de quelques répliques supplémentaires, mais sans les images correspondantes, raison pour laquelle la fin de la scène n'a pu être reconstituée. Philippe Esnault donne dans son découpage (*op. cit.*, p. 35) la retranscription de cet

gauche[1] ? *(Deux jeunes rabatteurs étaient occupés à faire les idiots ; ils regagnent leur position.)* Pointard[2] ? On va y aller.

Il souffle dans la corne qu'il porte en bandoulière.

DOMAINE DE LA COLINIÈRE, À LA SORTIE DU BOIS, EXTÉRIEUR JOUR

131. *Plan général de la ligne des chasseurs sur la plaine à la sortie du bois (en amorce gauche), en diagonale par rapport à nous. Appel lointain de la corne de Schumacher. Robert, qui conversait avec Christine non loin de Jackie, fait un pas vers la gauche, souffle dans sa propre corne, puis se*

échange que nous reproduisons ici : André : « Oh ! Elle me paiera ça ! » – Octave : « Eh ! Rien du tout ! Il faut dire une chose : avec elle, tu t'y es pris comme une noix. » – « Oh ! Tu peux parler, toi, tu t'intéresses qu'aux bonnes, alors ! » – « Les bonnes..., les bonnes..., mais les bonnes, faut pas croire que ce soit du tout cuit ! Bien sûr..., la technique est, disons, différente qu'avec tes bourgeoises, mais tout aussi délicate... » – « Mon pauvre Octave ! Tu me parles de technique avec les bonnes. *(Il ricane.)* » – « Oui, monsieur ! » – « Oh ! Oh ! Oh ! Ça dépasse tout. Mais, mon vieux, méprise-les, prends leur argent et puis, de temps en temps, fous-leur une bonne paire de claques, tu verras, elles t'adoreront. Mais si t'as le malheur d'montrer que tu les aimes..., mais t'es foutu !... Tiens, j'vais aller dire deux mots à Jackie. » – « T'as raison, mon gars, ça te changera les idées ! » – « *(Après un silence.)* Dis donc..., Octave, j'voudrais te d'mander quelque chose. Avec tes bonnes, enfin, qu'est-ce qui te... qu'est-ce qui... qu'est-ce qui te ... ? » – « Tu voudrais savoir c'qui m'plaît en elles, hein ? » – « Ouais ! » – « Eh ben... c'est qu'elles ont de la conversation. » – « Ah ! Ah ! »

1. Garde-chasse en chef, Schumacher dirige, depuis le centre de la ligne des rabatteurs, la progression de l'aile droite et de l'aile gauche.

2. Le nom de ce personnage qui assiste Schumacher lors de la battue est emprunté à la réalité, Ernest Pointard étant le garde-chasse d'une propriété voisine des Réaux. Renoir eut en effet recours à d'authentiques rabatteurs solognots recrutés sur place, et dut sacrifier des caisses entières de lapins d'élevage afin de reconstituer, avec le plus de réalisme possible, chacun des plans de cet épisode d'anthologie. Sur les traces laissées par le tournage dans la mémoire locale, voir les témoignages recueillis par Patrick Métais et Daniel Amorin dans leur documentaire *Histoires d'un tournage en Sologne*, Images fabriquées/ Canal 8 Le Mans, 1997.

retourne vivement vers la ligne des chasseurs. BREF TRAVELLING ARRIÈRE LATÉRAL GAUCHE.

ROBERT *(agitant les bras)* : Messieurs, je vous en prie, placez-vous !

Christine a fait un signe à Jackie qui la rejoint.

DOMAINE DE LA COLINIÈRE, DANS LE BOIS, EXTÉRIEUR JOUR

132. TRAVELLING LATÉRAL GAUCHE-DROITE SUIVANT *en plan de demi-ensemble la diagonale des rabatteurs. Au premier plan, juste derrière les bouleaux qui défilent, Schumacher, sa canne à la main, marche en surveillant les opérations. Les hommes tapent d'un bruit sec contre les troncs des arbres.*

SCHUMACHER *(bras levé)* : Avancez, la gauche ! *(Autre geste vers la droite.)* Un peu en avant !

LA CAMÉRA SE LAISSE DÉPASSER *par la ligne qui s'enfonce dans le bois, Schumacher sort par la droite.*

SCHUMACHER (off) : Serrez, serrez ! *(Deux coups de corne.)* Tapez !

ARRÊT DU TRAVELLING. *Bruits ininterrompus des pas dans les feuillages, des coups sur les troncs.*

133. *Plus en avant dans le bois. Plan rapproché en plongée d'un lapin, assis à droite d'une souche. Silence.*

134. *Caméra posée au sol : contreplongée serrée sur un faisan qui criaille.*

135. *Plan rapproché en plongée de deux lapins blottis à gauche d'une souche. Bruits de cannes et de corne, brou-brous des rabatteurs au loin.*

136. *Plan très rapproché en plongée d'un lièvre qui se tapit sous des branchages.* LÉGER RECADRAGE À GAUCHE. *Bruits de cannes et brou-brous dans le lointain.*

SCHUMACHER (off, *au loin)* : Suivez, la gauche, suivez !

137. *Plan moyen en plongée sur une faisane*

blanche qui se déplace droite-gauche (PANORAMIQUE D'ACCOMPAGNEMENT). Brou-brous et bruits de cannes au loin.

138. *Plan moyen en plongée sur un lapin blotti au pied d'un petit arbre. Bruit des cannes, taïauts de Schumacher au loin. Le lapin détale vers la droite : PANORAMIQUE FILÉ QUI LE SUIT. Il disparaît plus avant dans le bois. Taïauts. Deux coups de corne.*

VOIX DE POINTARD[1] *(off)* : [À gauche] la gauche !

139. *PANORAMIQUE FILÉ GAUCHE-DROITE SUIVANT en plan moyen et plongée un lapin qui s'enfonce dans le bois. Bruits des cannes, brou-brous des rabatteurs.*

VOIX DE POINTARD *(off)* : Un peu à drouète !

140. *Plan d'ensemble fixe en légère contreplongée : la ligne des rabatteurs s'avance de face, au milieu des bouleaux qui raient tout l'espace. Brou-brous, coups de cannes qui s'avancent. Les lapins détalent dans les pieds des rabatteurs.*

SCHUMACHER *(au centre de la ligne)* : Serrez, là-bas, serrez !

POINTARD *(en blouse blanche à côté de Schumacher)* : [Inaudible.]

SCHUMACHER : Pointard, fais remonter un peu la gauche, là-bas ! *(La ligne est maintenant toute proche.)* Serrez !

POINTARD : À drouète ! *(Il sort face à nous par la gauche.)*

DOMAINE DE LA COLINIÈRE, À LA SORTIE DU BOIS, EXTÉRIEUR JOUR

141. *Plan rapproché ceinture en contreplongée : Robert, guettant derrière son affût. En retrait gauche, son chargeur[2]. Échos assourdis des*

---

1. Il est difficile d'attribuer avec certitude cette voix à Pointard tant que celui-ci n'est pas apparu à l'image, mais qui d'autre que lui pourrait relayer les ordres de Schumacher ? **2.** Garde dont la fonction est de passer au chasseur le fusil qu'il a préalablement rechargé.

rabatteurs dans le bois. Robert lève son arme en souriant.

142. *Plan rapproché ceinture en contreplongée : La Bruyère, vérifiant son fusil derrière son affût. Coups des cannes au loin. Il relève son arme.*

143. *Plan rapproché ceinture en contreplongée : le général, fusil sur l'épaule, scrute l'horizon derrière son affût. En retrait gauche, un chargeur. Échos des rabatteurs dans le bois. Le général se prépare à épauler.*

144. *Plan rapproché cuisse en contreplongée : Geneviève (on distingue nettement son tailleur pied-de-poule et son chapeau orné d'une plume de faisan) se lève derrière son affût et prend son fusil des mains d'un jeune aide. Échos des rabatteurs dans le bois. Elle guette.*

145. *Plan rapproché cuisse en contreplongée : Saint-Aubin, le fusil posé sur le bord de son affût, attend. Échos des rabatteurs.*

146. *Plan rapproché ceinture en contreplongée : Christine (élégant tailleur et chapeau de chasse), le fusil sur l'épaule, s'ennuie derrière son affût. En retrait droite, Jackie, boutonnée dans son pardessus. À l'arrière-plan, des pins.*

CHRISTINE *(sans se retourner)* : Jackie ? *(Mouvement de tête.)* Tu aimes la chasse ?

JACKIE *(approbation franche)* : Oh, oui, ma tante, et vous ?

CHRISTINE *(hochement de tête dubitatif)* : Mm... *(Grimace.)*

Échos des rabatteurs, coups de corne. Elle soupire.

DOMAINE DE LA COLINIÈRE, DANS LE BOIS, EXTÉRIEUR JOUR

147. *TRAVELLING LATÉRAL GAUCHE-DROITE QUI SUIT, en plan de demi-ensemble presque à ras du sol, la* *marche des rabatteurs. Le bois s'éclaircit. Les rabatteurs, cassés en deux, cognent leurs cannes contre les troncs d'arbres. Brou-brous, coups de corne.*

SCHUMACHER *(au milieu de la ligne)* : Faisan à l'avant !

Au premier plan, des arbres défilent droite-gauche. Brou-brous.

POINTARD *(*off*)* : À drouète !

Un jeune rabatteur en blouse blanche et béret noir bifurque vers nous, en cognant sa canne contre les arbres. LE TRAVELLING FRÔLE *des arbres.*

SCHUMACHER : Serrez !

Des lapins filent de tous côtés.

POINTARD *(*off*)* : À drouète, là-bas !

Le jeune rabatteur, que l'on avait dépassé, rentre par la gauche, plié en deux sous les arbustes, collé à la caméra. ARRÊT DU TRAVELLING, *les rabatteurs sortent à droite.*

148. *LARGE PANO FILÉ GAUCHE-DROITE (plongée) sur deux lapins qui détalent. On a du mal à les suivre derrière les arbres qui passent au premier plan. Quelques criaillements* off.

149. *TRÈS BREF PANO FILÉ GAUCHE-DROITE (plongée) sur un faisan qui court vers la droite. Bref criaillement.*

150. *LARGE PANO FILÉ GAUCHE-DROITE (plongée) sur un lapin qui détale. Un second lapin joint sa course à la sienne. Criaillements, coups de corne et de cannes* off.

151. *PANO FILÉ GAUCHE-DROITE (plongée) sur un lapin plus près de nous qui file à toute vitesse.*

SCHUMACHER *(voix* off *venant de l'arrière)* : Un peu en avant !

Criaillement et coups de cannes off.

152. *PANO FILÉ GAUCHE-DROITE (plongée) sur un lapin qui file à toute vitesse. Criaillement et coups de cannes* off.

POINTARD *(*off*)* : À drouète !

153. *Très bref plan d'ensemble fixe : un faisan s'envole à travers les chênes nains en diagonale gauche-droite.*

154. *Plongée verticale et* PANO FILÉ BAS-HAUT *sur un lapin qui détale. Un coup de feu éclate, il boule au sol.* ARRÊT DU PANO[1].

DOMAINE DE LA COLINIÈRE, À LA SORTIE DU BOIS, EXTÉRIEUR JOUR

155 = 141, *mais Robert cadré cuisse, de trois quarts. Second coup de feu : c'est Robert qui tirait*[2]. *Il passe son fusil à son chargeur, en retrait droite, qui lui en prépare un autre. Sons de corne. Coup de feu* off *qui fait tourner la tête de Robert.*

156. *Plan de demi-ensemble de Saint-Aubin au pied d'un curieux arbre en forme de croix. Criaillement et bruit d'ailes : un faisan passe au-dessus de l'arbre, Saint-Aubin épaule, tire deux fois et l'abat. Deux coups de feu* off.

157. *Plan d'ensemble avec Geneviève dos à nous,*

---

1. Parmi les vingt-quatre plans qui vont suivre (155 à 178), quinze montrent des animaux tués à l'image – mais les trois cinquièmes le sont sans que l'on voie le tireur. Et sur les six plans restants, seul celui avec Berthelin (165) semble avoir été réalisé sans tricherie. Dans tous les autres cas, Renoir eut recours, pour diverses raisons, à des tireurs chevronnés qui abattaient leur proie embusqués dans le hors-champ. Le montage, procédant au tri des multiples prises indispensables à un tel tournage (des dizaines de bêtes furent abattues pour l'occasion), garantit ensuite l'extraordinaire illusion d'un carnage véritable.

2. Ce coup de feu que l'on entend au début du plan 155 est soit un second tir redoublant celui qui a abattu le lapin au plan précédent, soit le même tir (dans ce cas, il s'agit d'un faux raccord sonore). Le même raisonnement s'appliquera dans la suite de la chasse chaque fois que des coups de feu ou de corne se succéderont immédiatement de part et d'autre de la collure de deux plans. Quoi qu'il en soit ici, ce coup de feu entendu au début du plan 155 associe étroitement la mort du premier lapin (plan 154) au tir de Robert, qui donne ainsi le signal du massacre.

à droite du cadre. Un lapin file gauche-droite au pied d'un grand arbre. Elle l'abat du premier coup.

158. *Plan d'ensemble, le général trois quarts dos, son chargeur derrière lui, à gauche du cadre. Un faisan débouche d'un arbre ébranché. Coup de feu* off. *Le général tire deux fois et abat le faisan.*

159 = 144. *Geneviève derrière son affût. Bruit d'ailes. Elle tire, suit le vol de l'oiseau hors champ.*

160. *Raccord sur le faisan en plein ciel. Coup de feu* off. *Chute du faisan au sol (BREF PANORAMIQUE DESCENDANT). Nombreux cris* off *des rabatteurs et des chasseurs qui se prolongeront de façon presque ininterrompue jusqu'à la fin des tirs (plan 178).*

161 = 142. *Criaillement* off *d'un faisan au-dessus de La Bruyère, qui vise le ciel, tire deux fois. Deux coups de feu* off *en écho.*

162. *Raccord sur le faisan qui, manqué, s'échappe au-dessus des arbres (LONG PANORAMIQUE GAUCHE-DROITE). Trois coups de feu et cris* off.

163. *Plan d'ensemble avec Saint-Aubin dos à nous, à droite du cadre. Un lapin file gauche-droite au pied d'un grand arbre. Saint-Aubin le manque mais l'abat au second coup*[1].

164. *Plan d'ensemble, Robert trois quarts dos, son chargeur à sa droite tenant les chiens, un arbre ébranché en amorce*[2]. *Un faisan débouche par la gauche. Fort bruit d'ailes. Robert tire deux fois et l'abat. Coups de feu* off *en écho.*

---

1. À l'évidence, Saint-Aubin occupe ici le même affût que Geneviève au plan 157 – même si le carton portant le numéro de l'affût (le 3) est cette fois visible. Pour l'équipe de tournage, il était certes plus commode de déplacer les comédiens au même affût que le matériel de prise de vues d'affût en affût : la tricherie avait peu de chances d'être repérée. Il reste que, malgré l'hiatus ainsi créé, la gémellité de l'emplacement, du cadrage et du tir souligne la rime et la maladresse de Saint-Aubin qui, lui, n'abat son lapin qu'au second coup de feu.
2. Même remarque pour ce plan qui rime cette fois avec celui du général (158), bien que la similitude soit moins nette.

165. *Plan moyen de Berthelin, entrant dos à nous par la gauche. Il épaule et abat du premier coup un lapin entré par la droite (BREF PANO À DROITE POUR SUIVRE le mouvement de Berthelin).*

166 = 159. *Geneviève tire deux coups, froidement.*

167. *BREF PANO FILÉ EN DIAGONALE DROITE-GAUCHE SUIVANT en plongée un lapin qui détale. Un coup de feu* off, *il boule.*

168. *Coup de feu* off, *TRÈS BREF PANO FILÉ EN DIAGONALE GAUCHE-DROITE SUIVANT en plongée un lapin (plus proche) qui détale, nouveau coup de feu* off, *il boule.*

169 = 160, *mais cadré d'un peu plus loin : vol d'un faisan en plein ciel, deux coups de feu* off, *chute.*

170. *PANO FILÉ GAUCHE-DROITE (plongée) sur un lapin qui file à travers le sous-bois à toute vitesse*[1]. *Coup de feu* off.

171 = 145. *Saint-Aubin tire deux coups depuis son affût.*

172 = 142. *La Bruyère tire un coup depuis son affût.*

173. *PANO FILÉ GAUCHE-DROITE (plongée) sur un lapin qui s'éloigne à travers le sous-bois à toute vitesse. Coup de corne et coup de feu* off, *il boule.*

174. *PANO FILÉ GAUCHE-DROITE (en forte plongée) sur un lapin (tout proche), fauché par un coup de feu* off. *Coups de feu* off *en écho. Criaillement* off *d'un faisan.*

---

1. Ce plan, surprenant à cet endroit, redouble presque à l'identique le plan 151, avant-dernier plan d'animaux avant le premier coup de feu. Le décor, le sujet, le mouvement même de la caméra attestent qu'il appartenait à la même série que les plans qui précèdent le début du carnage. Est-ce là un moyen de suggérer, par un retour dans le bois, que le tir touche à sa fin, ou, plutôt, la simple récupération de ce plan au montage ? Une oreille attentive percevra en outre, juste avant la clôture du plan, l'ordre donné par... l'assistant réalisateur de « couper », ultime scorie dont ce plan est entaché.

175 = 169. *Vol d'un faisan en plein ciel, trois coups de feu* off, *chute (on coupe avant que l'oiseau ne touche le sol).*

176. *Plongée verticale puis* BREF PANO DROITE-GAUCHE *sur un lapin fauché par un coup de feu* off. ARRÊT DU PANO. *Deux coups de corne* off.

177. *Deux coups de corne* off. *Plan général sur la ligne des rabatteurs sortant du bois en poussant leurs cris. Un faisan s'envole du bord cadre gauche,* SUIVI EN PANO ASCENDANT GAUCHE-DROITE ; *il est rejoint par un second faisan qui file vers la droite, passe au-dessus d'une ligne d'arbres et franchit la ligne des affûts : Robert, en bout de ligne dos à nous, le vise et le rate. L'oiseau, rejoint par un autre, s'échappe. Déchaînement des coups de feu et des éclats de voix durant tout ce plan.*

178 = 174. PANO FILÉ GAUCHE-DROITE *(en forte plongée) sur un lapin (cadré de près), fauché par deux derniers coups de feu* off. *Les cris s'estompent. Le lapin meurt en détendant lentement les pattes*[1].

UN RABATTEUR *(ils ont commencé à ramasser le gibier,* off*)* : Là, là, là !

UN AUTRE RABATTEUR *(plus proche,* off*)* : Tiens, là, y en a un, là !

Coup de corne off *prolongé qui annonce la fin des tirs.*

179. *Plan d'ensemble fixe (caméra au sol) de la plaine jonchée d'animaux morts.*

UNE VOIX *(*off*)* : Y a un lapin, là, tenez !

Deux rabatteurs entrent par le bord cadre gauche et ramassent, dos à nous, des lapins. D'autres entrent latéralement par la gauche. Rumeurs des conversations off.

180. *Plan général en lisière de forêt (caméra posée au sol). Un braque noir, ayant ramassé un lapin dans sa gueule, avise un faisan mort au premier*

---

1. Ce plan fameux et les neuf précédents furent coupés après la sortie du film en juillet 1939.

plan. Deux rabatteurs entrent au fond par la gauche. Rumeurs des chasseurs.

SAINT-AUBIN *(*off, *au général)* : Pour moi, mon général ?...

UN CHASSEUR *(*off, *à Saint-Aubin)* : C't à vous ou au général ?

SAINT-AUBIN *(*off, *au général)* : Oh ! mon général...

UN CHASSEUR *(*off, *à Saint-Aubin)* : Z'êtes content ?

Le braque vient vers nous, lâche son lapin, flaire le faisan, reprend son lapin et sort par le bord cadre droit.

SCHUMACHER *(entré par la gauche, montre de sa canne des prises aux deux rabatteurs)* : Par ici, là !

Voix off *de conversations de femmes.*

181. *Raccord sur l'affût de Christine en plan de demi-ensemble. Schumacher entre par la gauche, comme Robert qui va à la rencontre de Christine. Au premier plan gauche, dos à nous, Jackie ramasse quelque chose dans l'herbe.*

CHRISTINE *(de profil, à son mari, tenant son fusil)* : J'ai tout raté ! *(Rire de Robert.)* Je tire très mal, aujourd'hui.

ROBERT *(remettant ses gants, voix rieuse)* : Vous avez trop bavardé avec Jackie.

CHRISTINE *(un regard vers Jackie)* : Oui. *(Confidence amusée.)* Et puis, je crois que je n'aime plus la chasse.

il n'a rien compris

ROBERT : Mais c'est très simple, ma chère amie *(Schumacher s'est approché par la droite)* : nous ne chasserons plus *(Christine rit)*, nous irons aux sports d'hiver[1]. *(Il lui prend son fusil.)*

SCHUMACHER *(derrière Christine, salut militaire)* : Pardon, m'sieur l'marquis : est-ce qu'on présente le tableau[2] ? *(Jackie est venue ramasser sa canne-pliant à droite.)*

ROBERT *(il a pris sa femme par l'épaule)* : Mais non, Schumacher *(il entraîne Christine par la gauche)* : au château, faites ça au château !

SCHUMACHER *(nouveau salut)* : Bien, m'sieur l'marquis. *(Il se détourne par la droite.)*

---

1. Les sports d'hiver, comme les « bains de mer » mentionnés beaucoup plus tard, sont évidemment à l'époque des loisirs réservés à une minorité sociale privilégiée. **2.** Tableau : ensemble des pièces de gibier tuées au cours d'une journée, puis exposées aux chasseurs.

Robert et Christine sortent par la gauche, suivis de Jackie dont le départ nous découvre Geneviève, accompagnée de son jeune chargeur, venue se planter près de l'affût : elle regarde partir le couple, jalouse.

SCHUMACHER *(à ses aides,* off*)* : Allez, suivez !

182. *Plan d'ensemble de la ligne d'affût prise en diagonale. Au traque n°3, Saint-Aubin, cadré en pied de profil, interpelle Pointard qui entre par la droite. À l'arrière-plan, remontant la ligne vers nous, un vieux couple et des rabatteurs.*

SAINT-AUBIN *(désignant à Pointard quelque chose vers la gauche)* : Dites donc, mon vieux, là : ce faisan, là...

POINTARD *(jette un lapin au pied de Saint-Aubin)* : Oui ? *(Il va y voir.)*

SAINT-AUBIN *(toujours montrant du doigt le hors-champ gauche)* : Là, à gauche, là, derrière l'arb...

LA BRUYÈRE *(voix* off *très mécontente venant de la droite)* : Écoutez, monsieur ! *(Saint-Aubin retourne la tête. Pointard marque un temps d'arrêt, puis sort à gauche au moment où La Bruyère entre par la droite.)* Cette fois-ci *(il se plante devant Saint-Aubin)*, il est à moi, il n'y a pas de doute !

SAINT-AUBIN *(protestant vigoureusement)* : Ah, non ! Une fois suffit ! Vous n'allez pas m'faire le coup à chaque battue ! *(LÉGER PANO À DROITE INTÉGRANT le couple de chasseurs qui s'arrête pour écouter la dispute.)* La dernière fois, vous m'l'avez tiré sous mon nez, et j'n'ai rien dit ! *(Il sort, furieux.)* Oooh !

Les rabatteurs s'approchent. Rumeurs de leurs conversations.

LA BRUYÈRE *(se retournant sur les deux chasseurs, indigné)* : Oh ! Tout de même, mettez-vous à ma place ! *(Se justifiant en bougonnant.)* Déjà l'autre fois, j'vise un faisan, j'vais l'tirer... Pan ! il le tire et le descend au pied de mon affût[1] ! *(Entraînant le couple qui acquiesce.)* Avouez que c'est un peu fort de café !

---

1. Nouvelle allusion à la précédente battue expliquée en note 2, p. 137. En volant de nouveau à La Bruyère une proie sous son nez, Saint-Aubin – qui, la première fois, avait camouflé sa petitesse par une fausse générosité – ne fait rien d'autre que ce qu'il fera plus tard à la fête du château en entraînant Christine à la barbe de Jurieux.

DOMAINE DE LA COLINIÈRE, LE CHEMIN EN FORÊT, EXTÉRIEUR JOUR[1]

183. *Retour au chemin du début de l'épisode. Le général et Robert (serrés ceinture, de profil) bavardent. Derrière eux, on range le matériel.*

ROBERT *(se débarrassant de sa corne en bandoulière)* : Il y a une très jolie chasse dans le pays de ma femme, en Autriche *(il passe sa corne à Schumacher qui s'est approché de lui)* : c'est le coq des bois.

LE GÉNÉRAL : La nuit ?

ROBERT : Au petit jour.

Geneviève a fait irruption par la droite et s'interpose entre le général et Robert.

GENEVIÈVE : Robert ? J'ai quelque chose à vous dire !

ROBERT *(embêté)* : ... Dites.

GENEVIÈVE *(énigmatique)* : Non : un secret. *(Volte-face vers le général.)* Permettez, général ? *(Gracieuse.)* Je vous l'enlève !...

LE GÉNÉRAL *(plaisanterie bonhomme)* : Eh ben, euh, vous nous l'rendrez ?

GENEVIÈVE *(rire)* : Ah, ah ! Soyez tranquille !

LE GÉNÉRAL : Ah !...

Elle tourne les talons et part vers le fond, suivie de Robert qui traîne les pieds. Saint-Aubin entre par la

---

1. Comme pour le plan 129 (voir note 1, p. 142), les restaurateurs de 1959 retrouvèrent pour le début de cette nouvelle scène la bande son mais non les images correspondantes. Il s'agit d'une conversation entre Schumacher, Berthelin, le général et Saint-Aubin sur l'entretien des fusils, courte survivance d'un passage autrement développé dans le scénario originel. Nous reproduisons de nouveau les dialogues tels que les a retranscrits Philippe Esnault (*op. cit.*, p. 37) : Schumacher : « Trop aimable, monsieur... Monsieur Berthelin, votre fusil, on lui donnera un coup de baguette ! » – Berthelin : « Ah ! Désolé, mon brave, mais je fais toujours ces choses-là moi-même ! » – Schumacher : « Comme vous voudrez ! » – Le général : « Tenez, Schumacher ! » – Schumacher : « Oui ! » – Le général : « Prenez donc les deux miens ! » – Schumacher : « Merci, mon général ! » – Le général : « Vous pourrez toujours leur donner un coup, si ça vous amuse. » – Schumacher *(à l'un de ses aides)* : « Tiens, mets-les dans la voiture, là-bas. » – Saint-Aubin : « Après une si belle journée, merci !... » – Schumacher : « Merci, monsieur de Saint-Aubin. »

gauche en sifflotant d'un air entendu et vient prendre la place de Robert. DÉBUT D'UN LENT TRAVELLING ARRIÈRE.

LE GÉNÉRAL *(plaisantant l'intention perfide de Saint-Aubin)* : Allons, allons *(il lui tape sur la manche)*, voyons, Saint-Aubin[1] !

BERTHELIN *(d'abord* off, *il s'approche, finissant une conversation pointilleuse)* : ... pas pessimiste ! *(Le général et Saint-Aubin se retournent vers la droite. La Bruyère passe à l'arrière-plan.)* C'est comme l'imprudence que commettent les gens en plaçant mal leur fusil ! *(Christine et Berthelin, fusil sur l'épaule, rejoignent le général et Saint-Aubin par la droite.)* Il y a de vrais inconscients !

FIN DU TRAVELLING ARRIÈRE *(le groupe cadré cheville).*

LE GÉNÉRAL *(prenant Christine à témoin)* : Bah, eh ben, vous ne savez pas c'qu'est arrivé à c'pauvre Georges, l'année dernière, chez les Malvoisie ? *(À gauche, une charrette en amorce portant le gibier s'en va quand Octave entre par la droite, taillant une badine avec un canif.)* Il a pris son fusil de telle façon des mains de son chargeur que toute la charge *(geste expressif)* lui a broyé la cuisse ! *(Il pouffe, prenant à témoin Octave qui pouffe à son tour.)* Il est mort en vingt minutes ! *(Octave éclate de rire. Le général entraîne Saint-Aubin en riant.)*

OCTAVE *(prenant par l'épaule Christine qui ne rit pas)* : Elle est bien bonne, hein, Christine ?

PANORAMIQUE D'ACCOMPAGNEMENT *: tous deux reprennent le chemin par la gauche.*

BERTHELIN *(derrière le groupe, sérieux comme un pape)* : Deyeux disait il y a cent ans *(désormais* off*)* : « Rentrez, si mon conseil vous guide, / Le carnier plein et le fusil vide[2]. »

FIN DU PANO EN DIAGONALE DROITE-GAUCHE CADRANT *la troupe des rabatteurs et des chasseurs qui s'éloigne sur le chemin – et laissant hors champ Saint-Aubin, le général, Christine, Octave et Berthelin.*

---

1. La fin du plan 183 et la scène suivante (plans 184-188) furent coupées après la sortie du film en juillet 1939. **2.** Nicolas Deyeux (1745-1837) était le pharmacien des armées de Napoléon.

DOMAINE DE LA COLINIÈRE, AU BORD D'UN ÉTANG[1], EXTÉRIEUR JOUR

184. *Plan général d'un terrain de dunes au bord d'un étang encadré de bouleaux.* PANORAMIQUE DROITE-GAUCHE BALAYANT *le paysage : André saute un talus en criant (sa voix résonne).*

ANDRÉ *(désignant quelque chose au loin)* : Vite, Jackie, à toi : un lapin !

LE PANORAMIQUE LE DÉPASSE ET BALAIE *le décor.*

JACKIE *(*off*)* : Mais où ? Je ne vois rien ?

ANDRÉ *(*off*)* : Là, là !

JACKIE *(apparaissant sur la gauche, trois quarts dos, fusil à la main)* : Mais où ça ? *(*FIN DU PANO.*)*

ANDRÉ *(*off*)* : Mais là ! *(Elle tend son fusil droit devant elle.)* Hé ! Pas sur moi ! Sur l'lapin, autant qu'possib...

Coup de feu.

185. *Raccord sonore de la déflagration. Plongée verticale, puis* PANO FILÉ ASCENDANT *sur un lapin qui détale vers un bois*[2].

JACKIE *(riant,* off*)* : Oh, ben il est loin.

186 = fin 184, *mais plan moyen. Jackie, profil à nous, attendant André avec un sourire.*

ANDRÉ *(d'abord* off*)* : Ma p'tite Jackie *(il entre par la droite)*, tu es la femme la plus délicieusement maladroite *(il jette à terre un bâton et lui prend son fusil)* que je connaisse !

JACKIE *(contente)* : Oh, tu crois, André ?

Il l'embrasse sur la joue.

ANDRÉ *(riant)* : J'en suis sûr ! *(Double coup de feu* off.*)*

---

1. Trois scènes différentes vont avoir pour cadre un paysage de marécages et d'étangs : celle-ci, entre Jackie et Jurieux, celle entre Geneviève et Robert, enfin celle du groupe autour d'Octave et de Christine. Elles furent tournées à trois endroits différents du vaste étang du Puits (Loiret), situé à une dizaine de kilomètres de Brinon-sur-Sauldre. **2.** Encore un plan emprunté à la série de plans réalisés pour le carnage (voir par exemple les plans 154, 174 et 176) : le paysage visible ici ne raccorde même plus avec celui de l'étang au plan précédent. On admirera l'art du cinéaste et de sa monteuse d'accommoder les chutes.

JACKIE *(la main sur son épaule)* : Oh, je voudrais être encore plus maladroite !

ANDRÉ *(ouvrant le fusil sans comprendre l'allusion)* : Mais pour quoi faire, ma p'tite Jackie ?

JACKIE *(l'autre main sur son bras)* : Mais pour que tu m'embrasses plus souvent, cher André !

187. *Raccord sur le couple serré poitrine en légère contreplongée, mais Jackie trois quarts dos, André trois quarts face.*

ANDRÉ *(souriant)* : Mm ! Facile ! *(Il lui donne un baiser sur la joue, se redresse, détourne les yeux, rêveur, caressant machinalement la nuque de Jackie. Chants d'oiseaux jusqu'à la fin du plan.)* Tu sais, Jackie *(la regardant)* : j't'aime pas.

JACKIE *(se forçant à sourire)* : Oh, je sais, André ! Mais je sais aussi que tu perds ton temps avec ma tante !

ANDRÉ *(sourire, regard au loin)* : Mm... On peut rien t'cacher !

188. *Contrechamp en légère plongée : Jackie trois quarts face, André au premier plan de profil.*

JACKIE *(les yeux baissés)* : Oh, n'essaie pas de rire ! *(Émue.)* Tu as du chagrin, et moi aussi.

Deux coups de feu off *au loin.*

DOMAINE DE LA COLINIÈRE, LE CHEMIN EN FORÊT, EXTÉRIEUR JOUR

189. *Plan général en contreplongée du chemin : les rabatteurs, en blouses blanches dos à nous, traversent le champ en diagonale droite-gauche, remontant en bordure de chemin. Bruit des pas.*

UN RABATTEUR : Celui qui conduit la chasse y connaît rien !

POINTARD *(passant dans le champ)* : Monsieur André a très mal tiré ! *(On aperçoit Geneviève et Robert de l'autre côté du chemin, attendant le passage de la troupe. Entrée de la charrette par la droite sur le chemin.)* À mon point d'vue, monsieur l'marquis tire beaucoup mieux qu'lui !

La troupe des rabatteurs s'éloigne. Deux jeunes rabatteurs s'amusent à se faire des croche-pieds. Sur le chemin, les gardes en noir suivent la charrette.

SCHUMACHER *(*off*)* : Alors, les gosses, c'est pas fini, ça ? *(Il clôt la marche, appuyé sur sa canne. Nouveau rappel à l'ordre.)* Eh ben, voyons !

Il s'arrête pour laisser passer Geneviève et Robert qui coupent le chemin droite-gauche. Salut militaire.

LA BRUYÈRE *(d'abord* off*)* : Au troisième traque, j'n'ai pas eu de chance[1] ! *(PANO GAUCHE-DROITE cadrant les quatre chasseurs remontant le chemin.)* Et pourtant j'étais bien placé !

LE VOISIN DE LA BRUYÈRE : Ça arrive, ça, mon cher, voyons !

LE PANORAMIQUE ACHÈVE SA COURSE À 90° sur Saint-Aubin et Berthelin de l'autre côté du chemin, qui s'approchent d'un bouleau.

LE GÉNÉRAL *(*off*)* : Vous n'avez pas froid, chère madame ? *(Il entre par la droite au côté de Christine, derrière Berthelin et Saint-Aubin.)*

CHRISTINE *(au général)* : Non, pas en marchant !

190. *Raccord à 180° sur ce groupe. Plan de demi-ensemble en contreplongée. Au premier plan gauche, le tronc du bouleau ; à droite, Saint-Aubin le nez en l'air ; au centre, de face, Berthelin, Christine et le général masquant Octave.*

LE GÉNÉRAL *(s'approchant de Saint-Aubin)* : Quand le soleil disparaît, la température baisse avec une rapidité ! *(Christine acquiesce.)*

SAINT-AUBIN *(les coupant)* : Chut !... *(Montrant le sommet de l'arbre, à mi-voix.)* Un écureuil, là-haut ! *(Tous lèvent le nez.)*

191. *Plan serré en forte contreplongée de l'écureuil*

---

1. Nouvelle incohérence, puisque, au traque n° 3, c'est Saint-Aubin que nous avons vu (plans 163 et 182) – mais il est vrai que ce dernier ayant tendance à s'attribuer le gibier tiré par La Bruyère, toutes les confusions sont permises.

jouant dans les hautes branches du bouleau (LÉGER PANO LE RECADRANT).

SAINT-AUBIN *(*off*)* : Dommage que j'aie rendu mon fusil !

CHRISTINE *(*off, *attendrie)* : Pourquoi ? J'aime beaucoup les écureuils.

SAINT-AUBIN *(*off*)* : Oh ! C'est très gentil, mais ça cause des dégâts !

192 = 190, *mais Christine cadrée épaule, Octave en retrait derrière elle, le général en amorce droite.*

BERTHELIN *(en amorce gauche)* : Tenez, madame, regardez !

BREF RECENTRAGE À GAUCHE. *Berthelin a passé à Christine une petite lunette d'approche. Elle la lève vers l'écureuil ; Berthelin lève le nez, masquant Octave.*

CHRISTINE *(l'œil dans la lunette)* : Oh ! C'est merveilleux ! *(Octave s'est décalé sur la gauche pour voir Christine.)* Je le vois comme si je pouvais le toucher !

BERTHELIN *(masquant à nouveau Octave)* : Mais oui ! *(Récitant.)* Une lunette d'approche *(le visage d'Octave apparaît, au centre de l'image, dans le triangle formé par le coude dressé de Christine)* est une compagne indispensable. *(Octave, renonçant, lève le nez vers l'arbre.)* Et comme celle-ci est petite, on l'emporte toujours.

193 = 191, *mais l'écureuil en gros plan.*

BERTHELIN *(continuant* off *son boniment à voix basse)* : Son optique est si fine *(*RECADRAGES ASCENDANTS SUCCESSIFS *sur l'écureuil)*, et sa disposition telle *(l'écureuil nous regarde)*, que, servant de téléloupe *(deux coups de feu* off *au loin)* à peu de distance, vous examinez ce p'tit écureuil *(l'animal nous regarde à nouveau, jusqu'à la fin du plan)* sans l'intimider, et vous vivez toute sa vie intime *(deux nouveaux coups de feu* off*)*.

écureuil = Robert

la lunette d'approche = comme un fusil elle détruit les illusions de Christine

DOMAINE DE LA COLINIÈRE, MARÉCAGES, EXTÉRIEUR JOUR

194. *Deux coups de feu* off[1]. *TRAVELLING LATÉRAL DROITE-GAUCHE sur un paysage de marais. Geneviève et Robert entrent par la droite (légère contre-plongée, cadrés en pied). Ils passent profil à nous, Geneviève, la main dans la poche de sa jupe, hautaine, Robert, derrière elle, embarrassé. LA CAMÉRA LES SUIT.*

ROBERT *(poursuivant une conversation déjà entamée)* : Bon... Bien *(coup de feu* off*)*, c'est entendu, vous allez tout dire à Christine ! Ça vous avancera à quoi ? *(Ils sont maintenant serrés genou.)*

GENEVIÈVE *(sans se retourner, froidement)* : À vous faire du mal !

ROBERT *(rire forcé)* : Charmante nature *(il ôte son chapeau)* !

GENEVIÈVE : Ça m'ennuie de souffrir seule, oui ! *(Coup d'œil à Robert.)* J'ai l'impression que, en bande, ça doit être moins ennuyeux. *(Robert, maintenant trois quarts dos, s'est recoiffé.)* Et puis... *(un buisson passe au premier plan[2])* j'ai envie de voir la tête que vous f'rez quand Christine vous aura quitté... *(Nouveau coup d'œil à Robert, qui jette un regard aux marais à l'arrière-plan.)* Parce qu'elle vous quittera *(exclamation de Robert)*, si je lui parle !...

Ils se regardent, tous deux trois quarts face. ARRÊT DU TRAVELLING.

ROBERT *(rire forcé, geste du bras)* : Ça, ça n'fait pas l'ombre d'un pli ! *(Il prend dans sa poche son étui à cigarettes.)*

GENEVIÈVE *(jouant avec les brindilles d'un buisson)* :

---

1. Sur ces deux coups de feu succédant immédiatement aux deux autres qui concluent le plan précédent, voir note 2, p. 148. Dans toutes les hypothèses, il s'agit ici de souligner l'immédiate continuité entre la scène de l'écureuil et celle qui va s'ouvrir entre Geneviève et Robert – dont nous allons pouvoir observer, « sans [les] intimider », « toute [la] vie intime ». **2.** Les premières images du plan 194 (du début jusqu'ici) manquaient dans certaines copies du film avant sa restauration.

Vous l'aimez vraiment ? *(Regard las de Robert.)* Et moi, vous ne m'aimez plus *(coup de feu* off*)* du tout ? *(Coup de feu* off.*)*

ROBERT *(prenant une cigarette d'un air ennuyé)* : Oh, non, non, non... *(coup de feu* off*)* j'ai envie de changer de conversation *(coup de feu* off*)*. Ma position de berger Pâris sans la pomme[1] *(il joue avec son étui)* me semble d'un grotesque ! *(Il empoche l'étui en détournant les yeux.)*

195. *Bref raccord sur Geneviève, serrée poitrine (légère plongée).*

GENEVIÈVE *(ferme)* : Je vous prie de me répondre.

196. *Contrechamp sur Robert, cadré poitrine (légère contreplongée).*

ROBERT *(relevant les yeux, sincère)* : Non, je ne vous aime plus *(deux coups de feu* off*)*. J'ai beaucoup de sympathie pour vous *(sourire gêné)*, mais... *(Geste d'impuissance.)*

197 = 195.

GENEVIÈVE *(coupante)* : Mais je vous ennuie ?

ROBERT *(rire forcé,* off*)* : « Ennuie », « ennuie » !... Mais vous avez des mots *(regard glacial de Geneviève)*, ma chère...

GENEVIÈVE *(réaliste)* : C'est le mot exact.

Elle sort par la gauche. Lointain coup de feu off. *Robert coupe le champ et sort à sa suite en portant sa cigarette aux lèvres.*

198. *REPRISE DU TRAVELLING LATÉRAL À GAUCHE, tous deux trois quarts dos à nous (cadrés en pied), Robert suivant mollement Geneviève.*

GENEVIÈVE *(désabusée)* : Je ne lutte plus ! On lutte contre la haine, mais contre l'ennui, y a rien à faire... *(Elle trébuche dans un trou d'eau.)* Oh ? *(Bruit de flaque.)*

ROBERT *(il la rattrape par le bras et l'aide à se dégager)* : Ah, ah... *(Coup de feu* off *proche.)*

---

1. Dans la mythologie grecque, Pâris avait, lui, à choisir à laquelle de trois déesses il offrirait une pomme, symbole qui doit lui ouvrir le cœur de la belle Hélène et entraîner la guerre de Troie.

GENEVIÈVE *(bifurquant vers nous)* : Merci. *(Coup de feu off.)*

Ils se sont arrêtés. LE TRAVELLING LATÉRAL S'AVANCE SUR EUX EN LES ENVELOPPANT PAR LA GAUCHE.

GENEVIÈVE *(sortant de sa poche un briquet, l'air dégagé)* : Oooh ! et puis moi aussi j'commence à trouver *(elle l'aide à allumer sa cigarette)* tout ça assommant !...

ROBERT *(prenant le briquet)* : Pardon.

GENEVIÈVE *(main en poche)* : Quand j'vous vois faire le *(bref regard de mépris)* céladon[1] auprès de vot'Viennoise *(elle a détourné les yeux, Robert s'escrime sur le briquet)*, ça me donne envie de bâiller ! *(Silence. Les yeux au loin.)* Je vais partir...

ROBERT *(le nez dans son briquet)* : Oui, je crois que ça vaudra mieux, Geneviève.

FIN DU MOUVEMENT ENVELOPPANT. *Ils sont côte à côte, serrés à la taille. Robert, renonçant à allumer sa cigarette, referme le briquet d'un coup sec.*

GENEVIÈVE *(elle le regarde à nouveau, grave)* : Oui, je vais partir *(il la regarde en ôtant sa cigarette)*, mais je voudrais *(elle lui prend les bras)* que vous me disiez adieu *(il renifle)* très gentiment...

ROBERT *(amusement gêné)* : Mais non : « adieu » ? *(Rectifiant dans un soupir amical.)* « Au revoir », Geneviève[2].

On entend au loin sonner le cor[3] (la sonnerie se prolongera, à des volumes différents selon les scènes, jusqu'à la fin du plan 204).

---

1. « Faire le céladon » est une expression couramment attestée, peu surprenante dans la bouche de Geneviève qui sait citer Chamfort. Dans *L'Astrée*, le fameux roman champêtre d'Honoré d'Urfé (XVIIe siècle), le berger Céladon représente le type de l'amoureux transi toujours aux ordres de sa bergère. Une page célèbre de *L'Astrée* (première partie, livre IV) raconte comment Céladon, pour surprendre Astrée dans le plus simple appareil, participe à une fête en l'honneur de Vénus déguisé en berger Pâris, mais sous un travesti de fille. L'épisode de la fête à la Colinière développera avec virtuosité le travestissement parodique de certains motifs des mythes de Pâris et de Céladon : Lisette croquant une pomme et courtisée par trois hommes, Saint-Aubin enlevant Christine déguisé en berger, etc. 2. La suite et la fin de la séquence furent écartées par Renoir dès le montage. 3. C'est la même mélodie que celle déjà entendue lors du coucher à la Colinière.

GENEVIÈVE *(geste de la main, d'une voix douce)* : Non, non : « adieu » *(deux coups de feu* off*)*, mais un bel adieu *(coup de feu* off. *Robert la regarde tendrement)* ! Je voudrais pendant quelques secondes me sentir transportée *(elle touche son veston)* trois ans en arrière.

199. *Raccord : Geneviève, trois quarts dos face à Robert en retrait trois quarts face, tous deux serrés aux épaules.*

GENEVIÈVE *(se retournant face à nous, le regard songeur braqué hors champ)* : Oui, à l'époque où Christine n'existait pas... *(Robert, vaguement ennuyé, a baissé les yeux.)* Je voudrais que vous me preniez dans vos bras *(presque heureuse)* comme vous le faisiez alors. *(Toute à sa pensée.)* Je vais fermer les yeux *(lentement)* : je vais croire un instant tout ce que je vais vouloir.

ROBERT *(en retrait, embarrassé, protestant de la tête avec un rire raisonnable)* : Allons, voyons, Geneviève...

GENEVIÈVE *(elle l'arrête de la main sans davantage se retourner)* : Non, non, ne parlez pas. *(Elle se retourne brusquement sur lui et se jette dans ses bras.)* Embrasse-moi. *(Coup de feu* off *très lointain.)*

ROBERT *(esquive gênée)* : Mon petit... *(Il l'entraîne par la gauche.)*

DOMAINE DE LA COLINIÈRE, AILLEURS DANS LES MARAIS, EXTÉRIEUR JOUR

200. *Coup de feu* off *au loin*[1] *; le chant du cor se prolonge en sourdine. Plan de grand ensemble sur un autre endroit des marais. Le groupe de Christine et de ses compagnons, à bonne distance de nous, de profil, patauge maintenant dans un marécage. Bruits de flaques. Éclats de voix.*

LE GÉNÉRAL *(de loin)* : Attention où vous mettez les pieds : c'est un peu humide ! *(Coup de feu* off *lointain.)*

CHRISTINE *(en retrait à droite)* : Oh, je suis habituée !

---

1. Même remarque qu'au début du plan 194 (voir note 1, p. 160).

Le général, au centre du groupe, scrute avec la lunette l'horizon vers la gauche. En avant de lui, Octave et Saint-Aubin progressent péniblement.

LE GÉNÉRAL *(s'exclamant)* : Hé, hé ! *(Nouveau coup de feu. Christine rejoint le général à grandes enjambées.)* Oh, oh, oh !...

201 = 200, *mais plan de demi-ensemble sur le groupe de profil. À gauche, les bottes dans l'eau, Octave, une branche à la main, et Saint-Aubin regardent au loin. À l'avant-plan droite, sur un talus, le général devant Christine. Coup de feu* off.

LE GÉNÉRAL *(les yeux dans la lunette)* : Extraordinaire ! *(Coup de feu plus proche.)* Oh ! la poule d'eau : on pourrait compter les plumes ! *(Rire de Christine.)*

OCTAVE : Elle a disparu ! *(Se retournant sur Saint-Aubin.)* Vous la voyez encore, vous ?

SAINT-AUBIN *(se contorsionnant)* : Non, et pourtant j'ai d'bons yeux !

Christine réclame la lunette.

LE GÉNÉRAL *(très civil, lui donnant l'objet)* : Tenez, chère madame.

CHRISTINE *(passant devant le général)* : Merci.

LE GÉNÉRAL *(précisant de ses doigts joints)* : À deux doigts de l'arbre-boule[1].

CHRISTINE *(joyeuse)* : Oui ? *(Octave s'est approché, suivi de Saint-Aubin.)*

LE GÉNÉRAL *(rectifiant)* : Trois pour les vôtres parce qu'ils sont plus petits.

CHRISTINE *(cherchant la poule d'eau avec la lunette)* : Oooh ?

OCTAVE *(derrière Christine, cherchant de la main droite à lui prendre la lunette)* : Allez, prête-moi ça !

CHRISTINE *(tenant bon)* : Oh ! et moi ?

OCTAVE *(protestant par-dessus son épaule)* : J'ai envie d'voir, moi aussi !

CHRISTINE *(riant)* : Non, non, non, non !

---

1. Arbre-boule : arbre au feuillage en forme de boule – mais le terme est à rapprocher de l'expression « arbre en boule » employée dans le jargon du repérage militaire.

CHRISTINE *(elle a vu la poule d'eau)* : Oh ! comme c'est joli !

Octave regarde au loin. Accents du cor plus nets, s'intensifiant au plan suivant.

202 = 201, *mais les quatre serrés ceinture en légère contreplongée trois quarts face. À gauche, Christine devant Octave, Saint-Aubin et le général.*

OCTAVE *(essayant d'agripper les jumelles de la main gauche)* : Bon, eh ben passe-les-moi !

CHRISTINE *(lui tapant sur la main)* : Mais non !

OCTAVE *(cherchant à lui arracher la lunette, taquin)* : Mais j'te jure qu'c'est mon tour, voyons ! *(Les deux autres rient.)*

CHRISTINE *(se débattant)* : Allons ! Non, non, non... *(Octave renonce.)*

Tout sourire, elle oriente la lunette vers la droite. Octave et Saint-Aubin suivent des yeux sa direction.

On entend distinctement l'appel du cor. Berthelin apparaît à l'arrière-plan du groupe. Le sourire de Christine se fige : elle a vu quelque chose, tente de régler la lunette. Octave a remarqué ce geste.

DOMAINE DE LA COLINIÈRE, MARÉCAGES, EXTÉRIEUR JOUR

203. *Ce que voit Christine : en plan de demi-ensemble, au milieu des marécages, profil à nous, Robert prend Geneviève dans ses bras et l'embrasse. Le cor tient la note finale de la phrase musicale.*

DOMAINE DE LA COLINIÈRE, DANS LES MARAIS, EXTÉRIEUR JOUR

204 = 202, *mais Christine, Octave (et Saint-Aubin en amorce) serrés aux épaules. Le cor lance son ultime sonnerie.*

OCTAVE *(les yeux tournés vers la droite dans la direction*

scrutée par Christine) : Dis donc *(léger sourire aux lèvres)*, ça a l'air bougrement intéressant c'que tu vois là-bas...

CHRISTINE *(le visage masqué par ses mains qui tiennent les jumelles, d'une voix blanche)* : Très intéressant...

Octave se penche sur elle.
Fondu au noir.
Le chant du cor s'éteint.

CHÂTEAU DE LA COLINIÈRE, PREMIER ÉTAGE, COULOIR, INTÉRIEUR JOUR[1]

205. *Ouverture au noir. La cloche du château sonne au loin huit coups (jusqu'au début du plan suivant). Perspective sur le couloir du premier étage pris perpendiculairement depuis le fond (légère contre-plongée qui met en valeur le damier du pavement). On aperçoit en profondeur, au-delà des trois marches de séparation, l'autre extrémité du couloir sur laquelle se reflète l'ombre projetée d'une croisée. Marceau est occupé à ramasser les souliers devant les portes. Christine (qui porte la robe de chambre de satin que nous lui connaissons, un foulard noir dans les mains) remonte le couloir vers nous.*

MARCEAU *(cigarette au bec)* : Bonjour, madame la marquise. *(Christine, arrêtée devant la porte de Geneviève, se retourne sur lui.)* Bonjour, madame. *(Il prend une paire de bottes à gauche, devant la porte du général.)*

CHRISTINE *(distraite)* : Bonjour.

Après un temps d'hésitation, elle va frapper à la porte de Geneviève, à droite.

GENEVIÈVE (off, *de l'intérieur de la chambre)* : Entrez ?

---

1. Nouvelle ellipse temporelle. La journée qui s'ouvre à présent (et qui s'achèvera par la folle soirée à la Colinière et par la mort d'André Jurieux) est immédiatement consécutive à celle qui marquait la fin des battues : Geneviève s'apprête à quitter le château comme elle l'a annoncé la veille à Robert, et Christine, encore sous le coup de ce qu'elle a découvert, retient sa rivale sans savoir sans doute encore comment elle va se venger de l'infidélité de son époux.

Christine entre. Regard de Marceau, planté au milieu du couloir, qui vient prendre les bottes de Geneviève devant sa porte.

CHÂTEAU DE LA COLINIÈRE, PREMIER ÉTAGE, CHAMBRE DE GENEVIÈVE, INTÉRIEUR JOUR

206. *Huitième et dernier coup de cloche. Plan de demi-ensemble de la chambre de biais. Au premier plan, une valise ouverte, posée sur un guéridon, autour de laquelle s'affaire Geneviève. Elle porte un somptueux peignoir blanc à manches d'hermine. Contre le mur de communication avec le couloir, au fond à gauche, une coiffeuse sous un miroir, une chaise de style, un voilage.*

CHRISTINE *(adossée à la porte, sur la droite, cadrée en pied)* : Vous partez, Geneviève ?

GENEVIÈVE *(se retournant vers Christine)* : Oui, je pars ! *(Elle attrape, sur un fauteuil à côté de Christine, une nuisette qu'elle revient ranger dans sa valise.)*

CHRISTINE : Vous ne restez pas pour notre petite fête ?

GENEVIÈVE : Non. *(Léger sourire, fausse indifférence.)* On m'attend à Paris. *(Elle va chercher près de la coiffeuse une combinaison.)*

CHRISTINE *(suivant des yeux ce va-et-vient, puis proposant)* : Vous téléphonerez ?

GENEVIÈVE *(revenue au premier plan)* : Oh, non : j'dois partir ! *(Elle jette la combinaison dans la valise. Ne voulant pas en dire plus.)* Ça vaut mieux... *(Elle se fige, songeuse.)*

CHRISTINE *(faisant celle qui ne comprend pas)* : « Ça vaut mieux » ? *(Elle s'avance vers Geneviève qui lui tourne toujours le dos.)* Pour qui *(hochement de tête)* : pour vous ?

GENEVIÈVE *(se retournant vivement vers Christine)* : Oh, non !

CHRISTINE *(face à Geneviève, dans un rire)* : Alors... pour moi ?

Sourire évasif de Geneviève qui balaie la conversation

d'un revers de main. Elle vient s'appuyer contre le guéridon, tournant de nouveau le dos à Christine.

207. *Raccord sur le mouvement de Geneviève, mais un quart de tour à gauche : Geneviève, impassible, est au premier plan gauche, face à nous (légèrement floue), Christine à l'arrière-plan droite (toutes deux serrées taille, en contreplongée).*

CHRISTINE *(la mettant en confiance)* : Ma p'tite Geneviève, voulez-vous que nous parlions *(elle pèse ses mots)* bien franchement ? *(Geneviève ne bronche pas.)* Est-ce que je suis une épouse *(pointe d'ironie)* « gênante » ?

GENEVIÈVE *(qui a écouté attentivement cette question)* : Mais... *(elle esquisse un mouvement pour se retourner à droite vers Christine, d'une voix neutre)* je ne vois pas en quoi vous pourriez me gêner ? *(Embarrassée, elle s'esquive par la gauche.)*

Christine, restée seule à l'image, semble réfléchir, puis rejoint Geneviève plantée devant sa coiffeuse, dos à nous (BREF PANO DROITE-GAUCHE LES RECADRANT aux chevilles).

CHRISTINE *(trois quarts dos à nous, en élevant la voix)* : Est-ce que j'ai jamais essayé de contrarier vos *(elle cherche le mot juste, les yeux baissés sur son foulard)* « relations » avec mon mari ?

Geneviève la regarde brusquement, les yeux dans les yeux.

208. *Raccord sur Geneviève, trois quarts face, serrée épaule.*

GENEVIÈVE : Euh... *(stupéfaite)* vous savez ?

209. *Contrechamp sur Christine, trois quarts face, serrée épaule.*

CHRISTINE *(faux rire)* : Comme tout le monde !

210. *Plan rapproché sur les deux femmes maintenant profil à nous, cadrées cuisse. Christine se laisse tomber sur la chaise.*

CHRISTINE *(sur le ton de la confession amusée, les yeux dans son foulard)* : Ce brave Robert est si gentil *(coup d'œil à Geneviève qui s'appuie sur la coiffeuse, face à nous, la tête penchée sur Christine)*, tellement sensible, mais *(elle lève les yeux vers Geneviève)* c'est un véritable enfant *(moqueuse)*, incapable de rien cacher !

GENEVIÈVE *(toujours confondue)* : Oh, ça c'est bien vrai...

CHRISTINE *(lancée)* : S'il veut mentir *(soupir amusé)*, ça se voit tout de suite ! *(Geneviève regarde devant elle, songeuse.)* Il rougit avant d'ouvrir la bouche !

GENEVIÈVE *(reprenant le réquisitoire à son compte, sans regarder Christine)* : On a envie de lui dire que son nez remue !

CHRISTINE *(comme pour elle)* : Il est si délicat ! *(Se ressaisissant.)* Je ne vois qu'une chose à lui reprocher *(guettant l'approbation de Geneviève)* : c'est sa manie de fumer dans le lit !

GENEVIÈVE *(se retournant, soudain complice)* : Oh ! alors ça, c'est assommant ! *(Renchérissant de la main.)* Il met de la cendre partout !

CHRISTINE *(relance enjouée)* : Et les draps ?...

GENEVIÈVE *(du tac au tac)* : Tout brûlés !

CHRISTINE *(renchérissant)* : ... Pleins de trous !

GENEVIÈVE *(prenant Christine à témoin)* : Comme si un lit, c'était un endroit pour fumer !

CHRISTINE *(acquiesçant)* : Enfin, je vous le demande !

Elles éclatent de rire à l'unisson.

CHRISTINE *(s'adossant à la chaise, cachant son émotion)* : Alors... vous restez ?

GENEVIÈVE *(détournant à nouveau le regard, indécise)* : Oh... je... je ne sais vraiment plus !

211. *Raccord de biais sur Christine cadrée poitrine (plongée), la manche de Geneviève en amorce gauche.*

CHRISTINE *(se redressant)* : Entre femmes *(un regard à la coiffeuse)*, on se doit bien de temps en temps *(les yeux levés vers Geneviève)* un petit coup d'épaule... *(Expliquant.)* Si vous êtes là, mon mari s'occupe de vous *(sourire)*, s'occupe un peu moins de moi, et *(soupir rêveur)* en ce moment-ci, ça m'arrange...

212. *Contrechamp sur Geneviève cadrée poitrine (contreplongée) de biais, la tête penchée sur Christine.*

GENEVIÈVE *(sollicitant la confidence)* : André Jurieux ?

213 = 211.

CHRISTINE *(vivement, les yeux levés)* : Non ! *(Rire.)* Non, il est bien gentil, André *(rêveuse)*, bien brave *(elle ferme son col de la main)*, mais trop sincère ! *(Déclamant pour elle.)* C'est assommant, les gens sincères !

GENEVIÈVE : Oui...

214. *Plan moyen de la chambre de biais : sur la gauche, les deux femmes près de la coiffeuse ; au fond, à droite de la porte, un divan ; en amorce droite la tête de lit torsadée.*

GENEVIÈVE *(en continu)* : ... enfin, ça dépend pour quoi faire. *(Changeant brutalement de conversation.)* Comment vous habillez-vous, ce soir ?

CHRISTINE *(un temps)* : En Tyrolienne. *(Elle s'est levée, et fait un pas vers le lit.* BREF RECADRAGE GAUCHE-DROITE.*)* Et vous ?

Au premier plan droite est apparu le lit au pied duquel on distingue en profondeur un meuble ouvragé.

GENEVIÈVE *(marchant vers Christine qui lui fait face)* : Oh, moi, je ne sais pas *(croisant les bras)*, j'ai rien préparé !

CHRISTINE *(encourageant)* : Alors, venez avec moi ! Nous allons bien trouver un morceau d'étoffe ! *(Elle gagne la porte, suivie par Geneviève.* BREF RECADRAGE DROITE-GAUCHE. *Christine s'adosse de nouveau à la porte, retournée sur Geneviève.)* Vous savez danser la tyrolienne ?

GENEVIÈVE *(d'un air entendu)* : Oh, attendez ! *(Réfléchissant.)* Ça doit être comme ça *(elle lance les jambes alternativement en avant, les poings sur les hanches)* : tu, tu tu, tu, tu tu tu tu tu tu ?... *(Ses talons claquent sur le sol.)*

CHRISTINE *(secouant la tête, amusée)* : Non !

GENEVIÈVE *(s'arrêtant)* : Non ?

CHRISTINE *(levant le bras au-dessus de sa tête)* : C'est comme ça *(elle danse en tournant sur elle-même)* : ti, di di, di di di di di di !...

Geneviève éclate de rire, elles ouvrent la porte pour sortir.

CHRISTINE *(riant elle aussi)* : Pardon.

CHÂTEAU DE LA COLINIÈRE, PREMIER ÉTAGE, COULOIR, INTÉRIEUR JOUR

215 = 205, *mais serré d'un peu plus près. Marceau n'est plus dans le couloir. La porte de Geneviève s'entrouvre sur la droite tandis qu'Octave (en pyjama, manteau et chaussettes) arpente à pas comptés devant sa propre chambre le damier noir et blanc du pavement. On distingue tout au fond du couloir la sombre silhouette de Corneille remontant vers nous.*

BERTHELIN *(sortant à droite de sa chambre, en pyjama)* : Oh ! C'est inouï !

CAVA *(apparaissant à gauche sur le seuil de sa chambre, en pyjama)* : Qu'est-ce qu'il y a ?

BERTHELIN : Toutes les godasses ont disparu !

Dick est sorti derrière Cava. Octave continue à suivre le damier en direction de chez le général. Geneviève est dans le couloir, suivie de Christine.

CAVA : « Plou dé chaussoures », [s'il vous plaît] ?

DICK *(en élégante robe de chambre à carreaux)* : Oh ! Y a plus de chaussures du tout !

GENEVIÈVE *(tendant les mains à Octave)* : Bonjour, Octave !

Il bondit à Geneviève dont il baise la main, puis il embrasse Christine sur les deux joues.

Tous trois remontent vers nous.

CAVA *(à Dick)* : Ni chaussures, ni bottes !

CHRISTINE : 'Jour, Octave !

La Bruyère, un manteau jeté sur les épaules, rejoint par le bord cadre droit le groupe au milieu du couloir.

OCTAVE *(expliquant à Christine, tous deux de profil et cadrés en pied)* : Ben, on m'a fauché mes bottes, alors j'les cherche ! *(Il repart en sautillant.)*

CAVA *(à Octave)* : Et moi aussi ! *(Il baise la main de Christine.)*

CHRISTINE *(riant)* : Ah, mon Dieu ! *(Elle serre la main de Dick.)*

GENEVIÈVE *(à La Bruyère)* : Bonjour, La Bruyère.

Il lui baise la main. Berthelin s'est approché et fait de même.

LA BRUYÈRE *(à la cantonade en riant)* : Les chaussures de ma femme ont disparu !

Corneille est parvenu à gauche derrière le groupe.

CHRISTINE *(tendant la main à La Bruyère qui la baise)* : Corneille va arranger ça !

CORNEILLE *(choqué d'un tel contretemps)* : Oooh ! Mais certainement, madame, je m'en occupe ! *(Il repart et bifurque à mi-parcours dans l'escalier.)*

CHRISTINE *(tourné dos à nous en direction d'Octave)* : Octave ?

OCTAVE *(revenant vers le groupe)* : Hé ?

CHRISTINE : Qu'est-ce que tu fais pour la fête ?

OCTAVE *(minaudant)* : Eh bien, voilà *(expliquant avec des gestes)* : j'ai bien réfléchi toute la nuit. Alors... *(grosse voix rieuse)* j'crois qu'tout d'même j'vais m'habiller en ours.

Tous s'esclaffent.

PARC DU CHÂTEAU DE LA COLINIÈRE, RIVE AU PIED DE LA PASSERELLE[1], EXTÉRIEUR JOUR

216. *Plan général en contreplongée de la passerelle pris depuis les buissons de la rive. Au-delà des eaux du canal, on distingue au loin la chapelle du château. Les cloches sonnent à toute volée (jusqu'au début du plan 218). Lisette gravit prestement les marches de la passerelle, son mari la suit quatre à quatre.* LÉGER PANO DROITE-GAUCHE D'ACCOMPAGNEMENT. *Bruits des pas sur les marches de bois. Ils sont parvenus sur le tablier ; on découvre, au fond à gauche, la façade de l'aile droite du château.*

1. Il s'agit de la passerelle qui enjambe le bras du canal à droite du château de La Ferté, reliant celui-ci au parc. On verra le rôle que cette passerelle et le parc joueront dans les dernières scènes du film.

PARC DU CHÂTEAU DE LA COLINIÈRE, SUR LA PASSERELLE, EXTÉRIEUR JOUR

217. *Raccord dans le mouvement sur la passerelle, mais découvrant maintenant les bois à l'arrière-plan. Lisette, tout sourire, entre par la droite.*

SCHUMACHER *(arrêtant sa femme,* off*)* : Tu permets ? *(Il attrape sur la pèlerine de Lisette une étiquette.)* J'avais oublié l'étiquette ! *(Tous deux serrés taille.)*

LISETTE *(le regardant faire avec un rire poli)* : Ah, oui ?

SCHUMACHER *(sourire gauche)* : Une belle pèlerine, hein ?... *(Lisette acquiesce, indifférente.)* C'est chaud, et garanti imperméable ! *(Gazouillement d'oiseaux.)*

LISETTE : Ah, oui ? *(Regardant la pèlerine.)* Oui... mais *(cruelle)*, ça n'avantage pas !

Gazouillis d'oiseaux, petit rire de Lisette. Elle sort par la gauche, bruit de ses pas off. *Dépité, Schumacher la suit des yeux, jette l'étiquette à l'eau, puis reprend sa marche, la mine basse,* SUIVI PAR UN PANO À 90° GAUCHE QUI RECADRE *en plan général l'aile droite du château et ses fenêtres à petits carreaux.*

CHÂTEAU DE LA COLINIÈRE, CUISINES, INTÉRIEUR JOUR

218. *Raccord sonore des cloches qui sonnent toujours, assourdies. Plan de demi-ensemble sur la cuisine prise en profondeur (on distingue à l'arrière-plan, par-delà la séparation vitrée, la partie réservée aux fourneaux). Au premier plan, la table de cuisine encombrée de matériel à chaussures (brosses, boîtes de cirage, mallette). Derrière la table, cadré cuisse de trois quarts face, Marceau (en cravate, gilet et tablier) secoue énergiquement une chaussure.*

MARCEAU *(cabotinant)* : « Mes pareils à deux fois *(Lisette apparaît au fond à droite et remonte vers nous)* ne se font pas connaître *(il vide d'un geste ample dans un carton la sciure contenue dans la chaussure)* / Et pour leurs coups d'essai *(DÉBUT D'UN TRAVELLING ENVELOPPANT À GAUCHE, À MESURE QUE Lisette s'approche de Marceau)*, ils veul' des coups d'maître[1]. »

POURSUITE DU TRAVELLING TOURNANT. Marceau n'a pas vu s'approcher Lisette.

MARCEAU *(inspectant l'intérieur de la chaussure, un ton au-dessus)* : « L'œil était dans la tombe *(Lisette, croquant une pomme, s'est plantée à côté de lui)* et regardait *(geste solennel à l'adresse de la chaussure)* Caïn[2] ! »

Il se fige, remarquant enfin Lisette : FIN DU MOUVEMENT TOURNANT À 90°, tous deux cadrés genou. Ils se font face.

MARCEAU *(brusque rupture de ton. Sourire caressant)* : Bonjour, madame Schumacher... *(Il enfile la chaussure dans sa main et se met à la cirer.)*

LISETTE *(la bouche pleine, badine)* : Bonjour, monsieur Marceau.

Derrière eux, dans un renfoncement, le buffet surmonté de la poupée musicale ; au premier plan en amorce droite, la table jonchée de godillots.

LISETTE *(à Marceau qui se brosse énergiquement... l'avant-bras)* : Alors, vous vous y faites, à vot' nouveau métier ?

---

1. Corneille, *Le Cid* (1636), II, 2, v. 409-410 – mais le mot « ils » est un ajout de Marceau. Ce dernier déclame ici le distique que Rodrigue rétorque à l'orgueilleux comte avant de l'entraîner au duel qui vengera l'honneur outragé de son père. Malgré l'apparent contre-emploi comique d'une citation aussi inattendue, on notera combien le braconnier, mettant à profit une culture vraisemblablement héritée de la communale de la IIIe République, sait joindre à ses talents de séducteur ceux d'un cabot (lointain souvenir, sans doute, du rôle que tenait Carette dans *La Grande Illusion*). Ajoutons que, dans un instant, Marceau va affronter, en un duel burlesque, le mari outragé de Lisette.
2. Hugo, *La Légende des siècles* (1859), « La Conscience », première série, II, 2, v. 68. Cette fois, Marceau cite sans l'écorcher le dernier vers d'un des plus fameux poèmes de Hugo. Par-delà l'ironie qui veut que Marceau scrute le fond d'une chaussure en déclamant un vers dans lequel l'œil de Dieu scrute Caïn au fond de son tombeau, on appréciera le malicieux parallèle qui peut s'établir entre la rivalité tragique des deux fils d'Ève, Abel et Caïn, et celle qui opposera violemment le garde-chasse et le braconnier, tous deux épris d'une Ève des cuisines croquant une pomme. Renoir avait d'abord songé à faire réciter en tout et pour tout à Marceau les deux derniers vers d'un autre poème fameux de *La Légende des siècles*, « Après la bataille » – preuve, s'il en était besoin, que les deux citations finalement retenues sont rien moins qu'improvisées.

MARCEAU *(béat)* : Oh, oui ! *(Regard langoureux. Enchaînant aussitôt sur un jeu malicieux, il pose la chaussure sur la table à côté des quatre autres.)* « Elle m'aime, un peu *(il soulève la deuxième chaussure sans regarder Lisette)*, beaucoup *(la suivante)*, passionnément *(la suivante)*, à la folie *(il en reste une)*, pas d... » *(Geste amusé de Lisette qui a suivi son manège. Fourvoyé, il recommence à effeuiller les chaussures.)* « Elle m'aime *(il soulève la première en regardant Lisette)* un peu *(la deuxième)*, beaucoup *(la troisième)*, passionnément *(la quatrième)*, à la folie... » *(Il envoie promener la cinquième par terre, puis annonce distinctement.)* « À la folie. »

Il prend aussitôt Lisette par la taille – mais elle lui donne une claque sur le bras, et sort à gauche. Marceau, penaud, se détourne vers le buffet en se frottant le bras. LÉGER TRAVELLING À GAUCHE *: il s'approche de la poupée musicale derrière laquelle il glisse l'autre bras.*

219. *Raccord dans l'axe (contreplongée) : Marceau, cadré poitrine, met en marche le mécanisme de la poupée, avec un sourire coquin à l'adresse de Lisette. Petite musique de la poupée mécanique*[1] *qui bouge tête et bras. Marceau minaude et cabotine en se caressant la figure, regardant alternativement en direction de Lisette et de la poupée.*

220. *La musique en continu. Raccord sur la poupée de face, serrée poitrine (contreplongée) : elle tourne la tête, lève le bras.*

221. *La musique* off *en continu. Lisette de trois quarts face, serrée poitrine (plongée) : elle croque sa pomme et rit du manège de Marceau.*

222 = 219. *La musique en continu. Marceau, hilare, sort à gauche en se tenant la barbichette. Claquement du mécanisme : reprise du même motif musical.*

223. *La musique* off *en continu. Plan moyen de la cuisine perpendiculairement à nous (au-delà de la*

---

1. Air non identifié.

séparation vitrée, l'espace des fourneaux[1]*).* PANO DROITE-GAUCHE À 45° ACCOMPAGNANT *Marceau qui contourne la table et marche prestement sur Lisette postée à côté du monte-plats. La musique, en bout de course, s'arrête définitivement. Marceau atteint Lisette en glissant sur le carrelage.* FIN DU PANO.

MARCEAU *(râle animal)* : Aaaaaaaaaaaaaah !

Cri de Lisette. Elle se débat, coince Marceau contre l'évier, s'échappe en riant par la droite. PANO-TRAVELLING ARRIÈRE GAUCHE-DROITE SUIVANT *Marceau qui se ressaisit et repart vers Lisette.* ON RECADRE À DROITE *la cuisine à la perpendiculaire. Marceau est séparé de Lisette par la table.*

MARCEAU *(bras en l'air)* : Hop ! *(Il mime un plongeur et plonge sous la table pour rejoindre Lisette à travers les chaussures éparses*[2]*.)* Ziiip !

Lisette jette un œil sous la table, puis s'échappe de nouveau en contournant la table de droite à gauche (LÉGER RECADRAGE À GAUCHE).

MARCEAU *(émergeant de l'autre côté de la table)* : Hop !

Rire de Lisette réfugiée à l'autre extrémité ; Marceau retraverse sous la table et émerge à ses pieds – mais elle lui marche par mégarde sur la main. Hurlement de Marceau. Lisette s'agenouille aussitôt, navrée.

224. *Raccord dans l'axe (légèrement décalé à gauche) : Lisette, penchée sur Marceau, frotte la main du blessé (tous deux serrés poitrine, en plongée). Marceau en rajoute dans les grognements de douleur.*

Par-delà la cloison vitrée apparaît, venant du fond gauche de la cuisine, la silhouette de Schumacher...

LISETTE *(apitoyée)* : Oooh ! J'vous ai fait mal, hein ?

MARCEAU *(troquant aussitôt ses grimaces pour un regard tendre)* : Au contraire... j'suis très content ! *(Il se colle à Lisette.)*

---

1. La pendule accrochée à la cloison marque 8 h 15, horaire qui raccorde parfaitement avec les huit coups de cloche entendus dans le couloir du premier étage. **2.** À noter ici un mauvais raccord d'accessoires : toutes les chaussures jonchent à présent le sol, alors que tout à l'heure Marceau n'en avait jeté qu'une à terre et que, dans un instant (plan 224), Corneille les verra toutes sur la table.

LISETTE *(fausse ingénue)* : Pourquoi ?

Schumacher s'est approché de la vitre. Marceau se redresse en fixant Lisette. LÉGER RECADRAGE ASCENDANT.

MARCEAU *(enlaçant Lisette)* : Parce que vous êtes près de moi ! *(Il la serre contre lui.)*

Schumacher, penché au carreau, a vu la scène. Regard outré.

LISETTE *(faisant mine de se détacher)* : Oooh, vous êtes bête... *(Elle rit de plaisir.)*

LA CAMÉRA A PIVOTÉ LÉGÈREMENT SUR LA GAUCHE POUR CADRER en diagonale l'irruption de Schumacher derrière le couple. LÉGER TRAVELLING ARRIÈRE POUR RECADRER taille le couple batifolant au pied de la table. Schumacher, en deux enjambées, est sur Marceau.

SCHUMACHER *(dans un souffle)* : Quel culot !

Il a saisi Marceau au collet, le redresse et le secoue comme un prunier.

LISETTE *(s'agrippant au bras de son mari)* : Oh !... *(POURSUITE DU TRAVELLING ARRIÈRE.)* Édouard ! Édouard, si tu n'le laisses pas tranquille *(le menaçant du doigt)*, j'vais m'plaindre à Madame et j'te f'rai chasser ! *(FIN DU TRAVELLING, tous trois cadrés mollet.)*

SCHUMACHER *(lâchant Marceau qui flageole, à Lisette, hors de lui)* : D'abord, qu'est-ce que tu fais là, toi ? *(Marceau se liquéfie au pied de la table.)*

LISETTE *(battant des bras, indignée)* : Ben... j'fais mon service, tiens, pardi !

MARCEAU *(d'une voix mourante)* : Oui... on fait not' service....

Corneille est apparu par la droite à la porte de la cloison vitrée. Schumacher empoigne de nouveau Marceau par le gosier, Lisette s'agrippe aussitôt à son mari.

CORNEILLE *(regard courroucé aux chaussures jonchant la table)* : Oooh, les bottes !... *(Il vient se planter à gauche de Lisette, face à Marceau, furieux.)* Mon ami, les bottes ! *(Schumacher relâche Marceau.)* Mais tous ces messieurs attendent après leurs bottes ! *(Marceau respire.)* C'est une véritable révolution dans le château !

MARCEAU *(chancelant contre la table)* : Mais... c'est pas ma faute, hé, c'est la faute à cette *(il donne une claque à Schumacher)* grand' brute !

Schumacher va pour se défendre mais est interrompu par Corneille.

CORNEILLE *(foudroyant Schumacher du regard)* : Mais d'abord *(il tripote un calepin qu'il tient en main)*, qu'est-ce que vous faites là, vous, mon ami ?

SCHUMACHER *(explosant)* : Moi, j'viens voir ma femme !

CORNEILLE : Oui ? *(Excédé.)* Eh bien, c'est pas l'moment ! *(Lisette hausse les épaules, Marceau se frotte le gosier.)* Non... avec leur « fête » ce soir !... *(Congédiant Schumacher d'un revers de la main.)* Mais non, allez, allez... *(ferme)* allez, allez, allez !... *(Schumacher hésite, serre les poings, regardant alternativement Lisette et Marceau.)* Allez ! *(Schumacher a tourné les talons.)* Allez, allez, allez !

225. *Raccord sur Schumacher au moment où il passe la porte vitrée : il se retourne, cadré taille*[1].

SCHUMACHER *(à bout de nerfs, les yeux injectés de sang, l'index menaçant Marceau)* : La prochaine fois qu'j'te prends à parler à ma femme, j'te fous un coup d'fusil !

226. *Contrechamp sur Marceau de profil, indifférent, Corneille au centre et Lisette, sourire aux lèvres, les mains sur les hanches (tous trois cadrés cuisse en légère contreplongée).*

CORNEILLE *(impatienté, à Schumacher hors champ)* : Oooh ! *(Scandant de la main.)* Je vous en prie, mon ami, ne troublez pas not'service ! *(Sans appel.)* La journée est suffisamment chargée comme ça ! *(Il tourne les talons et gagne l'escalier de service derrière Marceau.)*

LISETTE *(goguenarde, à Schumacher)* : Tu vois ? *(Haussant les épaules.)* Tu troubles not'service !

Marceau, qui a repris ses esprits et rajusté sa cravate, adresse enfin à l'intention de Schumacher un regard et un geste de satisfaction.

Fondu au noir.

---

1. La photographie, très souvent reproduite, qui montre la cuisine dans son ensemble lorsque Schumacher menace du doigt Marceau et Lisette est une photo de plateau qui fausse la dramaturgie de cette fin de scène : Renoir a pris soin, au contraire, de reléguer le garde-chasse dans un plan de coupe qui souligne ainsi son isolement et sa défaite, mais aussi la violence prémonitoire de sa menace.

CHÂTEAU DE LA COLINIÈRE, GRAND SALON, INTÉRIEUR SOIR[1]

227. *Ouverture au noir. Musique* off *: les dernières phrases d'un air entraînant joué au piano et à la trompette*[2]. *Gros plan, de biais en contreplongée, d'une partition ouverte, posée sur le pupitre du piano, sur laquelle on peut lire, écrit en belles lettres rondes : « Fête de la Colinière » (deux cupidons dessinés visent ce titre de leurs flèches) et, au-dessous, le nom d'une chanson : « En Revenant de la Revue ».* PANORAMIQUE DESCENDANT *sur les mains de la pianiste, puis* RAPIDE TRAVELLING ARRIÈRE QUI NOUS LA DÉCOUVRE, *cadrée taille : c'est la grosse Charlotte, en robe du soir noire et chargée de perles, qui joue en jetant des regards vers la scène (hors champ).* FIN DU TRAVELLING. *La trompette, toujours* off, *conclut par une dernière note tenue alors qu'éclatent les acclamations du public que l'on devine tout proche*[3].

228. *Continuité sonore* off *de la fin de la musique*

---

1. Nouvelle et dernière ellipse temporelle (correspondant à une dizaine d'heures dans la même journée) pratiquée dans l'action du film – avant que ne soient montrées, d'un seul tenant de cent dix plans et quelque quarante-quatre minutes, la folle soirée et la nuit tragique à la Colinière. **2.** Contrairement à ce que pourrait laisser croire la partition visible sur le pupitre, l'air que l'on entend n'est pas *En revenant de la revue* (qui ponctuera le numéro suivant), mais celui d'une chanson populaire du XVIIe siècle, encore fameuse au début du XXe sous le nom d'*Ach, du lieber Augustin* (en Allemagne) ou de *Valse alsacienne* (en Alsace). Cette rengaine, connue de tous les musiciens en herbe, est ici évidemment jouée de tête. **3.** Pour clarifier les choses, il n'est pas inutile d'indiquer d'emblée ici de quoi se compose le spectacle de la Colinière. Comme il l'a fait pour la chasse, Renoir nous fait prendre le spectacle en marche, à la fin d'un numéro collectif que, dans les brouillons de son scénario, il avait intitulé *Les Fiancés du Tyrol*. Viendront ensuite la parade d'*En revenant de la revue*, interprétée par le quatuor Berthelin (Berthelin, Dick, La Bruyère et Cava) et reprise en chœur par la troupe et par la salle, puis la *Danse macabre* mimée de nouveau par le quatuor, enfin, mais plus tard, la chanson *Nous avons levé le pied !* (toujours interprétée par le quatuor) avant le clou du spectacle, l'exposition par Robert de son limonaire. Sur chacun de ces numéros, lire plus bas les notes correspondant à leur apparition dans le film.

et des acclamations. La scène de théâtre amateur, cadrée de biais en plan moyen. La ligne des comédiens salue son public en se donnant la main. De gauche à droite : André en dompteur (chemise et nœud papillon, foulards sur la tête et les épaules), Saint-Aubin en berger (veste en peau de bique), Geneviève en bohémienne (jupe longue, boléro court, foulards et nombreux bijoux), Octave en ours (tête et fourrure), Christine en Tyrolienne (blouse, jupe et corselet traditionnels, couronne de fleurs dans les cheveux), Robert en Tyrolien (gilet brodé et feutre de montagne). Derrière eux, portant chacun veste et bicorne tyroliens, Cava, Dick, La Bruyère et Berthelin. En fond de scène, une toile peinte représente un décor de montagne (sommets enneigés, sapins et clocher baroque). Le rideau de fortune se referme sur la troupe qui laisse à l'avant-scène l'ours gesticulant à quatre pattes, fouetté par son dompteur. Contorsions simiesques de l'ours dont le dompteur botte les fesses vers le rideau qui s'entrouvre. La petite troupe accueille le duo. Fin de la musique. Applaudissements nourris[1].

LONG PANO-TRAVELLING LATÉRAL ARRIÈRE QUITTANT LA SCÈNE POUR BALAYER DE DROITE À GAUCHE À 150° l'ensemble de la salle. On aperçoit successivement : à gauche de la scène, accroché à deux colonnes, un rideau séparant la salle de la coulisse, puis le trompettiste en habit, debout devant le piano demi-queue, une trentaine de spectateurs assis au centre de la pièce (on reconnaît le général au premier rang) ou debout le long du mur latéral. Tous crient, applaudissent à tout rompre, bissent. LA FIN DU MOUVEMENT, PASSANT DERRIÈRE UNE COLONNE, DÉCOUVRE en fond de

---

1. Le sketch dont on ne voit ici que le salut final semble avoir consisté en une parodie d'opérette pastorale à la sauce tyrolienne. On peut deviner que la bohémienne (qualifiée d'Esméralda dans le scénario, et sans doute compagne du montreur d'ours) a tenté de séduire le fiancé (interprété par Robert), tandis que le berger (Pâris ?) se chargeait pour sa part de la fiancée. L'argument et la distribution des rôles ne sont pas sans rapport, on le voit, avec l'intrigue principale de la soirée.

salle (vis-à-vis de la scène), massés aux portes ouvertes sur le corridor, des grappes de valets et, à l'extrême gauche, tout autour de la table du buffet dressé devant une tapisserie, des domestiques en livrée parmi lesquels on reconnaît Adolphe, Paul, le chauffeur de Madame et, à gauche du chef cuisinier assis, Émile[1]*. Tous applaudissent à l'unisson des invités.*

229. *Plan moyen de biais de la troupe groupée sur scène derrière le rideau fermé, pris en contre-plongée depuis la coulisse côté jardin*[2] *: dos ou trois quarts dos à nous, cadrés en pied, Geneviève, Dick et Saint-Aubin, puis l'ours au pied d'André (de profil) et, au fond, Christine et Robert*[3]*. Les cris de la salle parviennent* off *par-delà le rideau.*

ROBERT *(à ses camarades, trépignant de joie)* : Alors, mes enfants, c'est un succès !

Tous rient, Dick se retourne côté jardin.

ROBERT *(s'enfonçant son feutre sur la tête)* : Bon, on r'commence !

Geneviève court vers Robert, passant devant Christine.

GENEVIÈVE *(se jetant sur Robert, d'enthousiasme)* : Oh, oui ! On r'commence ! *(Elle se pend à son cou.)* Allez, houp !

Christine, outrée du manège de Geneviève, serre les poings.

CHRISTINE *(marchant sur Saint-Aubin)* : Vite, elle m'agace ! *(Elle attrape Saint-Aubin par la manche.)* Venez !

Elle l'entraîne stupéfait côté jardin.

---

1. Ce valet, que l'on n'avait pas encore rencontré, reparaîtra ultérieurement. **2.** Rappelons que, dans le jargon théâtral, le « côté jardin » désigne la coulisse de droite (vu de la scène), le « côté cour » celle de gauche. Par un amusant hasard des mots, le côté cour du théâtre de la Colinière donne, par une porte-fenêtre, sur la terrasse et la cour d'honneur du château, tandis que le côté jardin se termine par une fenêtre tournée vers le canal, la passerelle et le parc. **3.** Ce cadrage est diamétralement l'inverse de celui qui ouvrait le plan précédent – ce qui est somme toute logique puisque nous sommes passés de l'autre côté du rideau.

ROBERT *(qui s'est débarrassé de Geneviève)* : Christine *(Geneviève chatouille Robert dans le dos)*, on r'commence !

Robert s'est dégagé de Geneviève.

ROBERT *(dépassé)* : Christine ! On r'comm...

Cris insistants de la salle.

LE GÉNÉRAL (off, *depuis la salle)* : L'auteur ! L'auteur !

André, qui tirait sur la tête de l'ours, tente de rattraper Christine, mais Dick et l'ours, ainsi que La Bruyère, Cava et Berthelin qui sont apparus, le bloquent.

BERTHELIN *(à André)* : Non, non ! Restez plus loin !

ROBERT *(imposant à ses compères le calme avec des moulinets)* : Chutttt !

230. *Plan moyen (plongée) sur le public en tenue de soirée, assis face à nous. Au premier rang, le général assis à la droite de Mme La Bruyère, grimée en Chinoise.*

LE GÉNÉRAL *(applaudissant à pleines mains)* : L'auteur ! L'auteur ! *(Mme La Bruyère le regarde en riant.)*

Bravos nourris. PANORAMIQUE BALAYANT GAUCHE-DROITE L'ASSISTANCE *(on aperçoit à la porte droite du fond Mitzi et Lisette qui applaudissent)* ET RECADRANT *trois quarts face Charlotte au piano qui attend le signal de la scène. À son côté, Jackie debout, joyeuse.* FIN DU PANORAMIQUE À 75° *sur le trompettiste bord cadre droit, le pavillon de son instrument pointé vers nous. Début d'un nouvel air trompette et piano*[1]. *Derrière le piano et Jackie apparaissent par la droite, le long du mur latéral, Christine et Saint-Aubin. Ils jettent un regard de défi en direction de la scène et s'enfoncent vers le fond de la salle. Jackie, interdite, s'est retournée sur leur passage. Le public se calme.*

231. *Légère plongée sur la scène en plan moyen, perpendiculaire à nous, rideau fermé. Fin de l'intro musicale* off. *Le rideau s'ouvre sur le fond de scène*

---

1. Il s'agit cette fois d'*En revenant de la revue* (musique de Louis Desormes, paroles de Lucien Delormel et Léon Garnier), 1886.

à motif montagnard. Dick, Cava, Berthelin et La Bruyère entrent en file indienne et en chantant.

TOUS QUATRE *(en chœur, accompagnés par la musique* off*)* : « Gais et contents *(démarche militaire)*, / Nous marchions triomphants *(bras levé)* / En allant à Longchamp *(désormais en ligne, main sur la poitrine)* / Le cœur à l'ai-ai-ai-se *(geste de la main)*, / Sans hésiter *(saluant du bras)*, / Car nous allions fêter *(se touchant l'œil)*, / Voir *(frappant dans leurs mains)* et complimenter *(garde-à-vous)* / L'armée françai-ai-ai-se[1] ! »

Un cri off *dans la salle accueille la chanson. Hourras du public. Les chanteurs se prennent deux par deux bras dessus, bras dessous et singent une danse en rond, accompagnés* off *par un bref air de transition. Geneviève entre côté cour, traînant Robert par la main, se fraie un passage entre les danseurs et vient se planter à l'avant-scène. Elle apaise de la main les acclamations. Le quatuor se range de part et d'autre de la scène, la musique marque une pause.*

GENEVIÈVE *(au public, voix claironnante)* : Et maintenant, tous en chœur ! *(Geste à l'adresse des musiciens.)* Allez !

*Reprise par tous de l'air principal (*off*) et de la chanson. Robert, tout en chantant, cherche sa femme des yeux.*

TOUS : « Gais et contents *(l'ours apparaît par la coulisse gauche, suivi d'André)*, / Nous marchions triomphants *(l'ours pose ses grosses pattes sur le corps de Geneviève)* / En allant à Longchamp, / Le cœur à l'ai-ai-ai-se *(Robert s'est avancé sur l'avant-scène droite, l'ours caresse son dompteur)*, / Sans hésiter *(Geneviève ramène Robert à elle, l'ours se met à danser, se cognant*

---

1. Le quatuor Berthelin vient d'interpréter le refrain de cette célèbre chanson de caf'conc' qui, lancée par Paulus, était devenue à la fin des années 1880 l'hymne de ralliement des partisans du général Boulanger. Dans la biographie qu'il consacrera à son père une vingtaine d'années après *La Règle du jeu*, Jean Renoir évoquera longuement cette chanson et la relation de la fièvre boulangiste et des variétés de l'époque (*Pierre-Auguste Renoir, mon père* [1962], Gallimard, coll. « Folio », 1981, pp. 275-276). À noter encore que l'avant-dernier roman de Renoir, paru en 1978, portera pour titre *Le Cœur à l'aise*, citation d'un vers de la chanson.

à Geneviève), / Car nous allions fêter *(les quatre compères ont reformé la ligne arrière)*, / Voir et complimenter *(l'ours salue)* / L'armée françai-ai-ai-se[1] ! »

La trompette ponctue fortement la fin du morceau. Salut furtif de Robert qui s'esquive côté cour. Acclamations off *prolongées, rideau. Le rideau se rouvre à l'appel de la trompette : André ôte son foulard, Robert cherche à gagner le côté jardin mais est retenu par Geneviève – qu'il envoie promener –, Berthelin détache la tête de l'ours. Rideau. Nouveau signal de la trompette* off, *le rideau se rouvre sur Octave seul en scène, dos à nous, sa tête d'ours sous le bras : il s'en aperçoit, fait signe qu'on referme le rideau et s'esquive par la droite. Rires* off *de l'assistance. Rideau.*

232. *Accords du piano* off *laissant présager un nouveau numéro. Plan moyen de l'agitation fiévreuse qui règne derrière le rideau fermé, cadré de biais en contreplongée depuis la coulisse côté cour[2] : jaillissant dos à nous du bord cadre gauche, serré à la taille, Robert suivi de Geneviève se jette sur Octave face à nous, cadré cuisse, sa tête d'ours sous le bras.*

ROBERT *(à mi-voix)* : Où est-elle passée ? *(TRÈS LÉGER RECADRAGE À GAUCHE.)*

Berthelin coupe le champ gauche-droite et monte sur scène pour préparer le numéro suivant.

OCTAVE *(abruti)* : Mais qui ?

André jaillit de la droite.

GENEVIÈVE *(entraînant Robert)* : Venez, Robert, j'ai à vous parler (off), venez ! *(Robert trébuche et disparaît côté cour. Préparatifs agités derrière Octave.)*

ANDRÉ *(profil à nous, face à Octave)* : Où est-elle ?

OCTAVE *(trépignant de ne pas comprendre)* : Mais quiii ?

---

1. Le *bis*, en introduisant sur scène Robert, Geneviève et surtout l'ours Octave, permet une violente parodie, sur le mode bouffon, du défilé militaire évoqué dans la chanson nationaliste. **2.** Ce cadrage de la scène vue du côté cour est l'inverse de celui du plan 229, où elle était cadrée depuis le côté jardin. Or, la première fois, Christine disparaissait par dépit amoureux côté jardin, quand, dans un instant, Berthelin, le meneur de jeu du numéro macabre qui va suivre, jaillira du côté cour. Renoir semble associer ici le côté jardin à l'amour et le côté cour à la mort.

ANDRÉ *(fermement)* : Mais Christine !
OCTAVE *(en colère)* : Mais j'en sais rien ! *(Lui montrant son dos.)* R'tire-moi ma peau d'ours !
ANDRÉ *(filant côté jardin)* : J'vais la chercher !

Derrière Octave, on devine Dick, un drap sur les épaules, La Bruyère également (et un chapeau melon sur la tête), Cava totalement recouvert d'un drap, et Berthelin, côté jardin, ôtant sa veste et découvrant un justaucorps couleur squelette. On entend, joué off *au piano (jusqu'à la fin du plan), le début, fortement scandé, d'un air inquiétant*[1].

OCTAVE *(courant à Berthelin très affairé)* : Berthelin ?
BERTHELIN : Oui ?
OCTAVE *(ils se croisent)* : Berthelin...
BERTHELIN *(levant les bras au ciel, un masque à la main)* : Mon cher ami, j'ai autre chose à faire ! *(Il s'est planté au milieu de la scène, derrière le rideau.)* Parlons d'choses sérieuses !

Il enfile un masque de tête de mort.

OCTAVE *(implorant La Bruyère qui, comme Dick, revêt de longs gants noirs)* : La Bruyère ?

Geste d'impuissance de La Bruyère qui ôte son melon.

BERTHELIN *(d'un geste vers le côté cour, impérieux)* : [Rideau] ... prêt ?
UNE VOIX (off, *depuis la coulisse)* : Oui, oui ! Lumières !

Octave fait un pas en arrière, juste pour prendre le rideau de fond de scène qui lui tombe sur la tête. Il s'effondre à la renverse tandis que La Bruyère se couvre la tête de son drap, et que Berthelin ôte son pantalon, découvrant des jambes de squelette. La lumière s'éteint sur scène. La Danse macabre *s'élève,* off.

233. *Enchaîné musical*[2] *: gros plan en plongée sur le clavier du piano, dont les touches jouent... toutes seules.* BREF PANO ASCENDANT GAUCHE CADRANT *à la*

---

1. Il s'agit de la *Danse macabre op. 40* de Saint-Saëns (1874), jouée ici dans la transcription pour piano qu'en a donnée Liszt (1876). Dans le poème de Cazalis qui inspira Saint-Saëns, la Mort appelle les squelettes à sortir de leurs tombes pour danser le sabbat. **2.** La *Danse macabre* se fera entendre pendant toute la durée de la scène, puis plus assourdie (à mesure qu'on franchira les pièces) jusqu'à la fin du plan 242.

taille la grosse Charlotte, assise les mains croisées à côté de son piano, et qui observe, médusée, le phénomène[1]. LE PANORAMIQUE S'ÉLÈVE *au-dessus de l'instrument,* RECADRANT *Jackie debout à son côté et inclinée elle aussi sur le clavier,* SURPLOMBE GAUCHE-DROITE *la table d'harmonie ouverte sur laquelle est penché le trompettiste, avant de* RECADRER *(par un* RAPIDE MOUVEMENT LATÉRAL ARRIÈRE À 45° DROITE*) la scène de face dans l'obscurité (plan moyen en légère plongée).* FIN DU PANORAMIQUE. *De derrière un rideau noir s'élèvent et s'abaissent quatre parapluies blancs privés de leur toile. Le rideau chute, découvrant trois fantômes (draps blancs et têtes encapuchonnées), avec à leurs pieds trois lanternes. Ils s'accroupissent, se redressent, tournent sur eux-mêmes en brandissant leurs parapluies. Venant du côté jardin, un squelette à tête de mort, tenant un bâton blanc entre ses mains, monte à l'avant-scène, se jette à genoux, se redresse prestement, exécute une acrobatie dos à nous en sautant à pieds joints par-dessus son bâton, rebondit sur le sol, tandis que ses fantômes, lanternes à la main, viennent s'accroupir à ses pieds. Nouvelle acrobatie de la Mort, qui se dresse ensuite de toute sa hauteur, dominant ses valets. Cri de femme* off.

234. *Plan de coupe sur le chef cuisinier et Corneille, adossés à la cloison du petit salon, qui, mal à l'aise, regardent vers la gauche le spectacle. Dans un miroir derrière eux se reflète le ballet de la Mort et de ses valets. Cris de femmes* off. *Des lumières courent sur le visage des deux hommes, faisant danser leurs ombres sur le mur.*

235. *Plan général de la salle prise en plongée depuis la scène. Au fond, dans l'encadrement des portes ouvertes sur le corridor, deux groupes de*

1. Le piano de la Colinière, explique Rose-Marie Godier, est devenu un « pianola » grâce à l'adjonction d'un mécanisme pneumatique dans lequel un papier comportant le morceau à jouer laisse passer de l'air soufflé qui frappe les marteaux et les pédales de l'instrument (*Cinéma et Musique mécanique dans « La Règle du jeu » de Jean Renoir*, mémoire de maîtrise, Paris III, 1995).

domestiques. Au premier plan, dos à nous, cadré taille, la Mort laisse ses trois valets descendre dans l'assistance. Ceux-ci se répandent parmi les spectateurs en leur agitant leur lanterne sous le nez. Redoublement des cris de femmes. Ombres et lumières balaient la salle en tous sens tandis que la Mort, dos à nous, virevolte sur scène.

236. *Raccord en plan rapproché sur la porte médiane du corridor : Germaine, blottie dans les bras de William, pousse un cri strident quand jaillit par la droite un fantôme avec sa lanterne. Elle se blottit davantage en souriant.*

237. *Plan moyen de la scène vue de face et dans l'obscurité totale. La Mort, seule en scène, danse, balaie la salle du regard, s'accroupit, se redresse, scrute en direction de la droite, la main en visière.*

238. *Plan rapproché de la dernière porte du corridor : au premier plan, serrés poitrine, profil à nous, Marceau et Lisette sont enlacés*[1]*. Lisette, sous les yeux de ses collègues, croque avec gourmandise le nez de Marceau qui se recule avant de lui picorer un baiser sur les lèvres.*

239. *Plan moyen de biais sur la table du buffet, dressée devant la première porte, à l'entrée du grand salon. Paul, à droite de la table, remplit des coupes de champagne en se tordant le cou pour suivre le spectacle. Émile, à gauche, a pris un plateau. Leurs ombres dansent sur le mur (l'effet se répètera jusqu'à la fin du plan). Entre eux deux, se faufilant depuis le corridor, est apparu derrière la table Schumacher, toujours en tenue de garde-chasse.* DÉBUT D'UN LONG TRAVELLING LATÉRAL GAUCHE-DROITE SUIVANT *Émile et son plateau jusqu'à la porte médiane.* LE TRAVELLING MARQUE UNE PAUSE *devant*

1. L'emplacement du couple, devant la dernière porte, à droite en fond de salle, ne coïncide pas avec la direction du regard de la Mort à la fin du plan précédent. Faux raccord, ou volonté délibérée de montrer que le baiser de Lisette et de Marceau va échapper au contraire à son regard ? Il reste que le spectateur retient que le guet de la Mort est immédiatement associé au baiser adultère de Lisette.

Germaine et William (Émile sort à droite) tandis que Schumacher, qui est passé par le corridor, vient jeter par-dessus la tête des domestiques un regard dans le salon. LA CAMÉRA REPART ET, DÉCOUVRANT *à droite de la porte, assis sur le canapé, Saint-Aubin et Christine dont les ombres virevoltent sur le mur,* RALENTIT À LEUR HAUTEUR.

CHRISTINE *(les mains jointes, la tête ballante)* : J'ai beaucoup trop bu... Je ne sais plus ce que je fais *(elle rit)* !

SAINT-AUBIN *(réjoui)* : Ah, mais tant mieux !

LA CAMÉRA REPART DE PLUS BELLE EN REMONTANT *vers la dernière porte, et* MARQUE UNE NOUVELLE PAUSE *devant Marceau et Lisette blottis dans la pénombre. Au moment où Schumacher apparaît derrière le groupe des domestiques, le chauffeur de Monsieur avertit Marceau d'une bourrade discrète, et le couple se ressaisit à temps : feignant de suivre le spectacle, l'un et l'autre semblent ignorer la présence de Schumacher qui s'est posté juste derrière Lisette.* LA CAMÉRA POURSUIT SON TRAJET VERS LA DROITE ET DÉBUSQUE, *à l'angle de la pièce, adossé au mur, André qui jette son foulard et lorgne d'un air mauvais en direction de Christine et de Saint-Aubin.* FIN DU TRAVELLING À DROITE.

LA CAMÉRA REPART EN SENS INVERSE (DROITE-GAUCHE), MARQUE UNE PAUSE *devant Marceau et Lisette : Marceau s'esquive par le corridor, Lisette tente d'en faire autant mais est retenue par son mari.*

SCHUMACHER *(lui serrant fort le poignet)* : Lisette !

Schumacher se lance aux trousses de Marceau, déclenchant la REPRISE DU TRAVELLING À GAUCHE QUI PASSE *devant Christine au moment où celle-ci se lève, entraînant Saint-Aubin et* LE TRAVELLING À SA SUITE. *Parvenue devant la porte médiane, Christine se retourne en direction d'André* (PAUSE DU TRAVELLING), *soupire de dépit, puis repart, tandis que, dans son corridor, on distingue Schumacher que trois hommes tentent de raisonner.* BRÈVE REPRISE DU MOUVEMENT À GAUCHE : *Christine et Saint-Aubin, passant devant le buffet sur lequel Saint-Aubin pose son verre vide (*FIN DU TRAVELLING À GAUCHE*), gagnent au fond la porte qui conduit au petit salon.*

SCHUMACHER *(éclats de voix* off, *depuis son couloir)* : Enfin, laissez-moi, voyons !

Parvenue sur le seuil, Christine se retourne une nouvelle fois à l'intention d'André.

CHÂTEAU DE LA COLINIÈRE, PETIT SALON, INTÉRIEUR SOIR

240. *Raccord dans le mouvement : Christine et Saint-Aubin, cadrés cuisse, regardant en direction du grand salon. On entend toujours la* Danse macabre, *mais moins fort (la musique nous parviendra ainsi jusqu'à la fin du plan suivant). Saint-Aubin entraîne Christine par la taille :* RAPIDE PANO-TRAVELLING ACCOMPAGNANT *le couple qui traverse le petit salon en diagonale droite-gauche. Christine paraît insouciante, elle rit. Ils passent dos à nous la porte vitrée donnant sur le hall (on distingue en profondeur de champ l'armurerie grande ouverte).* LA CAMÉRA S'IMMOBILISE *avant la porte vitrée*[1].

OCTAVE *(d'abord* off*)* : Christine ?... Eh ! Christine ! *(Saint-Aubin jette un œil en arrière. Octave jaillit par la droite à la poursuite du couple, empêtré dans sa peau d'ours. Un ton au-dessus :)* Christine ! *(Christine et Saint-Aubin sont dans le hall au-delà de la porte vitrée et se retournent sur Octave qui les rejoint en glissant sur le dallage.)* Bon dieu, qu'est-c'qu'on fait, quoi, on joue plus ?

CHRISTINE *(tous trois à mi-distance de la profondeur de champ)* : Non. *(Elle agrippe Octave par sa fourrure.)* J'en ai assez de ce « théâtre », Octave ! *(Elle le repousse*

---

1. Afin de faciliter le repérage dans l'espace, précisons brièvement la disposition du petit salon qui, dans un instant, va servir de décor à un étourdissant ballet de personnages. La pièce, contiguë au grand salon, s'ouvre également sur le hall à ses deux extrémités par deux portes vitrées à double battant : celle de droite, entraperçue à demi fermée à la fin du plan 239, est à présent... grande ouverte sur le hall ; celle de gauche, par laquelle viennent de sortir Saint-Aubin et Christine en direction de l'armurerie, restera à demi fermée.

en arrière, et s'enfuit vers l'armurerie avec Saint-Aubin en riant.)

OCTAVE *(planté là)* : Ben, fallait pas m'faire habiller comme ça, alors !

Saint-Aubin referme au nez d'Octave les deux battants de la porte de l'armurerie.

OCTAVE *(indigné)* : Aidez-moi au moins à la r'tirer, ma peau d'ours !

SAINT-AUBIN *(moqueur, par la porte entrebâillée)* : Oooh ! On n'a pas l'temps !

OCTAVE *(se retournant vers nous en haussant les épaules)* : « Pas l'temps » !

Il repasse la porte gauche du petit salon qu'il retraverse en diagonale gauche-droite. LE PANO-TRAVELLING REPART POUR LE SUIVRE *passant devant nous.*

OCTAVE *(il a aperçu à l'autre extrémité André débouchant du grand salon)* : André ?... *(Passant devant une table de bridge.)* André !

ANDRÉ *(continuant droit vers le hall)* : Comment ?

FIN DU PANO-TRAVELLING *cadrant la pièce en diagonale. On aperçoit Marceau, posté à côté d'une porte ouvrant le petit salon sur le corridor*[1]*. Geneviève, jaillie par le bord cadre droit, remonte le petit salon en diagonale vers la porte de droite, traînant Robert par la main (tous deux sont toujours déguisés).*

OCTAVE *(présentant son dos à André)* : Aide-moi à r'tirer c'truc-là !

ANDRÉ *(masqué par le passage de Geneviève et Robert)* : Non, non, j'ai pas l'temps !

OCTAVE : ... Quelle chaleur !

ROBERT *(regardant derrière lui malgré Geneviève qui le tire vers le hall)* : Ma femme ? Jurieux, vous n'avez pas vu ma femme ?

ANDRÉ *(immobilisé sur le seuil du hall qu'il parcourt des yeux)* : Ben, justement, je la cherche !

Octave et Marceau suivent des yeux ce va-et-vient.

GENEVIÈVE *(halant Robert par la porte de droite, vers le hall)* : Venez par ici, Robert !

---

1. Porte latérale à côté de la porte de droite grande ouverte sur le hall.

OCTAVE *(présentant son dos à Robert)* : Hé, hé !... Robert ?... *(En vain.)* Robert ! *(Marceau est venu se cacher derrière l'imposante silhouette d'Octave. André retraverse le petit salon et sort du champ en direction de la porte de gauche donnant sur le hall.)* Aide-moi !

ROBERT *(envoyant promener Octave)* : Mais débrouille-toi, mon vieux *(il disparaît dans le hall)* !

Octave n'a pas remarqué la présence de Marceau caché derrière lui. Schumacher débouche du corridor, traînant sa femme par la main. Le plancher craque. Marceau se rapetisse derrière Octave qu'il saisit aux hanches. Bond d'Octave.

241. *Continuité musicale de la* Danse macabre. *Raccord sur Octave et Marceau dos à nous, serrés genou, face à Schumacher et à Lisette. En profondeur de champ, par-delà la porte de droite grande ouverte, le hall et la porte menant aux cuisines ; sur la droite, le corridor dans lequel s'enfoncent Geneviève et Robert. Schumacher, qui n'a pas remarqué Marceau, pénètre dans le hall en direction de la porte des cuisines, tandis qu'Octave se contorsionne pour voir qui l'a chatouillé ainsi. Marceau, émergeant de derrière Octave, lui fait signe de ne rien dire, puis pénètre à son tour dans le hall, suivant à distance Schumacher et Lisette qui, l'apercevant, lui montre de la main que la voie est libre. Octave, resté au premier plan (dos à nous), suit ce manège. Quand Schumacher entrouvre la porte des cuisines, Marceau en profite pour filer par le corridor où Geneviève et Robert ont disparu.*

OCTAVE *(braillant à la cantonade)* : Enfin, bon Dieu, qui c'est qui va m'aider à la r'tirer, c'te sacrée peau d'ours ?

*Schumacher, bredouille, fait quelques pas dans le hall. Octave retraverse le petit salon droite-gauche (*TRAVELLING LATÉRAL D'ACCOMPAGNEMENT*), sa tête d'ours toujours sous le bras.*

CHARLOTTE *(à l'autre bout du petit salon,* off*)* : Dick, j'ai une envie folle de faire une belote !

DICK *(*off*)* : À deux ?

Octave passe devant nous, serré taille. Il croise Char-

lotte et Dick qui se faufilent gauche-droite entre table et canapé. PAUSE DU TRAVELLING *: Octave, dos à nous, et Charlotte se saluent mutuellement.* REPRISE DU TRAVELLING À GAUCHE *sur Octave.*

DICK *(passé à l'autre bout du petit salon,* off*)* : Va chercher le général, il s'ra enchanté !

Octave, serré poitrine, est parvenu à la porte vitrée de gauche et pénètre dans le hall au moment où Schumacher, l'air égaré, et Lisette reviennent vers nous, rejoints par André qui arrive de l'extérieur (claquement off *de la porte d'entrée).* FIN DU TRAVELLING, *cadrant le hall légèrement de biais à travers les carreaux de la porte en amorce gauche, face à la porte fermée de l'armurerie vers laquelle Octave se dirige pesamment.*

ANDRÉ *(fermement)* : Schumacher ! *(Schumacher se fige sur le seuil, lui et Lisette cadré cuisse.)* Vous n'avez pas vu Madame ? *(Il rentre sans attendre la réponse dans le petit salon, face à nous.)*

SCHUMACHER *(le regard dans le vague, imperturbable)* : Non.

Au fond, Octave a ouvert la porte de l'armurerie. André se retourne sur Schumacher, surpris par sa mine étrange, puis sort face à nous par la gauche en direction du grand salon.

CHÂTEAU DE LA COLINIÈRE, ARMURERIE, INTÉRIEUR SOIR

242. *Contrechamp à 180° : plan de demi-ensemble de l'armurerie prise en enfilade (de part et d'autre du cadre, un fauteuil et une table massive). En profondeur de champ, au-delà de la porte du hall laissée ouverte par Octave, on aperçoit Lisette et Schumacher bifurquant dans le petit salon, et, encore au-delà, par la porte ouverte du grand salon que franchit André, les jeux de lumière du spectacle des spectres. Continuité sonore de la* Danse macabre, *très atténuée. Octave vient à nous.*

OCTAVE *(à Saint-Aubin qui pénètre par le bord cadre*

gauche) : Mon p'tit Saint-Aubin, j'vous assure que c'est pas pour vous embêter *(ils se font face, profil à nous, cadrés taille)*, mais j'y arrive pas !

SAINT-AUBIN *(s'éloignant vers la porte du hall)* : Écoutez, Octave, vous êtes bien gentil *(geste dédaigneux de la main)*, mais...

OCTAVE *(dos à nous, se fâchant)* : Mais puisque j'vous dis qu'je peux pas la r'tirer tout seul !

SAINT-AUBIN *(refermant la porte du hall)* : Ça n'est pas l'moment !...

RAPIDE MOUVEMENT TOURNANT À 90° GAUCHE, RECADRANT Octave de trois quarts dos.

OCTAVE *(vers Saint-Aubin maintenant hors champ)* : Et Christine ? *(On aperçoit celle-ci dissimulée à l'arrière du buffet séparant l'armurerie d'un coin vestiaire : elle observe toute la scène.)* Qu'est-ce que vous en avez fait ?

Signal de la trompette off *qui, au loin, interrompt la* Danse macabre. *Lointaines acclamations du public.*

SAINT-AUBIN *(*off*)* : Ça *(Christine se baisse derrière le buffet)*, nous verrons ça tout à l'heure !...

Octave, furieux, parcourt la pièce du regard sans voir Christine, puis repart vers la gauche, serré taille (TRAVELLING D'ACCOMPAGNEMENT). Deuxième coup de trompette off *saluant au salon la fin du numéro des spectres.*

OCTAVE *(passant, bougon, devant le buffet)* : Qu'j'arrive seulement à la r'tirer, ma peau d'ours, pis i'verront !

Il ouvre à gauche la porte de la salle à manger et pénètre dans la pièce qu'il parcourt des yeux, mécontent. Troisième appel lointain de la trompette.

CHÂTEAU DE LA COLINIÈRE, SALLE À MANGER, INTÉRIEUR SOIR

243. *Raccord sonore puis quatrième et dernier appel de la trompette* off. *Raccord dans le mouvement : Octave, dos à nous, cadré taille, referme la porte de l'armurerie sans voir Christine qui s'est* *redressée et que rejoint Saint-Aubin. La porte claque.*

GENEVIÈVE *(dans la salle à manger,* off*)* : Oh ! V'nez par ici, Octave ! *(PANO-TRAVELLING ARRIÈRE GAUCHE.)* Allez, j'vous la r'tirerai, moi, vot'peau d'ours !

L'appareil suit Octave serré cuisse qui gagne le centre de la pièce en passant devant une cloison de bois à claire-voie.

OCTAVE : Eh ben, c'est pas trop tôt !

FIN DU PANO-TRAVELLING DÉCOUVRANT en plan de demi-ensemble la salle à manger dans sa longueur, perpendiculaire à l'armurerie. Au centre de la pièce, une massive table de chêne chargée d'objets parmi lesquels un héron empaillé[1]*. Sur le mur du fond, au-dessus du bandeau d'une imposante cheminée, un cerf de marbre grandeur nature assis en majesté (identique à celui du hall). Sur les murs, des tapisseries représentant des sous-bois. À droite, en amorce, la cloison à claire-voie. En bout de table, Geneviève, toujours en bohémienne, aide Robert (trois quarts dos à nous) à ôter son costume tyrolien. Les rumeurs de la fête nous parviennent encore, très assourdies. Octave dépose sa tête d'ours sur la table et tend les bras à Geneviève qui a déposé la ceinture de Robert sur la table. Geneviève tire sur les gants d'ours d'Octave qui l'aide en gesticulant. Robert ôte son gilet tyrolien d'un air las. Geneviève a jeté les gants sur la table, Octave s'essuie le visage de ses mains dénudées.*

GENEVIÈVE *(revenant à Robert, avec colère)* : Mais elle ne vous aime plus ! Sinon, elle n'irait pas s'afficher avec c't imbécile de Saint-Aubin ! *(Robert a jeté son gilet sur la table, ainsi qu'un des gants tombés à terre ; il jette son feutre sur la table.)* Partons ensemble, Robert !

ROBERT *(se retournant sur elle, furieux)* : Où ça ? *(Battant des bras, un ton au-dessus.)* Ici, je suis chez moi ! Je ne vais tout de même pas tout abandonner ! *(Il chiffonne*

---

1. On reverra plus distinctement ce héron dans une scène ultérieure (plans 292-293). Cet oiseau qui, selon la tradition, symbolise l'indiscrétion et la vigilance abusive apparaît ici au moment où Octave surprend une violente altercation entre Robert et Geneviève.

un mouchoir noir et le fourre dans sa poche. Il porte autour du cou son nœud papillon défait.)

GENEVIÈVE *(explosant)* : Oh, c'que vous êtes agaçant avec vot'sens *(désignant le cerf)* de la propriété ! *(Levant les bras au ciel.)* Comme si ça avait d'l'importance, une maison !

Piqué, Robert fixe Geneviève en enfilant son veston. Octave, derrière Geneviève, suit sans broncher la dispute.

ROBERT *(rabattant son col)* : Faut d'abord que je parle à Christine !

Il tourne les talons et gagne prestement, au fond à droite, la porte du corridor. Geneviève, dépitée, s'est appuyée contre la table ; Octave lui présente son dos à déshabiller.

OCTAVE *(impératif)* : Allez, tirez ! *(Elle s'escrime sur la peau d'ours. Du salon parvient l'écho d'un doux fox-trot joué au saxophone et piano*[1]*.)* Tirez ! *(Elle tire énergiquement.)*

Glissant sur ses pattes d'ours, Octave tombe lourdement à la renverse et se contorsionne sur le sol. Robert quitte la pièce.

CHÂTEAU DE LA COLINIÈRE, CORRIDOR, INTÉRIEUR SOIR

244. *Raccord sur le mouvement de Robert : plan de demi-ensemble du corridor dans la pénombre, pris en enfilade. Au fond, la porte de la salle à manger que Robert a claquée derrière lui, en amorce droite un pan de mur formant renfoncement. Continuité sonore du fox-trot* off *(plus proche), qui se prolongera jusqu'à la fin de la scène. Passant devant le renfoncement, Robert est arrêté par un bras qui en émerge :* TRAVELLING AVANT, PUIS PANO À GAUCHE DÉCOUVRANT *Marceau, cigarette au bec, caché der-*

---

1. Il s'agit de *Tout le long de la Tamise*, fox-trot d'Eugène Rosi, 1917. Renoir avait d'abord envisagé que cet air fût joué plus tard par le limonaire.

rière l'encoignure. Il attire Robert à son côté tout en guettant en direction du hall. LE RAPIDE MOUVEMENT À 90° S'ACHÈVE *sur les deux hommes face à face, serrés poitrine. Au-dessus de leurs têtes, un immense palmier d'intérieur.*

MARCEAU *(ôtant sa cigarette)* : Dites pas qu'vous m'avez vu !...

ROBERT *(amusement intrigué)* : Mais pourquoi ?

MARCEAU *(scrutant toujours le corridor)* : Y a Schumacher qui m'court après.

ROBERT *(ne comprenant pas)* : Qu'est-ce que tu lui as fait ? *(Il rajuste son nœud papillon.)*

MARCEAU *(même jeu)* : À lui, rien. Ce s'rait plutôt à sa femme...

ROBERT *(nouant son nœud)* : Lisette ?

MARCEAU *(expliquant, roublard)* : Oui. On s'est un p'tit peu fréquentés, il nous a vus, alors il est pas content. *(Cigarette au bec.)* Ah ! monsieur l'marquis *(il commence à lui renouer son nœud papillon tout en soupirant)*, les femmes, elles sont bien gentilles, j'les aime bien... *(*LÉGER RECENTRAGE *des deux hommes* PAR LA DROITE, *Marceau de profil, Robert trois quarts face.)* J'les aime trop, même ! *(Un coup d'œil en direction du corridor.)* Mais ça cause des ennuis...

ROBERT *(se laissant faire, songeur)* : À qui le dis-tu ?...

MARCEAU *(surpris)* : Ça va pas, vous non plus ?

ROBERT *(soupir)* : Pas fort... *(Enchaînant.)* Dis donc, Marceau, y a pas des moments où tu voudrais être arabe ?

MARCEAU *(riant)* : Ah, ah ! non, monsieur l'marquis ! Pour quoi faire ?

ROBERT *(sérieux)* : À cause du harem.

MARCEAU *(rire un ton au-dessus)* : Ah, ah ! Ah, oui, ah, oui...

ROBERT *(s'expliquant)* : Les musulmans sont les seuls qui aient fait montre d'un peu de logique... *(Il guette l'approbation de Marceau.)*

MARCEAU *(acquiesçant)* : Oui.

ROBERT *(poursuivant en fixant Marceau)* : ... dans cette fameuse question des rapports entre les femmes et les hommes !

MARCEAU *(scandant)* : Ben !...

ROBERT *(le prenant à témoin)* : Bah !... Dans l'fond, ils sont bâtis comme nous !

MARCEAU *(scandant)* : Ben voyons !...

ROBERT *(lancé)* : Y en a toujours une qu'ils préfèrent ?

MARCEAU *(riant)* : Oui !

ROBERT *(triste et amer, un ton au-dessus)* : Ils ne se croient pas obligés à cause de ça de flanquer les autres à la porte et de leur faire de la peine...

MARCEAU *(bonhomme)* : Ben voyons !... *(Il guette le corridor.)*

ROBERT *(soupirant, les yeux au sol)* : Oh, moi, je ne voudrais faire de peine à personne... *(Marceau a fini de nouer le nœud. Robert le rajuste.)* ... surtout pas aux femmes !... *(À Marceau qui tire sur sa cigarette.)* Merci. *(Levant les yeux au ciel.)* C'est le drame de ma vie.

Marceau s'est détourné et regarde dans le corridor.

NOUVEAU RECENTRAGE VERS LA DROITE, RECADRANT Marceau trois quarts face.

MARCEAU *(donnant son avis)* : Oui, mais pour ça, faut avoir les moyens !

ROBERT *(protestant d'un air las)* : Comment ? *(Il a pris son étui à cigarettes.)* Mais même avec les moyens, j'finis par rendre tout le monde malheureux *(claquement du boîtier)* : femme, maîtresse *(il tape sa cigarette sur l'étui en grimaçant)*, et moi-même par-dessus le marché ! *(FIN DU RECENTRAGE. Robert maintenant profil à nous.)*

MARCEAU *(guettant toujours le couloir)* : Moi, monsieur l'marquis *(il le fixe)*, les femmes *(Robert vérifie son nœud papillon dans le miroir de son étui à cigarettes)*, que ce soit pour les avoir *(moulinets de la main)* ou pour les quitter *(lancé)* ou pour les garder *(Robert referme le boîtier)*, j'essaye d'abord de les faire rigoler ! *(S'enflammant. Robert las.)* Quand une femme rigole, elle est désarmée *(geste final)*, vous en faites c'que vous voulez... *(Regard vers le corridor.)* Mais vous, monsieur l'marquis *(confraternel)*, pourquoi qu'vous essayeriez pas d'en faire autant ? *(Il tire sur sa cigarette.)*

ROBERT *(soupirant, les yeux au sol)* : Mon pauv' Marceau... Parce qu'il faut *(il lui tape la poitrine)* être doué !

MARCEAU *(acquiesçant, modeste)* : Bien sûr.

Fin du fox-trot off. *Les acclamations du public nous parviennent au loin.*

MARCEAU *(toujours les yeux rivés sur le corridor, se penchant sur Robert)* : Monsieur l'marquis, vous voudriez pas m'rendre un service ?

ROBERT *(sortant de sa rêverie)* : Volontiers, lequel ?

MARCEAU *(pointant son majeur en direction du hall)* : Ça s'rait de j'ter un coup d'œil au bout du couloir *(Robert se penche et suit la direction de son doigt)*, parce que si Schumacher n'était pas par ici, j'essaierais de *(geste expressif)* m'débiner par la cuisine.

ROBERT *(souriant)* : Mm, mm... *(Lui montrant la direction de la salle à manger.)* Passe donc par la terrasse !

MARCEAU *(sûr de lui)* : Oh, non : y a trop d'lumières !

ROBERT *(agacé)* : Bon ! Alors reste là, j'vais voir. *(Il sort vivement par la droite.)*

MARCEAU *(guettant toujours)* : Merci, monsieur l'marquis.

CHÂTEAU DE LA COLINIÈRE, HALL, INTÉRIEUR SOIR

245. *Plan d'ensemble du corridor en enfilade depuis le fond du hall (légère plongée).* PANO-TRAVELLING DROITE-GAUCHE *: Robert vient à nous, jette un œil dans le hall, lève le bras à l'intention de Marceau que l'on aperçoit dans son renfoncement, et lui donne le signal en claquant des doigts. Du salon nous parvient aussitôt un nouvel air de musique, une valse jouée au piano que l'on entendra* off *jusqu'au plan 250*[1]. *Marceau se faufile à la suite de Robert un instant masqué* (DANS LE MOUVEMENT D'APPAREIL) *par une des colonnes du hall. Brusquement, ayant aperçu quelque chose, Robert se fige, grimace et repousse Marceau dans l'angle du corridor. L'air détaché, portant sa cigarette aux lèvres, il traverse le hall en diagonale,* SERRÉ À LA TAILLE PAR LE TRAVELLING, *et passe tout près de nous en jetant un regard*

---

1. Air non identifié.

malicieux devant lui. LE TRAVELLING, ACHEVANT SA COURSE À 120°, CADRE *face à nous la porte ouverte sur l'extérieur d'où arrive Schumacher, tenant toujours sa femme par la main.*

ROBERT *(maintenant trois quarts dos à nous, passant sans s'arrêter devant Schumacher)* : Schumacher ! *(Il continue hors champ vers le petit salon.)*

Schumacher, qui comptait traverser le hall en direction du corridor, s'immobilise.

SCHUMACHER *(bien embêté, les yeux tournés vers le petit salon)* : M'sieur l'marquis ?

ROBERT (off, *sèchement)* : Qu'est-ce que vous...

CHÂTEAU DE LA COLINIÈRE, PETIT SALON, INTÉRIEUR SOIR

246. *Raccord dans le mouvement : plan général du hall pris en diagonale depuis la porte du petit salon* (LÉGER TRAVELLING ARRIÈRE). *Au fond, l'escalier conduisant à l'étage, et la petite porte des cuisines vers laquelle Marceau se faufile aussitôt.*

ROBERT *(en continu, passant le seuil du petit salon, cadré cuisse face à nous)* : ... faites là, Schumacher ?

Schumacher ôte sa casquette et rejoint son maître sur le seuil. Il a lâché la main de sa femme.

SCHUMACHER *(essoufflé)* : Mais, rien, m'sieur l'marquis.

ROBERT *(se retournant sur lui)* : Alors, retournez dans les couloirs (ARRÊT DU TRAVELLING ARRIÈRE) : ce soir, je vous ai autorisé les couloirs et c'est tout. *(Changeant brusquement de ton.)* Pendant que vous y êtes, installez-vous dans ma salle de bains !

Il jette un bref coup d'œil vers la porte des cuisines qui se referme sur Marceau et vers laquelle, insensiblement, Lisette marche à reculons sans se faire remarquer.

SCHUMACHER : Mais, m'sieur l'marquis...

BERTHELIN *(jaillissant de la droite sur Robert)* : On a besoin de vous ! *(Il l'a saisi aux épaules.)*

ROBERT *(oubliant Schumacher)* : C'est le grand moment ?

BERTHELIN *(confidentiel)* : Non, mais ça se prépare !

ROBERT *(se mordant la lèvre de plaisir)* : Aaah !

*André coupe le champ droite-gauche quand Berthelin entraîne Robert par la droite. André agrippe Schumacher et le retourne vers la gauche (*BREF RECADRAGE À GAUCHE*). Au fond du hall, à droite, Lisette court sur la pointe des pieds vers la porte des cuisines.*

ANDRÉ *(à bout de patience)* : Enfin, Schumacher, où est passé monsieur de Saint-Aubin ?

SCHUMACHER *(déboussolé, roulant des yeux hagards)* : Mais je ne sais pas, m'sieur Jurieux *(Lisette referme sur elle la porte des cuisines)*, j'vous assure qu'je n'sais...

*Entendant une porte qui se ferme, Schumacher se retourne sur le hall, comprend que Lisette a disparu, court vers l'armurerie (*BREF RECADRAGE À DROITE *pour prendre la pièce dans l'axe) – et ouvre la porte. On aperçoit Saint-Aubin et Christine l'un près de l'autre.*

SCHUMACHER : Oh ! Pardon...

*André, qui était resté en amorce gauche, court à l'armurerie, bouscule Schumacher au passage, se fige sur le seuil. Schumacher, comprenant qu'il s'est trompé de porte, repart dans le hall mais se heurte au pied de l'escalier à Jackie qui cherche André (*BREF RECADRAGE À DROITE *sur Jackie qui a saisi Schumacher aux épaules).*

JACKIE *(éplorée)* : Où est André ?

SCHUMACHER *(cherchant à se dégager)* : Oooh ! *(Il montre l'armurerie du bras.)* Là !

CHÂTEAU DE LA COLINIÈRE, ARMURERIE, INTÉRIEUR SOIR

247 = 242. *Au premier plan gauche, cadrés en pied trois quarts dos à nous, Saint-Aubin (toujours en peau de bique) et Christine (en Tyrolienne) regardent André (en manches de chemise) venir sur eux. Par la porte restée ouverte, on aperçoit le hall.*

ANDRÉ *(colère pincée)* : Est-ce que vous vous rendez compte, monsieur de Saint-Aubin *(Jackie est entrée et tire la porte derrière elle)*, que j'vous cherche depuis une demi-heure ? *(Il vient se planter, profil à nous, sous le nez de Saint-Aubin, Christine entre eux.)*

SAINT-AUBIN *(bravache)* : Mais... de quel droit, monsieur ?

CHRISTINE *(répétant sèchement à André)* : En effet : de quel droit ? *(Sermonneuse.)* André, vous êtes indiscret ! *(Jackie s'approche lentement.)*

248. *Plan de coupe sur André, trois quarts face, cadré poitrine. On distingue derrière lui les rideaux d'une porte-fenêtre donnant sur la terrasse.*

ANDRÉ *(fermement)* : Ma chère Christine, je suis peut-être indiscret, mais cette fois-ci *(instamment)* je vous d'mande une explication !

249. *Contrechamp sur Christine, trois quarts face, serrée épaule.*

CHRISTINE *(fureur théâtrale)* : Je refuse de vous la donner !

250 = 247, *mais plan rapproché cuisse. Entre Christine et André, Jackie adossée à la porte, les mains jointes*[1].

SAINT-AUBIN *(martial)* : Vous n'avez aucun ordre à donner à Christine !

ANDRÉ *(à Saint-Aubin)* : Bon ! *(Décidé.)* Ben cette explication, c'est à vous qu'j'vais la d'mander ! *(TRÈS LÉGER RECADRAGE À GAUCHE. Dans le nez de Saint-Aubin, effrontément.)* Je vais vous tirer les oreilles, monsieur !

SAINT-AUBIN *(fanfaron)* : Essayez donc, monsieur !

André lui colle une claque.

JACKIE *(criant, masquée par André)* : André ! *(Elle s'approche.)*

CHRISTINE *(repoussant André, outrée)* : André ! Je vous en prie !

SAINT-AUBIN *(se tenant la joue, le souffle court)* : Ma chère Christine, vous voudrez bien m'excuser, mais je suis obligé *(il dévisage André des pieds à la tête)* de

---

1. Outre le léger décalage dans l'axe par rapport au plan 247, fait pour cadrer Jackie entre l'homme qu'elle aime et sa tante et rivale, on notera le faux raccord qui a ramené Jackie contre la porte du fond alors que, trois plans plus tôt, elle s'approchait du trio.

demander à c'monsieur *(rageur)* de bien vouloir recevoir mes témoins demain matin[1] !

ANDRÉ *(mépris ulcéré)* : Oh, le matin, je dors ! Et si vos témoins s'présentent, j'aurai le regret *(volontairement grossier)* d'les foutre à la porte !

Jackie s'est placée en retrait entre Saint-Aubin et Christine[2].

SAINT-AUBIN *(nez à nez)* : Alors, vous r'fusez de vous battre ?

ANDRÉ *(à bout)* : Avec vous ? Oui, monsieur !

SAINT-AUBIN *(index accusateur)* : 'Vous f'rai carencer[3], monsieur !

ANDRÉ *(haussant les épaules)* : Oh, oh ! Vous me faites rire !

Le fox-trot déjà entendu[4] *s'élève de nouveau ; son rythme sautillant se fera entendre jusqu'au plan 262.*

SAINT-AUBIN *(un pas en avant)* : Et puis, si vous voulez savoir, vous... *(cherchant l'injure appropriée)* vous me faites l'impression d'être *(grandiloquent)* le dernier des lâches !

ANDRÉ *(lui bottant le train)* : Oh, filez !...

Saint-Aubin se cogne contre Jackie ; Christine, révoltée, pousse André.

251. *Raccord sur Saint-Aubin, cadré taille, que Jackie retient par sa peau de bique. Derrière eux, sur le mur, de petits trophées de chasse, et, sur la cheminée, un faisan et un poisson empaillés.*

SAINT-AUBIN *(cherchant à se dégager de Jackie)* : Mademoiselle *(lui faisant brutalement lâcher prise)*, mademois... *(Il se radoucit aussitôt. Mondain mais ferme.)* Mademoiselle, je vous en prie, lâchez-moi

---

1. Bien qu'interdite depuis des lustres, la pratique du duel, fréquente au XIXe siècle, était encore au début du XXe siècle l'apanage de quelques aristocrates attardés ou d'excentriques voulant ainsi vider une querelle d'honneur. **2.** L'élévation des voix a presque totalement recouvert la fin de la valse que l'on entendait en provenance du grand salon, à des volumes divers, depuis l'entrée de Robert et de Marceau dans le hall (plan 245) et que l'on ne remarquait déjà presque plus. **3.** Carencer : convaincre de carence une personne appelée à défendre son honneur, c'est-à-dire constater qu'elle renonce au combat. Terme rare, appartenant au jargon des duels, bien dans le goût de ce cuistre ridicule qu'est Saint-Aubin. **4.** Voir note 1, p. 195.

(Jackie baisse les yeux) : vous me mettez dans un état d'infériorité !

252. *À un autre coin de la pièce, Christine retient André (tous deux cadrés taille) en lui serrant les poings. Derrière eux, des râteliers pleins de fusils.*

CHRISTINE *(entre ses dents)* : Je vous défends de vous battre !

ANDRÉ : Je suis désolé, Christine, mais il faut absolument que je casse la figure *(geste de la tête)* à ce guignol !

253 = 247, *mais l'armurerie prise dans son ensemble (depuis le seuil de la salle à manger) : on aperçoit nettement à gauche la cheminée et un fauteuil, à droite deux tables et le râtelier, sur les murs du fond des tableaux, au bord cadre droit un canapé, au plafond un lustre.*

SAINT-AUBIN *(se jetant sur André)* : « Guignol » ?

Il allonge de deux crochets André sur une petite table, une bouteille tombe à terre. André lui envoie ses pieds dans l'estomac, le projetant devant la cheminée, et fond sur lui – mais Christine et Jackie le retiennent chacune par un bras.

JACKIE *(affolée)* : André ! André !

ANDRÉ *(se dégageant)* : Mais non, restez là ! Restez là ! *(Saint-Aubin s'est relevé. Les tenant à l'écart.)* J'vous en prie, restez là !

André se met en position pour boxer Saint-Aubin tout en reculant vers la porte du hall. Coups de poing mutuels. La porte du hall cède sous André. Les femmes se précipitent à leur suite. Frappé par un crochet de Saint-Aubin, André tombe à la renverse à droite derrière la porte. Bruits nombreux se mêlant au doux fox-trot que l'on entend toujours off.

CHRISTINE *(effrayée)* : Non !

JACKIE : Oh !

CHÂTEAU DE LA COLINIÈRE, HALL, INTÉRIEUR SOIR

254. *Enchaîné musical du fox-trot. Plan fixe de demi-ensemble en légère plongée sur le hall, face à la porte ouverte de l'armurerie. Sur le seuil, les deux femmes regardent les hommes qui se battent contre la rampe d'escalier*[1]*. Saint-Aubin, échevelé, envoie un coup de poing à André, puis se réfugie dans l'escalier* (LÉGER PANO À DROITE POUR LE SUIVRE).

ANDRÉ *(à sa poursuite)* : « Lâche » ? Ah, j'suis un « lâche » ? *(Il atteint Saint-Aubin sur le palier intermédiaire.)*

Les femmes (dos à nous) suivent depuis le hall les deux hommes qui se battent comme des chiffonniers dans l'escalier. Corneille, arrivant par la gauche du petit salon, gagne le pied de l'escalier, attendant dignement l'issue du combat. Cognant comme un sourd, André finit par étendre Saint-Aubin sur le palier, puis dévale les marches en jetant un regard à sa victime, attrape Christine par le bras et l'entraîne dans l'armurerie.

ANDRÉ *(maugréant)* : Un « lâche » ?...

Il claque la porte sur eux deux. Jackie flageole contre la rampe et se laisse choir en gémissant. Sur le palier, Saint-Aubin à quatre pattes chancelle en se tenant la mâchoire.

CORNEILLE *(en direction du petit salon)* : Émile ?

Il claque des doigts et désigne Jackie à ramasser. Émile entre par la droite et se précipite sur Jackie.

CORNEILLE *(un ton au-dessus)* : Paul ? *(Paul entre comme Émile. Lui désignant le palier.)* Monsieur de Saint-Aubin, là-haut !

Émile a pris Jackie dans ses bras, Paul va porter secours à Saint-Aubin. Du hall, Corneille surveille la manœuvre.

---

1. Nouveau faux raccord : André est déjà debout et réplique à Saint-Aubin. Alors que, à la seconde d'avant, André avait le dessous, Saint-Aubin est maintenant sur la défensive. Le combat touche à sa fin.

CHÂTEAU DE LA COLINIÈRE, ARMURERIE, INTÉRIEUR SOIR[1]

255. *Enchaîné musical du fox-trot. André, devant la porte fermée, trois quarts face, cadré ceinture.*

ANDRÉ *(calmé)* : Christine ? *(Un temps.)* Pourquoi n'êtes-vous pas venue me chercher, au Bourget ?

256. *Contrechamp : plan d'ensemble du côté droit de l'armurerie. En amorce gauche la grande table, au fond la porte de la salle à manger, en amorce droite un fauteuil. Christine, une main sur le linteau de la cheminée, se retourne vers André.*

CHRISTINE *(hésitant)* : Parce que... *(Dans un souffle.)* Je vous aime, André ! *(Les mains serrées l'une contre l'autre.)* Je n'ai jamais voulu l'admettre, jamais ! *(Prenant confiance en elle.)* Mais maintenant, j'ai le droit de vous dire *(émue)* : « je vous aime » !

257 = 255, *mais André serré poitrine.*

ANDRÉ *(encaissant, à voix basse)* : Oh ! C'est merveilleux !... *(Doux sourire.)* Christine, je n'y croyais plus !
Il s'avance par la droite.

258. *Plan rapproché de Christine de profil, cadrée cuisse, en milieu de pièce, près de la table. Derrière elle, les fenêtres de l'armurerie et l'un des râteliers à fusils. André entre par la gauche et lui prend les bras. Ils sont face à face.*

ANDRÉ *(soudain inquiet)* : Mais qu'est-ce que nous allons faire ?

CHRISTINE *(hésitant)* : Eh bien... *(Décidée.)* On va s'en aller, André.

ANDRÉ : Mais où ?

CHRISTINE *(hochant la tête)* : N'importe où !

ANDRÉ *(pressant)* : Et quand ?

CHRISTINE *(sûre d'elle)* : Mais tout de suite.

259. *Raccord sur André serré épaule, trois quarts*

---

1. Cette importante séquence (plans 255-262) fut supprimée par Renoir dès le montage, et attendit la restauration du film pour être découverte.

face, Christine en amorce droite (trois quarts dos à nous).

ANDRÉ *(la contemplant avec ravissement)* : Oh, je vous aime, Christine ! J'crois que je saurai vous rendre heureuse. *(Heureux.)* Depuis des mois, j'pense tellement à c'que j'f'rais si j'avais le bonheur d'être avec vous ! *(Un temps.)* Alors je sais très bien... *(S'expliquant.)* Enfin, j'veux dire : ce bonheur me prend pas au dépourvu.

260. *Contrechamp : gros plan de Christine, de face, les larmes aux yeux. Léger hochement de tête.*

ANDRÉ (off, *à voix basse)* : Vous n'avez pas peur, Christine ?

Elle fait non de la tête, un sourire sur les lèvres.

261 = 258, *mais le couple cadré genou.*

ANDRÉ *(comme pour lui-même)* : Il faut que j'aille prévenir La Chesnaye !

CHRISTINE *(se raidissant)* : Pour quoi faire ?

ANDRÉ *(surpris, mais souriant)* : Mais, Christine, parce que ça se fait !

Elle se détourne vivement, hésite à parler, puis sort par la droite. André la rejoint : BREF PANO GAUCHE-DROITE. *Fin du fox-trot* off *commencé au plan 250.*

ANDRÉ : Christine !

Elle s'est assise sur le bras du canapé à côté de la porte-fenêtre, les poings serrés.

ANDRÉ *(s'asseyant à ses pieds sur le canapé, tous deux en plan moyen)* : Christine, écoutez-moi. *(*FIN DU PANO.*)*

262. *Raccord en contreplongée sur le couple : Christine trois quarts face (coupée ceinture), André trois quarts dos (coupé épaules). Christine, tendue en arrière, le regard détourné, impassible.*

ANDRÉ *(ferme)* : Christine ! *(Expliquant.)* Je ne peux tout de même pas enlever la femme d'un monsieur *(agacement amusé de Christine)* qui m'reçoit chez lui *(scandant)*, qui m'appelle son ami *(elle le fixe brusquement)*... à qui j'donne la main *(concluant)*, sans avoir au moins avec lui une explication !

CHRISTINE *(insistant)* : Mais puisqu'on s'aime, André !

Début d'une nouvelle musique off, *venant du salon, dont on entend le prélude joué à la trompette et au piano*[1].

CHRISTINE *(enchaînant)* : Qu'est-ce que ça peut faire ?

ANDRÉ *(gêne sincère)* : Christine, tout de même... *(Fermement.)* Il y a des règles[2] !

Christine regarde André avec un imperceptible sourire.

CHÂTEAU DE LA COLINIÈRE, GRAND SALON, INTÉRIEUR SOIR

263. *Raccord sonore sur le prélude musical piano-trompette, d'un volume nettement plus élevé. Plan de demi-ensemble en légère plongée de la scène vue en forte diagonale gauche-droite depuis le piano. Au premier plan gauche, dos à nous, un spectateur et Jackie*[3] *; en amorce droite, Charlotte au piano ; au-delà du trompettiste (dos à nous), le quatuor Berthelin déjà en scène et, dans la coulisse côté cour, Robert.* TRAVELLING GAUCHE-DROITE RECADRANT *la scène de face en passant par-dessus la tête du public : sur scène, de gauche à droite, La Bruyère, Berthelin, Cava et Dick (en pantalons noirs, vestons sombres ou clairs, fausses barbes et melons noirs) achèvent une ronde. En fond de scène, une toile peinte naïve représente une perspective des Champs-Élysées et l'Arc de triomphe et, dans le ciel bleu, quatre drapeaux tricolores et un avion de chasse. Fin du prélude piano-trompette.*

TOUS QUATRE *(se plantant en ligne sur l'avant-scène, un*

---

1. Il s'agit de *Nous avons levé le pied !*, musique de Louis Byrec, paroles de Garnier et Rimbault, 1888, que le quatuor Berthelin va interpréter dans un instant (voir note 1, p. 208). **2.** André a vite retenu les leçons d'Octave qui lui avait dit après l'accident d'auto que « ce monde-là, ça a ses règles ». C'est la seconde et dernière fois qu'une allusion est faite au titre du film – qui n'est jamais cité en entier. En revanche, dans une scène écrite mais non tournée, Geneviève, reprochant à La Chesnaye d'avoir laissé sa femme placer André à sa droite au dîner, prétendait se conformer « à la règle du jeu ». **3.** On voit que Jackie n'a guère mis plus de temps à se remettre de son évanouissement (plan 254) que Christine à avouer son amour à André.

doigt sur les lèvres) : Chuttt ! *(L'accompagnement musical reprend, désormais* off.*)* « Nous... *(levant en rythme le genou droit)* avons l'vé, nous avons l'vé, nous avons l'vé l'pied *(FIN DU TRAVELLING)*, / Sans *(gestes)* tambour ni trompe-ette *(moulinets de la main touchant le chapeau)*, / Des idées folles en tê-ête *(index levé)*, / Nous... *(reprise du jeu de scène)* avons l'vé, nous avons l'vé, nous avons l'vé l'pied *(montrant son voisin)*, / Bien qu'chacun d'nous *(désignant l'annulaire gauche)* soit marié *(mêmes jeux de scène)*, / Nous avons l'vé l'pied, nous avons l'vé l'pied, / Bien qu'chacun d'nous soit marié, / Nous avons l'vé l'pied[1] ! »

Ils s'entrecroisent les bras.

264. *Raccord sonore et dans le mouvement (plan général surplombant en très forte plongée la scène et le public légèrement de biais sous un gros lustre de cristal) : la trompette sonne la fin du numéro tandis que les quatre chanteurs, bras dessus, bras dessous, s'ôtent mutuellement leurs chapeaux, saluent et se retirent à reculons. Rideau, acclamations et applaudissements du public.*

Agitation derrière le rideau dans les plis duquel quelqu'un semble s'empêtrer. Rires du public. Nou-

---

1. Renoir, jouant sur l'équivoque des paroles du refrain, se livre ici à un savant détournement d'une simple chanson comique de caf'conc' (qui raconte la virée parisienne de deux provinciaux en goguette). La toile peinte devant laquelle évolue le quatuor, les mimiques des comédiens et le double sens des propos tirent la chanson vers une parodie de mobilisation militaire. (Rappelons que, en réponse à l'invasion de la Tchécoslovaquie par les troupes nazies, le gouvernement français décréta en mars 1939 une brève mobilisation, qui n'affecta pas le tournage de *La Règle du jeu*.) Il faut surtout ajouter que l'expression « lever le pied » revêtait au XIXe siècle une seconde signification – oubliée depuis – et dont la connaissance apporte un nouvel éclairage à notre scène. En langage juridique, la métaphore désigne l'indélicatesse d'un notaire parti en douce avec la caisse. Que les premières mesures de la chanson aient été entendues alors que Christine proposait en vain à André de l'enlever (plan 262), que la chanson même soit interprétée au grand salon sous les yeux du pauvre Robert quand, à l'armurerie, la controverse amoureuse se poursuit, voilà qui invite à réécouter d'une autre oreille *Nous avons levé le pied !* dont les paroles, illustrant presque terme à terme la situation vaudevillesque des personnages, dénoncent Christine et André comme de possibles escrocs du cœur.

veau signal de la trompette. Robert, émergeant du rideau toujours fermé, est poussé à l'avant-scène par Berthelin et les trois autres qui le laissent seul face à ses invités. Il sort son mouchoir et s'essuie le visage. Les applaudissements cessent.

265. *Raccord dans le mouvement : Robert, son mouchoir à la main, mais face à nous, serré cheville en contreplongée. Derrière lui, le rideau tiré. Visiblement intimidé, il entame un petit discours.*

ROBERT *(balayant son public du regard, puis s'éclaircissant la voix)* : Mes chers amis *(rire ému)*, je vais avoir le plaisir de vous présenter ma dernière acquisition. *(Il s'incline.)* Et... elle est l'aboutissement de ma carrière *(s'excusant presque)* de « collectionneur » d'instruments musicaux et mécaniques. *(Nouvelle courbette.)* Je crois que la chose vous plaira. *(Levant les mains au ciel en riant.)* J'vous laisse juges !... *(Rires* off. *Il se recule vers la droite, lève le bras en l'air et annonce, théâtral.)* Un ! *(Le rideau s'ouvre, découvrant un magnifique limonaire de foire. Murmures d'admiration montant* off *du public. Robert, savourant son plaisir, enchaîne.)* Deux ! *(Le limonaire s'illumine. Acclamations d'enthousiasme et applaudissements* off. *Robert, dans un geste parodique de chef d'orchestre, s'époumonne.)* Musique !

Une musique de foire éclate[1]*, les automates du limonaire se mettent en action. Robert traverse la scène en gesticulant bras et jambes, et va se poster à gauche devant son instrument, jetant alternativement des regards à celui-ci et à son public*[2].

---

1. Il s'agit d'*À Barbizon*, chanson de Vincent Scotto (musique), André Decaye et Lucien Carol (paroles), 1927, arrangé ici pour fanfare de limonaire. L'audition d'un tel succès de variétés (qui évoque les beaux dimanches du petit peuple parisien) au château solognot d'un riche marquis ne manque pas de sel. **2.** Selon Rose-Marie Godier (*op. cit.*), ce limonaire, dont on dit que Renoir l'aurait fait importer d'Allemagne à prix d'or, n'est en fait qu'un banal instrument de foire, tel qu'il s'en fabriquait à la Belle Époque, indigne de figurer dans la collection d'un aristocrate de goût qui possède par ailleurs des poupées mécaniques du XVIIIe siècle d'une tout autre valeur. La précision, confirmant le contrepoint ironique expliqué en note précédente, rappelle surtout l'importance du XIXe siècle dans les références de Renoir – car pour le spectateur de *La Règle du jeu* une telle pièce, par sa taille

266. *Enchaîné musical* off. *Gros plan du sommet du limonaire. Dans le cartouche couronnant l'instrument est figurée une femme nue couverte de voiles, assise dans une position lascive*[1].

267. *Enchaîné musical* off. *Gros plan sur un automate de l'étage du dessous : une poupée, coupée aux cuisses et portant un maillot échancré, frappe en mesure avec un maillet la cloche qu'elle tient dans la main gauche.* LENT TRAVELLING HORIZONTAL DROITE-GAUCHE DÉTAILLANT, *au rythme de la musique, les deux autres automates du limonaire : au centre, un baigneur en costume de page bat la cadence avec une baguette tout en tournant la tête; à gauche, devant une colonne torsadée, un autre page frappe avec son maillet la cloche qu'il tient dans la main droite*[2]. LE TRAVELLING FINIT *sur Robert, serré aux épaules devant l'instrument. Il se tortille, minaude, grimace nerveusement et brille des yeux, savourant son bonheur tout en s'essuyant les lèvres avec son mouchoir de soie noire.*

---

et sa sophistication, peut apparaître comme « l'aboutissement [d'une] carrière de collectionneur ». **1.** Sous le cartouche, on peut lire : « Gavioli et Cie Paris », du nom d'un des fabricants de ce type d'appareil, fameux dans ce métier au tournant du siècle. **2.** L'identification du costume des trois automates est incertaine : s'agit-il de pages imitation Renaissance, ou bien de parodies d'uniformes de zouaves ? La première référence soulignerait la domesticité, la seconde l'irrévérence vis-à-vis de l'armée (un des pantins est une femme déguisée en soldat). On a voulu interpréter la figure lascive du cartouche surplombant les trois automates comme un écho de Lisette courtisée par trois hommes (Schumacher, Marceau et Octave), mais la chose se complique puisque le premier des trois automates est une poupée. Tant qu'à chercher des symboles dans la décoration du limonaire utilisé par Renoir, pourquoi ne pas voir plutôt dans le cartouche une représentation parodique de la maîtresse de maison dominant – dans une tenue de Vénus dans laquelle tous ses prétendants voudraient la voir ? – les domestiques Lisette et Marceau entre lesquels ne cesse de s'interposer Schumacher ?

CHÂTEAU DE LA COLINIÈRE, CUISINES, INTÉRIEUR SOIR

268. *Raccord sonore de la musique du limonaire qui nous parvient* off, *assourdie, et se prolongera, de moins en moins forte, jusqu'au milieu du plan suivant. Plan de demi-ensemble d'une partie des cuisines prise en enfilade depuis la table de cuisine (hors champ). En amorce droite, l'escalier menant au hall ; au fond, à la perpendiculaire sous un vaisselier, la table du repas recouverte de sa nappe à carreaux ; l'éclairage de l'office (hors champ gauche) zèbre de lumières les murs et le dallage de la cuisine. Au centre de l'image, cadrés en pied, Marceau et Lisette bavardent enlacés.*

MARCEAU *(protecteur et fanfaron)* : ... S'il t'embête *(Lisette croque une pomme)*, t'auras qu'à v'nir me chercher ! *(DÉBUT D'UN LENT TRAVELLING AVANT.)* J'aurai vite fait *(il croque la pomme de Lisette ; la bouche pleine)* de l'remettre *(levant les yeux vers l'escalier)* à sa place...

Craquements off *des pas de Schumacher du haut de l'escalier. Marceau file se cacher dans l'office (RAPIDE PANO-TRAVELLING AVANT DROITE-GAUCHE D'ACCOMPAGNEMENT). Lisette l'a suivi, couvrant sa fuite (ARRÊT DU MOUVEMENT D'APPAREIL), puis elle se fige, tout sourire, sur le seuil de l'office, à côté du réfrigérateur, tandis que l'on entend Schumacher descendre hors champ l'escalier. Affectant de sortir de l'office, sa pomme à la main, Lisette retraverse la cuisine en direction de l'escalier (REPRISE DU MOUVEMENT D'APPAREIL GAUCHE-DROITE) et se poste au pied de la rampe (face à nous, cadrée cuisse) pour croquer sa pomme. ARRÊT DU MOUVEMENT D'APPAREIL. Schumacher s'immobilise sur la dernière marche, cadré pied.*

SCHUMACHER *(à sa femme, sèchement)* : 'qu'tu fais là ?

LISETTE *(se retournant sur lui, l'air détaché)* : J'avais faim : j'suis v'nue chercher une pomme !

SCHUMACHER *(scrutant la cuisine)* : Et... Marceau, qu'est-ce que t'en as fait ?

LISETTE *(protestant)* : Oh ben, dis donc, tu m'l'as pas donné à garder !

Elle va pour remonter l'escalier.

SCHUMACHER *(lui barrant le passage)* : Où vas-tu ?

LISETTE *(désignant l'étage avec sa pomme)* : Ben là-haut, avec les autres !

SCHUMACHER *(cherchant un répit)* : J'ai soif ! Donne-moi à boire.

LISETTE *(redescendant les marches)* : Bon.

LÉGER TRAVELLING ARRIÈRE. Lisette sort par la gauche, Schumacher s'avance, les mains derrière le dos, et se plante au pied de l'escalier (cadré genou), inspectant la cuisine du regard. ARRÊT DU TRAVELLING. Lisette rentre par le bord cadre gauche et marche, un verre et une bouteille de vin en mains, vers la table du repas. Son mari la suit du regard, puis (BREF RECADRAGE À GAUCHE) la rejoint à la table où elle a posé verre et bouteille. Il s'assied, dos à nous[1]*. Lisette, debout, croque sa pomme tout en jetant un regard furtif en direction de l'office.*

269. *Enchaîné musical du limonaire, très assourdi. Schumacher, assis à table face à nous (serré ceinture), devant Lisette debout et de profil (cadrée cuisse), croquant sa pomme. Légère contreplongée découvrant derrière eux les voûtes de la cuisine et, entre eux deux, le réfrigérateur qui masque la porte de l'office. Schumacher se verse une rasade de vin, boit une gorgée, repose le verre. Il caresse une idée.*

SCHUMACHER *(en son for intérieur)* : Demain, je vais quitter le château *(Lisette se fige)*, et tu l'quitteras *(résolu)* avec moi !

LISETTE *(feinte obéissance)* : Mais... si tu veux, Édouard.

Elle passe derrière lui. BREF RECADRAGE LATÉRAL ASCENDANT.

SCHUMACHER *(méditant toujours à voix haute)* : J't'emmène en Alsace... *(Lisette fait signe de la main vers l'office pour signifier à Marceau que la voie est libre, puis se poste de l'autre côté de la chaise de son mari.)* Là-bas *(Marceau apparaît à la porte de l'office)* les bracos, les crapules, les Marceau, quoi *(LA CAMÉRA S'ÉLÈVE À MESURE QUE Marceau s'éloigne vers le fond de*

---

1. À la place occupée, lors du repas des domestiques, par Paul qui l'avait cédée à... Marceau.

la cuisine), on sait les dresser *(coup de poing sur la table)* : un bon coup d'fusil *(Lisette et Marceau sursautent)*, la nuit, dans la forêt *(Marceau se plaque contre le mur)*, et puis on n'en parle plus !

Cloué sur place, Marceau s'éponge le front. ARRÊT DU PANO ASCENDANT.

LISETTE *(sourire conciliant)* : Mais bien sûr !

SCHUMACHER *(reprenant sa méditation)* : Après tout, j'm'en fous d'leur argent ! *(Fin de la musique* off *du limonaire. Lisette fait signe à Marceau de reprendre sa marche.)* C'est trop bête d'avoir du bien et d'travailler chez les autres *(Marceau s'éloigne sur la pointe des pieds)* quand on peut être le maît' chez soi !

LISETTE *(faisant mine d'approuver, la main sur l'épaule de son mari)* : Oh, oui ! *(Les yeux soudain rêveurs.)* Et puis ça doit être si beau, l'Alsace *(faussement lyrique)*, avec les grands sapins, et puis la neige *(elle caresse l'épaule de son mari)*, et puis les cigognes...

Vacarme d'un objet tombant sur le carrelage. Tous deux tournent brusquement la tête vers le fond de la cuisine : c'est Marceau qui a renversé un plateau par terre en longeant la table de cuisine.

SCHUMACHER *(jaillissant de sa chaise en voyant Marceau)* : Oh !

Marceau prend ses jambes à son cou vers le fond de la cuisine.

SCHUMACHER *(furieux, se lançant à sa poursuite)* : Oh ! Marceau !

LISETTE *(terrifiée, se lançant à la poursuite de son mari)* : Édouard !

SCHUMACHER : Marceau !

LISETTE : Édouard !

SCHUMACHER *(se cognant à la cloison de séparation)* : Enfin, toi, j't'aurai ! *(Au fond.)* T'entends ?

LISETTE : Édouard ! Édouard !

Marceau a fait une boucle autour de la table de la pièce du fond.

SCHUMACHER : Oh !

Marceau revient par la porte de séparation, bute dans trois bassines posées sur le carrelage (vacarme), manque *de s'étaler, puis s'engouffre dans l'escalier qu'*UN LÉGER PANO À GAUCHE RECADRE *jusqu'à la fin du plan.*

SCHUMACHER *(débouchant à son tour dans la première partie de la pièce)* : Crapule !

Il trébuche dans les bassines (affreux vacarme), puis se jette dans l'escalier aux trousses de Marceau, toujours suivi de Lisette. Brèves acclamations off *venant de l'étage.*

CHÂTEAU DE LA COLINIÈRE, PETIT SALON PUIS HALL[1], INTÉRIEUR SOIR

270. *Raccord sonore sur les acclamations du public venant* off *du grand salon.* RAPIDE PANO-TRAVELLING GAUCHE-DROITE SUIVANT, *en plan de demi-ensemble, Robert qui traverse à grandes enjambées le fond du petit salon (sur la gauche, deux invités jouent aux cartes) et pénètre dans le hall par la porte du fond,* SUIVI PAR L'APPAREIL QUI, FRANCHISSANT L'AUTRE OUVERTURE AU PREMIER PLAN, RECADRE À 150° DROITE *la petite porte des cuisines (bruit de cavalcade) d'où surgit Marceau, talonné par Schumacher. Mitzi descend du premier étage, un caniche sous chaque bras.*

SCHUMACHER *(jaillissant des cuisines en vociférant)* : J't'aurai !

LISETTE *(surgissant derrière son mari)* : Édouard !

LA CAMÉRA ENCHAÎNE SUR UN MOUVEMENT ASCENDANT À LA GRUE POUR SURPLOMBER *en plan de demi-ensemble le hall que Marceau traverse en diagonale droite-gauche en direction de Robert.*

SCHUMACHER *(déchaîné)* : Aaah, Marceau !

ROBERT *(s'interposant)* : Schumacher !

Tumulte confus. LA CAMÉRA ACCOMPAGNE LEUR MOUVEMENT VERS LA GAUCHE *du hall.*

---

1. C'est la seule fois du film que Renoir fera passer, au cours d'un même plan, sa caméra d'une pièce à l'autre. Dans tous les autres cas, quelle que soit la stupéfiante impression de mouvement communiquée de cent façons, jamais l'appareil ne se transporte dans une autre pièce avant la clôture d'un plan.

ROBERT *(hurlant, les bras en croix, pour arrêter le forcené)* : Schumacher ! *(Marceau s'est réfugié derrière Mitzi et la projette contre Schumacher.)* Je vous ordonne de vous arrêter ! *(Marceau a filé vers la porte d'entrée où est posté Corneille.)* Schumacher ! *(Marceau a viré, esquivant Schumacher qui traîne Lisette à ses basques.)* Je vous ordonne de vous arrêter ! *(Marceau s'est réfugié derrière Robert qui fait de nouveau face à Schumacher. PAUSE DU MOUVEMENT DE GRUE DROITE-GAUCHE.)* Vous m'entendez, Schumacher ? *(Marceau projette Robert dans les bras de Schumacher. Cri d'effroi de Robert.)* Ah ! Voulez-vous m'lâcher, Schumacher !

LISETTE *(toujours accrochée à son mari)* : Édouard !

SCHUMACHER *(envoyant promener Robert)* : Lâche-moi, Lisette !

Corneille et Mitzi observent, interdits, ce charivari. LA GRUE REPART VERS LA DROITE.

LISETTE *(traînée par Schumacher)* : Édouard !

SCHUMACHER *(revenant vers nous)* : Lâche-moi !

ROBERT *(sur les pas de Schumacher, les bras en l'air)* : Assez ! Schumacher, c'est la dernière fois que j'vous ordonne !...

LISETTE *(glissant sur le dallage derrière son mari)* : Édouard !

Schumacher est venu buter contre une chaise de style que lui a jetée dans les jambes Marceau, maintenant réfugié derrière une colonne. FIN DU MOUVEMENT D'APPAREIL.

ROBERT *(invectivant Schumacher, qui a envoyé promener la chaise et lui fait de nouveau face)* : Schumacher, vous m'entendez ? *(Marceau, balayant Corneille, est reparti vers l'armurerie. Rugissements de Schumacher, cris de Lisette qui s'accroche ferme.)* Je n'vous l'dirai pas une autre fois !

Corneille va s'occuper de la chaise.

CHÂTEAU DE LA COLINIÈRE, ARMURERIE, INTÉRIEUR SOIR

271. *Christine et André, serrés taille, profil à nous. Derrière eux, la porte-fenêtre donnant sur la terrasse. Ils ne semblent pas prêter attention au vacarme venant du hall sur leur gauche.*

CHRISTINE *(tenant les bras d'André)* : Non, André ! Je partirai avec vous tout de suite *(les clameurs* off *se rapprochent à gauche)*, ou bien jamais ! *(Elle serre les poings.)*

ANDRÉ *(lui serrant les bras, un ton au-dessus)* : Christine, il faut que nous quittions cette maison la tête haute ! *(Cavalcade et voix* off *de Schumacher sur la gauche.)* Vous me remercierez, plus tard !

Il tourne brusquement la tête vers la gauche d'où Marceau jaillit, s'arrêtant à bout de souffle.

MARCEAU *(à Christine, montrant sa gauche)* : Pardon, madame !... *(Cherchant à s'expliquer.)* C'est... Euh... *(agitant les bras)* là... le... *(Il détale à droite vers la salle à manger.)*

SCHUMACHER (off, *par la gauche)* : J'te tuerai *(il traverse le champ gauche-droite sans s'arrêter, l'index pointé)*, charognard !

LISETTE *(s'arrêtant à son tour, sans voix, devant Christine et André blottis de stupéfaction)* : Madame !... Madame !... Oooh ! *(Elle repart à droite.)*

Mais André a vu quelqu'un sur la gauche : il serre Christine plus fort. PANO FILÉ RECADRANT À 90° GAUCHE *Robert trois quarts face, cadré cheville, immobile au milieu de l'armurerie – il observe le couple. Dans l'encadrement de la porte, Corneille a tout vu.*

ROBERT *(rajustant sa pochette, l'air mauvais)* : Dites donc, vous... *(Corneille referme dignement la porte, Robert s'avance vers le couple)* monsieur Jurieux... *(*TRAVELLING ARRIÈRE ACCOMPAGNANT *Robert.)*

LISETTE *(supplique* off, *depuis la salle à manger)* : Édouard, laisse-le !

ANDRÉ *(maintenant* off, *embarrassé)* : La Chesnaye !...

ROBERT *(sans l'écouter, entre ses dents)* : Il m'semble qu'vous êtes arrivé à vos fins !...

CHRISTINE *(soupir indigné* off*)* : Oooh !...

ANDRÉ *(LE TRAVELLING LE DÉCOUVRE en amorce droite)* : La Chesnaye !...

ROBERT *(sans discontinuer, d'une voix sombre)* : Vous êtes en train *(un bref regard à Christine)* de m'voler ma femme !...

FIN DU TRAVELLING CADRANT la pièce en enfilade : André dos à nous, Christine de profil, impassible.

ANDRÉ *(voulant s'expliquer)* : Non, La Chesnaye, accordez-moi cinq minutes d'entretien... *(Aboiement* off *de Schumacher depuis la salle à manger.)*

ROBERT *(les lèvres pincées)* : Voilà *(il lui envoie son poing dans la figure)* c'qu'il vous faut !

ANDRÉ *(s'effondrant dans le canapé : PANO FILÉ HAUT-BAS)* : Oh ! *(Il rebondit sur Robert : PANO FILÉ BAS-HAUT.)*

ROBERT *(un bref instant* off*)* : Canaille[1] !

André a saisi Robert à la gorge. Mêlée. Christine, indignée, tente en vain d'intervenir, puis se détourne. André envoie facilement Robert au plancher. LÉGER RECADRAGE AVANT.

ANDRÉ *(furieux)* : Dis, tu le répètes, non, hein, dis ?... *(Il empoigne Robert qui s'est relevé.)*

272. *Contrechamp : plan de demi-ensemble sur la porte de la salle à manger à demi ouverte. Octave, maintenant en smoking, un whisky à la main, vient aux nouvelles. À gauche de lui, en coin sous la fenêtre, un gros canapé.*

OCTAVE : Qu'est-ce qu'il y a ?

Il tient par la main Geneviève, toujours en bohémienne mais complètement ivre.

CHRISTINE *(criant* off, *sur la gauche)* : Octave ! *(Elle s'élance vers lui.)*

ANDRÉ *(coupant le champ gauche-droite en serrant Robert à la gorge)* : Tu l'répètes ?

---

1. La confusion de la bande sonore rend ici très malaisé d'attribuer avec certitude à Robert cette insulte prononcée *off* – seule solution pourtant de justifier la question d'André qui va suivre.

Geneviève ouvre d'un coup de fesses le second battant de la porte de la salle à manger, nous découvrant Marceau qui court en rond.

CHRISTINE *(attrapant Octave par la main)* : ... Hors d'ici !

Elle lui fait tomber son verre (bris au sol), l'entraîne vers la porte-fenêtre (LENT PANO À GAUCHE)*, mais Octave est entravé par le poids mort de Geneviève qui titube tandis que Marceau, qui voulait fuir par l'armurerie, y renonce, vu l'agitation qui y règne.*

OCTAVE *(écartelé entre les deux femmes)* : Attends, attends ! *(De la main, il guide Geneviève vers le canapé. Cris* off *de Robert et d'André venant de droite.)* Attends, attends, attends !

Octave largue Geneviève sur le canapé au moment où André est projeté dessus, basculant même derrière à la renverse. Cris d'effroi de Geneviève.

ROBERT (off, *envoyant contre le canapé un livre qui atteint Geneviève)* : Voleur !

Christine a réussi à entraîner par la porte-fenêtre Octave (FIN DU PANO) *qui referme le battant sur lui.*

ROBERT *(déchaîné,* off*)* : Voleur ! Tiens ! *(Une pluie de livres s'abat sur le canapé autour de Geneviève.)*

ANDRÉ *(émergeant de derrière le canapé)* : La Chesnaye, vous êtes complètement fou, non ?

CHÂTEAU DE LA COLINIÈRE, TERRASSE[1], EXTÉRIEUR NUIT

273. *Se réfugiant dans l'encoignure de l'aile gauche du château, Christine et Octave, serrés aux*

1. Bien qu'il y ait, plus tard dans le film, des scènes de nuit tournées sur la vraie terrasse du château de La Ferté-Saint-Aubin (comme il y en avait eu auparavant de jour), cette brève scène-ci fut réalisée en studio sur la portion de terrasse construite contre le décor figurant l'armurerie. Sacrifiant une fois de plus sa supposée préférence pour les espaces naturels aux nécessités de sa dramaturgie, Renoir trouve dans un tel artifice non seulement des facilités techniques (il n'y a notamment pas de porte-fenêtre ouvrant sur la terrasse du vrai château), mais aussi le moyen de souligner la continuité d'ambiance de la scène précédente et son caractère factice. On verra au plan 277 (note 2, p. 223) le passionnant développement de ce choix de mise en scène.

épaules. Les cris confus de la bagarre nous parviendront off *durant toute la durée du plan.*

CHRISTINE *(s'adossant à la muraille et arrachant sa couronne de fleurs, éperdue)* : Octave ! Je n'en peux plus !

OCTAVE *(en amorce droite, trois quarts dos à nous)* : Qu'est-ce qu'il y a ?

CHRISTINE *(éplorée)* : Il y a que je viens de dire à ton ami André que je l'aime.

OCTAVE *(soulagé)* : Enfin ! C'est pas malheureux ! *(Intrigué.)* Tu l'aimes vraiment ?

CHRISTINE *(tournant la tête en tous sens)* : Je ne sais pas, je ne sais plus !

OCTAVE : Déjà ? Qu'est-ce qu'il t'a fait ?

CHRISTINE *(très nerveuse)* : Il m'a parlé, parlé... *(Octave baisse les yeux, profil à nous)* de « convenances » ! *(Vidant son sac.)* Il m'a proposé d'aller passer un mois... *(Octave se détourne encore plus)* avec sa mère, à la campagne *(Octave branle la tête)*, pour qu'il puisse régler la situation avec La Chesnaye !... *(Elle rejette la tête en arrière.)*

OCTAVE *(bougonnant)* : Tu t'attendais à quoi ?

CHRISTINE *(épuisée)* : À ce qu'il me prenne dans ses bras ! *(Octave rebaisse les yeux.)* Qu'il m'embrasse, qu'il m'emmène !

OCTAVE *(l'entraînant par l'épaule)* : Ma pauv'petit' Christine *(PANO FILÉ GAUCHE-DROITE LES SUIVANT qui quittent l'encoignure)*, y a un truc que tu oublies complètement *(LE PANO S'ARRÊTE devant la porte-fenêtre derrière le voilage de laquelle on distingue nettement André en train d'étrangler Robert)* : tu comprends *(désormais* off*)*, c'est un héros !

CHÂTEAU DE LA COLINIÈRE, ARMURERIE, INTÉRIEUR NUIT

274. *Plan de demi-ensemble de l'armurerie. On aperçoit, par la porte grande ouverte sur le fond de la salle à manger, une vaste tapisserie accrochée au mur et figurant une chasse au cerf. Marceau déboule* *par la droite dans l'armurerie et s'y élance à fond de train. Schumacher apparaît à sa suite dans l'encadrement de la porte, entravé par Lisette.*

LISETTE *(affolée)* : Édouard ! Édouard, arrête !

SCHUMACHER *(se débattant, cadré genou)* : Laisse-moi !

Grognements off *assourdis de la bagarre Robert-André.*

LISETTE : Arrête ! Arrête !

Schumacher a réussi à extraire son revolver.

SCHUMACHER *(essayant de viser malgré Lisette)* : Lâche-moi ! *(Rugissant, à l'intention de Marceau.)* J'aurai ta peau !

RAPIDE TRAVELLING ARRIÈRE DÉCOUVRANT à gauche Geneviève qui suit avec application la scène depuis son canapé.

LISETTE *(s'accrochant au poignet de son mari, éperdue)* : Mais tu es fou, tu es fou ! *(Dispute confuse.)*

Coupant le champ droite-gauche, André vient plaquer contre le râtelier Robert qui le gifle comme il peut. FIN DU TRAVELLING RECADRANT les deux hommes à la ceinture.

ANDRÉ *(serrant Robert à la gorge, hors de lui)* : Maintenant, j'en ai assez, j'en ai assez ! J'vais vous casser la gueu...

Schumacher (hors champ) a tiré, brisant une lampe juste à côté d'eux. Hurlement de Geneviève. Aussitôt, un air de valse, joué au piano, démarre off *au grand salon*[1].

REPRISE DU TRAVELLING ARRIÈRE RECADRANT en plan de demi-ensemble la lampe entre les deux hommes et, au-delà, Geneviève tétanisée sur son canapé. André a lâché Robert complètement groggy contre le râtelier. Schumacher s'échappe derrière André.

ANDRÉ *(fixant la lampe, médusé)* : C't une balle ? *(FIN DU TRAVELLING.)*

ROBERT *(répétant)* : Oui, c'est une balle !

---

1. Coup de feu, cri de Geneviève et démarrage de la valse s'enchaînent à la fraction de seconde près. L'air qui débute ici est la *Valse bleue* d'Alfred Margis, souvent mise en chanson à la Belle Époque. Il se prolongera en sourdine jusqu'à la fin de la scène – avant de reparaître au plan 276 pour accompagner une des scènes clés du film.

LISETTE *(de nouveau à la poursuite de son mari,* off*)* : Édouard, Édouard !

ANDRÉ *(même jeu)* : Une balle de revolver ?

ROBERT *(même jeu)* : Une balle de revolver, oui ! *(Entre ses dents.)* Figurez-vous, c'est une balle de revolver ! Ça vous étonne ?

ANDRÉ *(fixant Robert, ébahi)* : Oui. *(Robert, toujours immobile, reprend son souffle. André, frappé de stupeur, regarde autour de lui.)* Mais Christine a disparu ?

ROBERT *(avec dérision)* : Christine a disparu, pfuit ! *(Levant les bras au ciel nerveusement.)* Ce soir, pfftt, Christine a disparu ! *(Hystérique.)* Ce soir, Christine a disparu ! *(Mimique lamentable.)* C'est comme ça *(sa voix s'étrangle)* : Christine a disparu...

275. *Plan de coupe sur Geneviève, serrée poitrine sur son canapé, trois quarts face.*

GENEVIÈVE *(éclatant d'une voix suraiguë)* : Oh ! C'que vous êtes bêtes ! *(Montrant la porte-fenêtre.)* Vous n'avez pas vu qu'elle est partie avec Octave ? *(Rire d'ivrogne. Elle se lève, son verre à la main,* SUIVIE PAR LA CAMÉRA.*)* Oh, puis d'abord, j'la comprends très bien *(elle s'avance en titubant, cadrée ceinture)* : si vous croyez qu'vous êtes drôles, tous les deux ! Oh, puis, vous en faites pas, allez ! *(Elle est parvenue à grand-peine auprès des deux hommes. Poussant André, elle s'esclaffe.)* Vous la r'trouv'rez bien un jour ou l'autre !

ANDRÉ *(en amorce gauche, profil à nous, très mécontent)* : J'vous en prie, Geneviève !

Geneviève éclate d'un rire hystérique. Robert, face à nous, est occupé à reboutonner sa chemise.

GENEVIÈVE *(se calmant, tournée vers Robert)* : Et maintenant, mon chéri *(elle le retourne lentement vers elle par l'épaule)*, c'est de nous qu'il s'agit *(Robert regarde toujours sa chemise)* : quand partons-nous ? *(Explosant.)* Quand partons-nous ?

ROBERT *(explosant à son tour en se dégageant violemment)* : Geneviève, c'est pas le moment ! *(Elle crie, laisse tomber son verre, éclate en sanglots.)* J'ai d'autres soucis en tête !

Il tripote à nouveau son bouton.

CHÂTEAU DE LA COLINIÈRE, GRAND SALON, INTÉRIEUR NUIT[1]

276. *Plan rapproché de biais, dans un coin du grand salon, d'une porte-fenêtre donnant sur la terrasse. On entend, toujours* off *mais plus proche, un autre air de valse*[2]. *Ambiance feutrée. Octave est en train d'évoquer avec Christine leurs souvenirs de jeunesse.*

OCTAVE *(d'abord* off *nostalgie rieuse)* : ... Ton père est passé d'vant nous sans même nous regarder. *(Rire complice* off *de Christine.)* Et nous, nous sommes allés nous cacher derrière la porte. *(Octave entre par la gauche, jette un œil par la porte-fenêtre, et se retourne sur Christine qui l'a suivi en riant. Tous deux cadrés ceinture, Christine dos à nous.)* Naturellement, les musiciens étaient déjà tous debout, 'pas. *(Nouveau coup d'œil par la porte-fenêtre, désignant du doigt l'extérieur.)* Et... là-dedans, dans la salle, ça applaudissait *(riant)*, ils f'saient un raffut, hein ?

CHRISTINE *(approuvant)* : L'atmosphère des grands jours !

OCTAVE *(se rengorgeant)* : Ah, oui, alors ! *(Il écarte le voilage de la porte-fenêtre. Arrêt de la valse* off, *remplacée par la rumeur des conversations du salon*[3].*)* Y avait un drôle de décor *(regardant toujours vers la ter-*

---

1. Le passage qui suit (plans 276-278), un des plus importants de *La Règle du jeu*, constituait la coda d'une scène que Renoir n'eut pas le temps de tourner. Il fut écarté par le cinéaste dès le montage, et ne vit le jour que grâce à la restauration de 1959, moyennant certains hiatus mentionnés dans les deux notes suivantes. **2.** Il y a là un faux raccord musical avec la fin du plan précédent : ce n'est pas la *Valse bleue* apparue dans l'armurerie après le coup de feu qui se poursuit ici, mais une valse entendue beaucoup plus tôt (voir note 1, p. 198) qui revient sans prévenir. En réalité, la bande sonore de ce passage est parvenue aux restaurateurs dans un tel état qu'elle les obligea même à ajouter, pour compléter les rumeurs du salon que l'on perçoit, quelques secondes de... « bruits d'ambiance » achetés à une sonothèque. Quoi qu'il en soit, la douceur de la scène qui s'ouvre, accentuée par l'air de valse que l'on entend maintenant distinctement (malgré l'hiatus), contraste avec la violente surcharge sonore de la scène dans l'armurerie. **3.** Voilà cette rumeur artificielle mentionnée à la note précédente.

rasse) : ça r'présentait un salon *(se retournant vers Christine)*, un salon *(scandant de la main)* vert et or !

CHRISTINE *(riant)* : Oui, oui !

OCTAVE *(avec des mimiques)* : Tu sais, un d'ces verts grinçants, là ! *(Précision amusée.)* Y a qu'les Anglais qui connaissent des verts comme ça ! *(Rire de Christine mêlé à la* Valse bleue *qui s'élève de nouveau* off[1]. *Redevenant sérieux.)* Mais alors, ton père, hein *(mimant l'homme de grande classe)* : une allure !...

Octave ouvre la porte-fenêtre. ON RESSERRE *sur lui.*

OCTAVE *(dos à nous)* : Il a traversé *(*RECADRAGE À GAUCHE POUR RECENTRER *la terrasse en enfilade)* la scène *(s'avançant sur la terrasse)* sans rien voir ! *(Christine, en amorce gauche, adossée à la vitre, le regarde s'éloigner. Ses pas résonnent dans la nuit noire.)* Et... *(moulinets de la main)* la salle croulait, hein ! *(Christine rit de bonheur. Octave se retourne vers Christine, désignant de la main la salle fictive du concert.)* Le roi, là *(mimant des applaudissements)* : tant qu'ça pouvait, là ! *(Christine, ravie, s'adosse à la vitre de droite. Octave est arrivé à la hauteur du premier globe de pierre de la balustrade.)*

---

1. Voir note 1, p. 220. Cet air se prolongera jusqu'au plan 279.

CHÂTEAU DE LA COLINIÈRE, TERRASSE[1], EXTÉRIEUR NUIT

277. *Plan général (de face) du rez-de-chaussée du château, coupé de part et d'autre à mi-longueur de la balustrade. Au centre de l'image, les deux globes de pierre surplombant la volée de marches du perron. Seules sont allumées les lumières du hall*[2]*. On entend toujours la* Valse bleue *provenant* off *du grand salon. Octave remonte la terrasse droite-gauche*[3]*.*

OCTAVE *(voix plus lointaine, comme réverbérée par la distance)* : Il a pris sa baguette des mains du premier violon *(parvenu entre les deux globes, il tend la main vers sa droite)*, comme d'habitude. *(Murmurant.)* Et comme dans un rêve...

Il fait un pas vers l'avant-scène, salue vers sa gauche,

---

1. Cette fois, à la différence de la scène antérieure sur la terrasse (plan 273), nous ne sommes plus en studio mais au château de La Ferté-Saint-Aubin. Cela saute aux yeux dans le plan qui s'ouvre ici, mais cela est vrai aussi du plan précédent (276) où Octave a ouvert la porte-fenêtre du grand salon, pour s'engager sur la terrasse. Or, le château de La Ferté ne possédant pas davantage à cet emplacement de porte-fenêtre ouvrant sur sa terrasse, le cinéaste eut recours pour ce dernier plan à un subterfuge. On installa à l'extrémité droite de la terrasse du château un petit « décor mobile » (composé d'un court pan de mur et d'une fausse porte-fenêtre) que l'on orienta juste dans l'axe de façon que, à l'ouverture de cette porte-fenêtre, la vraie terrasse apparût en perspective dans la pénombre et qu'Octave pût s'y engager. Renoir obtenait ainsi un de ces artifices dans lesquels il était passé maître qui lui permettaient d'allier, avec un apparent naturel et sans recourir à la tricherie du montage ou aux transparences que l'on utilisait alors, l'espace intérieur et l'espace extérieur.

S'opposant terme à terme à la première conversation d'Octave et de Christine sur la terrasse, notre scène, empreinte d'une admirable mélancolie, s'est vu réserver par Renoir, fût-ce au prix d'une manipulation de l'espace naturel, le précieux écrin du château plongé dans la nuit.

2. On peut être surpris que les deux fenêtres visibles à gauche (et qui correspondent, dans le décor intérieur du château, à celles de l'armurerie) soient éteintes : c'est que ce passage aurait dû prendre place plus loin dans le film, une fois les invités partis se coucher (lire sur ce point *« La Règle du jeu », scénario original, op. cit.*, pp. 350-351 et 356).

3. Léger faux raccord : Octave, qui à la fin du plan précédent était parvenu à la hauteur du premier globe de pierre, apparaît cette fois à quelques mètres en arrière de celui-ci.

vers sa droite, se retourne dos à nous, adresse un geste à l'orchestre et lève les bras.

278. *Raccord parfait sur le geste d'Octave, mais ce dernier cadré de biais trois quarts dos à nous, en plan moyen depuis la partie droite du perron (forte contreplongée). Octave, les bras levés, se fige. On entend nettement la valse venant du grand salon. Le rêve est brisé. Octave laisse retomber ses bras, pensif, et vient d'un pas traînant s'asseoir sur la première marche du perron, les yeux au sol. Christine s'est approchée vivement.*

CHRISTINE *(penchée tendrement sur lui, les mains sur ses épaules)* : Octave !... *(Elle s'assied.)*

OCTAVE *(se dégageant, malheureux)* : Non, laisse-moi.

Il se lève et sort à droite.

CHÂTEAU DE LA COLINIÈRE, GRAND SALON, INTÉRIEUR NUIT

279. *Raccord musical sur la valse. Plan de demi-ensemble d'un coin du grand salon. On a enlevé les chaises, un couple danse au premier plan, cadré cheville. On aperçoit au fond, dans le corridor, Mitzi dansant comiquement avec Bob.* LENT PANORAMIQUE DROITE-GAUCHE BALAYANT *le grand salon (pris depuis l'emplacement du piano) : des invités bavardent debout, d'autres sont assis et regardent les couples de danseurs parmi lesquels on reconnaît Dick.* FIN DU PANO À 90° CADRANT *à la perpendiculaire la porte gauche du petit salon et, en enfilade, celle du hall. Marceau remonte vers nous en se faufilant entre quatre invités debout près d'une colonne. Schumacher, dans le petit salon, est sur sa trace. Fin de la* Valse bleue. *Applaudissements qui se prolongeront jusqu'au début de l'air bientôt joué par le limonaire. Paul coupe le champ gauche-droite en portant un verre sur un plateau. Marceau se précipite sur lui et lui prend le plateau des mains.*

MARCEAU *(faisant pivoter Paul sur lui-même)* : Tiens !...

Schumacher est entré dans le grand salon, mais n'a pas vu Marceau, qui serpente entre les groupes, plateau en main. RAPIDE PANO-TRAVELLING GAUCHE-DROITE L'ACCOMPAGNANT *se cacher derrière Dick, puis, comme Schumacher se rapproche,* PANO FILÉ DROITE-GAUCHE À 120° SUIVANT *Marceau qui cherche refuge du côté du limonaire. Mais Berthelin, émergeant de la droite de l'instrument (côté cour), vient de mettre ce dernier en marche. Une valse assourdissante de fanfare jaillit et se prolongera, à des intensités variables, jusqu'au plan 283*[1]*. Paul, regardant en arrière, coupe le champ droite-gauche. Marceau a viré et repart vers la salle* (ACCOMPAGNÉ PAR UN PANORAMIQUE EN SENS INVERSE)*. Il passe entre M. et Mme La Bruyère et file vers la porte du petit salon.* FIN DU MOUVEMENT D'APPAREIL. *Schumacher surgit par le bord cadre droit, revolver en main, provoquant les rires des La Bruyère et d'un autre invité, et se lance aux trousses de Marceau tandis qu'un couple de danseurs entre par la droite en même temps que Lisette, terrifiée, qui est entraînée dans la valse des danseurs. Tous les invités rient de cette agitation.*

CHÂTEAU DE LA COLINIÈRE, PETIT SALON, INTÉRIEUR NUIT

280. *Raccord musical assourdi. Plan de demi-ensemble du petit salon en diagonale depuis le seuil opposé du grand salon. À gauche, quatre joueurs de cartes ; à droite, Charlotte et le général également attablés. Au premier plan, la méridienne et un fauteuil derrière lequel on distingue Marceau dissimulé.* BREF PANO À DROITE SUIVANT *Lisette qui débouche, au fond, du grand salon et se précipite sur son mari en train de scruter à travers les vitres de la porte fermée donnant sur le hall*[2].

1. Il s'agit de la valse la plus fameuse de l'ouverture de *La Chauve-Souris*, l'opérette de Johann Strauss (1874), orchestrée ici pour limonaire. **2.** Au plan précédent, cette porte était grande ouverte (pour faciliter la remontée de Schumacher vers le grand salon). Un petit

LISETTE *(à son mari qui vient de repérer Marceau)* : Édouard !
SCHUMACHER *(visant le fauteuil)* : Ah ! Charognard !
Il tire avant que Lisette ne lui ait attrapé le bras. Charlotte pousse un cri d'effroi, Marceau jaillit de sa cachette et s'échappe par la droite.
SCHUMACHER *(lui emboîtant le pas, mais entravé par Lisette pendue à son bras)* : Lâche-moi, Lisette !
PANO FILÉ À DROITE ACCOMPAGNANT leur progression vers l'autre porte, ouverte sur le hall.
LE GÉNÉRAL *(tranquille)* : Encore une attraction !
Schumacher se débat sur le seuil du hall où l'on aperçoit Corneille et un domestique en veste de chasse. FIN DU PANO.
LE GÉNÉRAL (off, *réprobateur)* : Oh non, ils exagèrent !...
CHARLOTTE *(l'approuvant,* off*)* : Point trop n'en faut !
LE GÉNÉRAL (off*)* : J'ai horreur des coups de feu.
Schumacher et Lisette sont dans le hall.

CHÂTEAU DE LA COLINIÈRE, HALL, INTÉRIEUR NUIT

281. *Plan de demi-ensemble du fond du hall pris depuis le milieu de la pièce. Sur la gauche, Émile, dos à nous, surveille mollement le corridor. Contre le mur du fond, un canapé sous un immense miroir. À droite d'une colonne ouvragée, une porte-fenêtre fermée donnant sur la nuit.*

CORNEILLE *(excédé, à Schumacher qui fait pirouetter sa femme autour de lui afin de lui faire lâcher prise)* : Non, écoutez, Schumacher, ça suffit comme ça !
SCHUMACHER : Ah, vous m'embêtez, vous ! *(PANO-TRAVELLING FILÉ À 90° GAUCHE LE SERRANT aux cuisses.)*
CORNEILLE *(scandalisé)* : Quoi ?...
SCHUMACHER *(passant au pied de l'escalier devant le*

---

malin l'a refermée, contraignant ici le garde-chasse à chercher Marceau dans le petit salon où, précisément, il se trouve.

domestique à veste de chasse, Lisette toujours pendue à son bras) : Lâche-moi, Lisette !

On entend off, *mêlées aux accents du limonaire, les vociférations de Geneviève et de Robert dans l'armurerie devant la porte de laquelle Schumacher est péniblement parvenu.* FIN DU MOUVEMENT D'APPAREIL. *Par le battant ouvert de l'armurerie dont le sol est jonché de bouteilles et d'oiseaux empaillés, on aperçoit de biais Geneviève, devant André qui injurie Robert (lequel est masqué par le battant gauche), et Marceau qui galope vers la salle à manger. Schumacher s'est enfin libéré de Lisette et se précipite dans la pièce, revolver au poing. Geneviève, hors d'elle, jette un plateau à terre, Schumacher tire un coup de feu vers la salle à manger puis s'y engouffre, talonné par Lisette. Cri d'hystérie de Geneviève qui s'effondre dans les bras d'André.*

ROBERT *(apparaissant, les mains sur les oreilles)* : Oooh ! André, j'vous en prie *(il prend Geneviève par les pieds)*, aidez-moi à la calmer ! *(Les deux hommes remontent vers nous en portant leur colis hurlant et gesticulant. Robert appelle en direction du hall.)* Corneille ! *(Il trébuche sur une bouteille. Hurlements redoublés de Geneviève.)* Corneille ! *(S'égosillant, un bras levé.)* Corneille ! *(Ils sont parvenus à la porte. Corneille entre par la droite, profil à nous.)* Faites cesser cette comédie[1] ! *(Il resserre son étreinte sur les pieds de Geneviève qui se débat.)*

CORNEILLE *(digne mais un peu perdu)* : Laquelle, monsieur le marquis ?

ROBERT *(excédé)* : Mais celle... *(Se tournant brusquement vers Corneille.)* Quoi, laquelle ? Mais celle de Schumacher et compagnie ! *(Il franchit la porte en s'épongeant le front.)*

CORNEILLE *(comprenant)* : Ah ! *(Obéissant.)* Bien, monsieur le marquis ! *(Il fait signe aux deux domestiques restés dans le hall de le rejoindre et pénètre d'un pas résolu dans l'armurerie.)*

---

1. On peut rapprocher cette réplique – une des plus fameuses de *La Règle du jeu* – et la savoureuse réponse de Corneille qui la suit d'un mot du comte Almaviva à son valet dans *Le Mariage de Figaro* (IV, 6) : « Jouons-nous une comédie ? »

Robert et André passent profil à nous. Geneviève pousse des cris stridents.

ROBERT : Oooh ! Geneviève ! *(Ils sortent par la droite.)*

ANDRÉ *(qui a de plus en plus de mal à contenir Geneviève qui gigote sans cesse)* : Du calme !

ROBERT *(*off*)* : Calmez-vous !

Les deux domestiques entrent par le bord cadre droit et rejoignent Corneille au petit trot. PANO FILÉ GAUCHE-DROITE À 90° RECADRANT *le fond du hall et le canapé sous le miroir : Marceau traverse gauche-droite, remontant coudes au corps le corridor en direction du grand salon.*

ROBERT *(*off, *portant Geneviève dans l'escalier)* : Mon petit !...

Schumacher est entré par la gauche, ajuste le corridor depuis le canapé, puis se rapproche de nous (toujours de profil) pour viser à travers le petit salon. Lisette a débouché du corridor. Schumacher tire.

CHÂTEAU DE LA COLINIÈRE, GRAND SALON, INTÉRIEUR NUIT

282. *Bruyant raccord musical de la valse de Strauss et raccord en plan général de la porte du petit salon et du hall en enfilade depuis le grand salon. Au premier plan droite, devant la table du buffet, le chef cuisinier et Paul ; dans le petit salon, le général et Cava. Dans le hall, Schumacher émerge d'un nuage de poudre. Dans l'escalier, on aperçoit en profondeur de champ Robert et André portant Geneviève dont le dernier coup de feu a redoublé les cris hystériques. Schumacher remonte vers nous, chassant devant lui les invités terrifiés, s'arrête sur le seuil du grand salon, revolver au poing. Lisette accourt derrière lui. Tous les invités se plaquent contre le buffet, les bras en l'air.* RAPIDE PANO-TRAVELLING ARRIÈRE GAUCHE-DROITE À 180°, BALAYANT *la cloison ouverte sur le corridor et devant laquelle tous,* *invités et domestiques, lèvent les mains en l'air de frayeur. On entend toujours, insupportables, les hurlements de folle de Geneviève qui se mêlent aux flonflons de la valse de Strauss.* LE MOUVEMENT D'APPAREIL S'ACHÈVE *au milieu des invités, serrés de près les mains en l'air, le visage anxieux – parmi lesquels vient se glisser Marceau qui se plante, l'air de rien, derrière la grosse Charlotte.*

283. *Plan de coupe en nette contreplongée des époux La Bruyère, serrés cuisse, vaguement inquiets. Derrière eux, le limonaire illuminé et tonitruant. Berthelin, les mains en l'air, décide d'arrêter la machine, mais... il la dérègle : la valse se transforme en un effrayant hoquet sonore de mécanique déglinguée. Paraissant brusquement rassurés, les La Bruyère se mettent à rire. Berthelin, renonçant à stopper le limonaire, revient se poster les mains en l'air.* LA CAMÉRA BALAIE GAUCHE-DROITE *la pièce,* MARQUE UNE PAUSE *quand Corneille et ses deux acolytes débouchent du petit salon,* REPART EN TRAVELLING AVANT *sur Schumacher au moment où ce dernier, envoyant promener Lisette, ajuste son tir vers notre droite. Horrifiée, Lisette se cache les yeux en criant; Corneille, parvenu derrière Schumacher, prend son élan et le renverse en arrière d'un vigoureux croc-en-jambe, chutant avec lui.* FIN DU MOUVEMENT D'APPAREIL. *Émile et le valet en veste de chasse attrapent Schumacher et l'entraînent gesticulant vers le petit salon.*

SCHUMACHER *(grogrements confus)* : Ah ! Lâchez-moi ! C'est moi, Schumacher !

Le chef est entré par la droite et aide Corneille à se relever. Ils se congratulent. Cris de confusion dans l'assistance. Lisette, au fond à droite, regarde en souriant en notre direction.

284. *Contrechamp sur Marceau et Charlotte cadrés cuisse au milieu d'invités. Marceau, rayonnant et soulagé, regarde en direction de Lisette. Les invités se dispersent.*

CHARLOTTE *(qui a enfin remarqué la présence de Marceau)* : Comment *(Marceau se retourne sur elle, ils sont seuls à l'image)*, vous étiez là, vous ?

*Le limonaire est enfin stoppé (*off*). Le calme revient. Marceau et Charlotte seuls à l'image.*

MARCEAU *(ouvrant ses bras à Charlotte)* : Oh oui, madame ! Et même que j'vous r'mercie bien ! *(Il se pend à son cou et lui plante sur la joue un baiser sonore.)* Oh oui, j'vous r'mercie ! *(Il l'embrasse à nouveau.)*

CHARLOTTE *(éberluée, cherchant à se dégager tout en agitant la main)* : Y a pas d'quoi !

MARCEAU : Si !

CHARLOTTE *(même jeu)* : Y a pas d'quoi *(Marceau l'embrasse encore)*, y a pas d'quoi !

MARCEAU : Oh si[1] !

CHÂTEAU DE LA COLINIÈRE, PREMIER ÉTAGE, COULOIR, INTÉRIEUR NUIT

285. *André, cadré cuisse, sort de sa chambre prestement, un tube en main (*PANO GAUCHE-DROITE D'ACCOMPAGNEMENT*).*

ROBERT *(à droite,* off*)* : Quelle est la bonne dose ? *(André l'a rejoint devant la porte de Geneviève.* ARRÊT DU PANO, *les deux hommes serrés poitrine.)*

ANDRÉ : Deux.

ROBERT *(un verre d'eau à la main)* : Donnez-m'en quatre !

Il prend dans sa main ouverte les cachets. La porte s'ouvre brutalement.

GENEVIÈVE *(courroucée)* : Du somnifère ! *(Elle passe devant les deux hommes interdits.)*

1. Cette dernière réplique de Marceau, quasi juxtaposée à celle de Charlotte et qui mord sur le début du plan suivant, semble ajoutée au mixage.

GENEVIÈVE *(scandalisée)* : À moi, du somnifère ! *(Elle remonte dos à nous le couloir :* PANO-TRAVELLING ARRIÈRE DROITE-GAUCHE.*)* Je déteste le somnifère ! *(Lancée.)* J'exècre le somnifère ! *(Partie.)* Je hais le somnifère !

ROBERT *(passant le verre à André, posément)* : Geneviève ! *(Ils la suivent des yeux.)* Soyez sérieuse ! *(Il la suit, dos à nous. Voix lasse.)* Mon petit !...

FIN DU PANO-TRAVELLING CADRANT (en légère contre-plongée et plan d'ensemble) le couloir en profondeur. André est resté à l'avant-plan droit. À l'arrière-plan droit, au-delà des trois marches, Jackie surgit de sa chambre.

ROBERT *(haussant le ton)* : Geneviève, où allez-vous ?

GENEVIÈVE *(se dandinant du popotin)* : Ah, ah ! J'vais danser !...

ROBERT *(la rattrapant à la volée au pied des marches et la ramenant dans ses bras vers sa chambre)* : Vous irez « danser » dans votre lit !

GENEVIÈVE *(les bras autour de son cou, battant des pieds comme une fillette)* : Oh, oui, mon amour ! Oui, mon amour, j'vais m'coucher ! *(Robert a poussé la porte de la chambre de Geneviève.)* Oui, mon amour chéri *(désormais* off*)*, j'vais m'coucher, oui, mon amour !

JACKIE *(descendant le couloir vers nous, éperdue)* : André !

André court en direction de Jackie, pose son verre à gauche sur le poêle en faïence, croise Robert qui porte Geneviève. Jackie s'est arrêtée au pied des marches, flageolante, et s'évanouit dans les bras d'André. Il la remporte à sa chambre restée ouverte.

ROBERT *(il a déposé Geneviève et referme la porte sur elle)* : Vous en avez bien besoin *(claquant la porte)*, croyez-moi !

La porte se rouvre aussitôt.

GENEVIÈVE *(passant devant Robert)* : ... Oui, mon amour

chéri *(elle repart dans le couloir)*, oui, j'vais me coucher, mon amour chéri *(sa porte claque)*, oui, mon amour...

ROBERT *(ferme mais las)* : Geneviève, je vous en prie, voulez-vous rentrer !

Au fond, André a bifurqué chez Jackie. Geneviève est seulement allée prendre le verre d'eau laissé par André.

ROBERT *(la raccompagnant)* : Geneviève, je vous en supplie *(colère blanche)*, voulez-vous rentrer ! *(André a bouclé Jackie dans sa chambre.)*

GENEVIÈVE *(le prenant par l'épaule, ironique)* : Oh, mais calmez-vous, mon cher ami, voyons ! *(ON RESSERRE TRÈS LÉGÈREMENT sur eux, cadrés cheville.)* Nous nous r'verrons d'main ! *(Elle jette un bécot sur les lèvres de Robert qu'elle plante au milieu du couloir et rentre dans sa chambre.)* Bonne nuit !

André, en passant devant l'escalier, a aperçu les invités qui remontent du rez-de-chaussée. Il dévale les trois marches vers Robert.

ANDRÉ *(donnant l'alerte)* : Le général !...

Robert se précipite sur la porte que vient de claquer Geneviève, ramasse la clé tombée à terre au moment où le général apparaît au haut des marches ; André tousse pour prévenir Robert qui enferme Geneviève à double tour (ON RESSERRE TRÈS LÉGÈREMENT sur eux deux), puis se retourne, l'air naturel, vers André. Berthelin est apparu sur les talons du général.

ROBERT *(remontant dos à nous en compagnie d'André, d'une voix détachée)* : Voulez-vous une cigarette ? *(Il lui tend son étui.)*

ANDRÉ *(jouant le jeu)* : Oui, merci *(il se sert)*.

ROBERT *(feignant d'apercevoir le général)* : Comment, vous allez déjà vous coucher, mon général ?

286. *Contrechamp en plongée depuis les marches sur l'autre extrémité du couloir.*

LE GÉNÉRAL *(descendant les marches, dos à nous)* : Ah oui, mon bon, oui : je vais m'coucher !

Les quatre hommes sont au bas des marches, cadrés genou.

BERTHELIN *(serrant la main d'André)* : Bonsoir, Jurieux !

ANDRÉ *(civil)* : Bonsoir ! *(Berthelin contourne le groupe.)*
LE GÉNÉRAL *(pivotant sur lui-même, la main tendue à André)* : Ben, j'aurais voulu présenter mes hommages à Christine... *(À Robert.)* Où est-elle donc passée ?
ANDRÉ *(coupant Robert)* : Une légère migraine !
ROBERT *(gêné)* : Ce n'est pas ce qui s'est passé, tout à l'heure, qui vous chasse vers le lit ? *(Il lui tend la main.)*
LE GÉNÉRAL *(débonnaire)* : Mais non, mais non !
ROBERT *(lui serrant la main)* : Une simple anicroche !...
LE GÉNÉRAL *(compréhensif)* : Mais bien sûr ! *(Lui tapotant la main.)* Bonsoir, mon bon[1].
BERTHELIN *(à Robert qui lui tend la main)* : Bonne nuit, La Chesnaye.
ROBERT *(secouant la main de Berthelin)* : Bonsoir.
BERTHELIN *(au général qui lui tend la main)* : Bonsoir, mon général. *(Le général s'éloigne dans le couloir.)*
DICK (off, *à droite, dans l'escalier)* : Où est Christine ? Y a sûrement quelque chose !

PANO FILÉ À DROITE RESSERRANT sur André qui remonte les marches et se poste à l'arrivée sur le palier.

ROBERT *(accueillant Charlotte qui monte pesamment l'escalier)* : Christine est partie se coucher : elle était très fatiguée ! *(FIN DU PANO, en plongée sur l'escalier orné du bois de cerf accroché au mur[2].)*
CHARLOTTE *(s'arrêtant sur une marche)* : Ah, vraiment ? *(À Robert qui rentre par la gauche.)* Et Geneviève, qu'est-ce que vous en avez fait ?
ROBERT *(courant lui baiser la main)* : Mais... ma bonne Charlotte, elle était un peu lasse, c'est tout !
CHARLOTTE *(prenant André à témoin, les yeux au ciel)* : C'est une nature si délicate !
ROBERT *(en contrebas dans l'escalier)* : Mon personnel

---

1. L'expression « mon bon », vieillie, n'a pas forcément une connotation péjorative (celle d'un maître à son valet) mais peut indiquer de l'amitié ou de la compréhension, ce qui est précisément le cas ici.
2. Une photographie de plateau, souvent reproduite, cadre Robert dans l'escalier de telle façon qu'il semble coiffé des bois du cerf. Espièglerie le désignant peut-être sur le plateau comme le cocu de l'histoire – mais raillerie trompeuse absente de notre plan.

était un peu agité, ce soir, vous ne m'en voulez pas ? *(Il serre la main de Dick qui apparaît en contrebas.)*
CHARLOTTE *(achevant sa montée, compréhensive)* : Au contraire : il faut bien que ces gens-là s'amusent comme les autres ! *(Elle sort par la gauche*[1]*.)*
DICK *(secouant la main d'André)* : Figurez-vous, on a cru qu'c'était une attraction !

CHÂTEAU DE LA COLINIÈRE, HALL, INTÉRIEUR NUIT

287. *Plongée très accentuée sur le hall cadré en plan général depuis le tournant de l'escalier. Au fond à droite, la fenêtre et la porte du hall donnant sur la terrasse. Cava monte à l'étage, croisant Robert (bord cadre droit) qui en descend.*

CAVA *(fanfaron)* : Si j'avais « sou » qu'c'était pas *di* not' programme, *ma* j'l'aurais maîtrisé, moi !
ROBERT *(se retournant, amusé)* : Ne vous frappez pas, mon cher !
CAVA *(à la cantonade)* : *Buona sera ! (Il sort à droite.)*
ROBERT : Dormez bien !

Il continue à descendre, rejoint par André entré par la droite. Un groupe d'invités est apparu à gauche, dans le hall, traversant vers la porte d'entrée.

UN VIEIL INVITÉ *(geste de la main en enfilant son manteau)* : Bonsoir, La Chesnaye ! Mes hommages à votre femme.
SON ÉPOUSE : Bonsoir à Christine !
LEUR FILLE : Embrassez-la !
ROBERT *(penché à la rampe du palier intermédiaire)* : Comment, vous partez déjà ? Mais il n'est pas si tard !

---

1. En toute logique, Charlotte devrait sortir par la droite pour gagner sa chambre. Mais ce faisant, elle aurait coupé le champ de la caméra et occulté la réplique de Dick, premier feu d'un pétillant dialogue dont le motif va se prolonger au plan suivant avec les reparties de Cava et de Mme La Bruyère. Preuve que Renoir sait privilégier au besoin le dialogue au détriment du trajet « naturel » d'un comédien.

Les La Bruyère sont apparus au pied de l'escalier, un second groupe d'invités traverse le hall vers la sortie.

MME LA BRUYÈRE *(à Robert)* : Ah ! Si Christine a la grippe, un bon bain de pieds de farine de moutarde *(elle serre la main de Robert)* : voulez-vous que j'vous le fasse ?

UN AUTRE INVITÉ : Bonsoir, La Chesnaye !

UN AUTRE *(à Robert)* : On s'retrouve un jour !

L'amie de Charlotte a remonté l'escalier, serré la main d'André et s'éclipse.

ROBERT *(achevant de descendre, répondant à Mme La Bruyère, les bras au ciel)* : Mais non !... *(Mme La Bruyère, parvenue sur le palier, serre la main d'André.)*

UNE JEUNE INVITÉE *(croisant Robert au pied des marches)* : Ah ? On ne peut pas embrasser Christine ?

ROBERT *(à qui La Bruyère a tendu la main)* : Non, elle repose.

LA JEUNE INVITÉE *(montant vers André)* : 'Soir !

MME LA BRUYÈRE *(retournée depuis le palier vers Robert à qui La Bruyère serre la main)* : Et bravo pour la soirée ! *(Reprenant sa montée en riant.)* Ah, jamais à Tourcoing nous n'aurions eu l'idée d'une pareille attraction !

288. *Plan moyen au bas de l'escalier : André et Robert au bas des marches, dos à nous ; les La Bruyère dans l'escalier*[1].

LA BRUYÈRE *(une main sur la rampe, précisant à Robert)* : Pour la fête de ma femme, nous avions fait une farandole...

ROBERT *(soupirant, avec un geste d'impuissance)* : Ah ?

LA BRUYÈRE *(concluant)* : C'est gentil, mais c'est un peu vieux jeu !

ROBERT *(toujours aimable)* : Bien sûr ! *(André le pousse vers la droite.)* Bonsoir, La Bruyère.

LA BRUYÈRE : Bonsoir !

---

1. Léger faux raccord : Mme La Bruyère, qui vers la fin du plan précédent était arrivée sur le palier de mi-étage, y accède seulement maintenant.

LÉGER RECADRAGE À DROITE sur André et Robert, profil à nous, coupés cuisse : Robert s'est figé.

ROBERT *(se retournant vivement sur André)* : Une seconde *(DÉBUT D'UN PANO FILÉ À DROITE)*, mon cher !

FIN DU PANO FILÉ À 90° DÉCOUVRANT en plan moyen Marceau et Schumacher côte à côte, la mine basse, qui attendent du marquis de connaître leur sort. Paul et les deux aides-garde-chasse les encadrent[1] ; à l'avant du groupe, Corneille attend les ordres. Schumacher, sincèrement abattu, regarde sa casquette et son revolver.

ROBERT *(d'abord* off*)* : Dites-moi, Corneille *(Corneille fait un pas vers son maître qui entre par la gauche)*, il n'y a pas eu trop de dégâts ? *(ON RESSERRE sur Robert et Corneille PAR UN TRAVELLING À DROITE. Robert jette un œil à Schumacher.)* Pas de blessés[2] ?

CORNEILLE *(rassurant)* : Non, non, monsieur le marquis ! *(FIN DU TRAVELLING, CADRANT les deux hommes à la taille.)* Je viens de faire une inspection : tous les invités sont indemnes. *(Méticuleux.)* Les oiseaux de l'armurerie ont un peu souffert, et puis j'ai trouvé une balle dans une porte ! *(Robert soupire.)* Bien entendu, je ne parle pas de la verrerie...

Robert se retourne vers le groupe : REPRISE DU TRAVELLING À DROITE QUI LE SUIT EN PASSANT derrière Corneille.

ROBERT *(ennuyé)* : Alors, vous voyez, Schumacher : je suis obligé de vous mettre à la porte. *(Il vient devant Schumacher accablé, qui caresse distraitement son arme.)* Ça m'fend le cœur, mais je ne peux pas laisser mes invités *(un coup d'œil au revolver)* sous la menace constante de vos armes à feu ! *(Schumacher range aussitôt son revolver.)*

---

1. La présence inattendue des deux acolytes qui avaient accompagné Schumacher dans sa tournée forestière et lui avaient prêté main-forte pour la capture du braconnier permet de réunir ici tous les participants déjà présents lors de l'embauche de Marceau, conférant toute sa solennité à ce premier d'une longue suite de dénouements. **2.** On entend *off* deux coups secs, comme si d'autres domestiques étaient occupés à ranger dans les pièces avoisinantes – à moins qu'il ne s'agisse d'une scorie sonore due au déplacement de la caméra sur le chariot du travelling.

FIN DU TRAVELLING : *Lisette, venant du corridor, s'est faufilée dans le groupe.*

ROBERT *(haussant les épaules)* : Ils ont peut-être tort, mais ils tiennent à leur vie ! *(Sans le regarder, gêné.)* Alors il faut vous en aller. *(Lisette s'est glissée entre Marceau et Robert ; elle porte sa pèlerine sur le bras.)*

SCHUMACHER *(des larmes dans la voix)* : Quand, m'sieur l'marquis ?

ROBERT *(battant des bras, navré)* : Tout de suite, mon ami *(il voit Lisette)*, tout de suite. *Illico. (Désignant Corneille passé hors champ.)* Corneille va vous donner une indemnité... *(Désolé mais ferme.)* Je ne veux plus entendre parler de vous. *(Il sort par la gauche.)*

SCHUMACHER *(vaincu)* : Bien, m'sieur l'marquis. *(Il retient, misérable, Lisette qui allait sortir elle aussi par la gauche.)* Tu viens avec moi, Lisette ?

LISETTE *(empressée)* : Mais non, non, non : j'vais chercher Madame !

SCHUMACHER *(se leurrant, dans un sourire)* : Tu vas lui dire au revoir, et après...

LISETTE *(le coupant vivement)* : Mais non ! J'te l'ai déjà dit : si Madame veut encore de moi *(scandant sans ménagements)*, je reste à son service !

Elle jette un bref regard à Marceau, puis sort à gauche. On entend off *ses pas s'éloigner vers la porte.*

SCHUMACHER *(tendant le bras vers elle, lamentable)* : Lisette ?

MARCEAU *(un bras en avant, comme en écho)* : Lisette... *(Un des deux gardes lui retient le bras.)*

CORNEILLE *(*off*)* : C'est p't-être beaucoup, monsieur le marquis ?

289. *Plan général du hall en profondeur pris de derrière Schumacher (en amorce gauche) et Marceau, tous deux dos à nous, serrés taille. Au fond à droite, Lisette gagne la porte d'entrée. Au milieu du hall, entre Schumacher et Marceau, Robert et Corneille discutent sous l'œil d'André.*

ROBERT *(en réponse à l'observation de Corneille, sèchement)* : Mais non ! Faites ce que je vous dis.

CORNEILLE *(obéissant)* : Bien, monsieur le marquis. *(À ses hommes.)* Allez, venez tous !

Il sort à droite vers les cuisines, suivi par Schumacher et ses acolytes qui coupent le champ gauche-droite. Lisette, parvenue à la porte, jette un regard à Marceau en endossant sa pèlerine. Robert, une main en poche, guette Marceau de l'œil. Lisette disparaît dans la nuit.

ROBERT *(s'avançant vers Marceau qui suit le mouvement des hommes,* ACCOMPAGNÉ PAR L'APPAREIL*)* : Marceau ? *(Marceau s'arrête.* PANO-TRAVELLING ENVELOPPANT PAR LA GAUCHE *Robert et Marceau.)* Mon bon Marceau, je suis obligé également de te demander de partir. *(Embêté.)* Ça m'est difficile de mettre Schumacher à la porte *(*FIN DU MOUVEMENT À 90°, LES RECADRANT *de trois quarts face, serrés poitrine)*, et de te laisser ici avec sa femme *(insistant avec indulgence)* : ce serait immoral ! *(Doucement.)* Tu le comprends ?

Marceau hoche la tête en silence.

MARCEAU *(la voix étranglée par l'émotion)* : J'comprends, monsieur l'marquis, j'vous en veux pas. *(Un temps.)* Et même, avant de partir, j'voudrais vous dire toute ma r'connaissance. *(Un temps.)* Monsieur l'marquis a voulu me rel'ver en f'sant d'moi un domestique *(la voix noyée de larmes)* : j'l'oublierai jamais !

ROBERT *(bouleversé mais ferme, les yeux à terre)* : J't'en supplie, Marceau, fiche le camp sans m'attendrir ! *(Voix blême.)* J'ai déjà assez d'ennuis comme ça. *(Il se détourne vers André.)*

MARCEAU *(tendant la main, sans voix)* : Au r'voir, monsieur l'marquis.

ROBERT *(lui serrant la main pudiquement, sans le regarder)* : Au revoir, Marceau.

ON RESSERRE À GAUCHE *sur André face à Robert, cadrés poitrine, tandis que Marceau s'éloigne vers la porte d'entrée.*

ROBERT *(soulagé)* : Quelle soirée ! *(Il jette un regard vers Marceau qui s'est ravisé et sort vers les cuisines. Revenant à André.)* Où en étions-nous ?

ANDRÉ *(aimable)* : Je vous avais demandé cinq minutes d'entretien[1].

290. *Contrechamp, mais les deux hommes cadrés cuisse.*

ROBERT *(souriant et affable)* : Je vous les accorde.

ANDRÉ : Vous êtes trop aimable. *(Se touchant la mâchoire dans un sourire.)* En tout cas, vous avez une fameuse droite !

ROBERT *(détournant les yeux, modeste)* : Oh ! Je vous en prie...

La porte des cuisines claque off *sur la gauche, faisant se retourner Robert : Corneille et Paul passent vers le fond du hall.*

ROBERT *(revenant à André)* : Bon, où va-t-on aller ? *(Corneille désigne à Paul une lumière à éteindre.)*

ANDRÉ *(proposant)* : Allons dans la salle à manger : je prendrai mon veston. *(Paul éteint, plongeant les deux hommes dans la pénombre, et rejoint Corneille en direction du petit salon.)*

ROBERT *(après un temps)* : Oui. *(Il se détourne, pensif.)* Bien sûr. *(Il s'éloigne à gauche vers le corridor, suivi d'André : LÉGER RECADRAGE D'ACCOMPAGNEMENT, DÉCOUVRANT en amorce gauche le lion sculpté de la rampe.)* Bien sûr, mais avant tout *(il se retourne sur André)*, il faut que vous acceptiez mes excuses ! *(FIN DU MOUVEMENT D'APPAREIL.)*

ANDRÉ *(confus)* : Oh, mais je vous assure...

ROBERT *(très urbain)* : Si, si ! *(Le prenant par l'épaule.)* Tout à l'heure, je me suis conduit avec vous...

CHÂTEAU DE LA COLINIÈRE, CORRIDOR, INTÉRIEUR NUIT

291. *Raccord dans le mouvement : le corridor pris en enfilade depuis le renfoncement (en amorce*

---

1. Vœu exprimé au plan 271, lorsque André avait été surpris en compagnie de Christine par Robert, qui ne lui avait alors « accordé » que son poing dans la figure.

droite, les branches du palmier ; à l'arrière-plan, le fond du hall).

ROBERT *(en continu, remontant vers nous, la main sur l'épaule d'André)* : ... comme le dernier des charretiers ! *(Derrière eux, en profondeur, Paul et Corneille descendent le corridor.)*

ANDRÉ *(ballot)* : Oh, écoutez, moi, j'en ai fait autant !

Robert s'arrête, main en poche ; la lumière du petit salon s'éteint à l'arrière-plan.

ROBERT *(prenant André à témoin)* : Savez-vous à quoi me fait penser notre petite exhibition *(reprenant sa marche en riant)* de « pancrace[1] » ? *(Il se passe la main dans les cheveux.)* De temps en temps, je lis dans les journaux *(LA CAMÉRA S'EFFACERA PROGRESSIVEMENT au passage des deux hommes)* que, dans une lointaine banlieue, un... terrassier italien a voulu enlever la femme de *(scandant de la main)* quelque manœuvre polonais, et que ça s'est terminé par des coups de couteau ! *(Ils passent devant nous, serrés poitrine.)* Je ne croyais pas ces choses possibles ! *(André est sorti par la droite.)* Mais elles le sont, mon cher, elles le sont[2] !

FIN DU MOUVEMENT À 150° CADRANT les deux hommes au moment où ils franchissent la porte de la salle à manger.

ANDRÉ *(se retournant sur Robert)* : Oui, mais moi *(sec)*, j'ai une excuse : ...

---

1. Pancrace : exercice gymnique combinant, dans la Grèce antique, la lutte et le pugilat. Terme ironique et précieux dans la bouche du marquis. **2.** On voit généralement dans ce récit de Robert un écho de l'intrigue de *Toni* (1934), que Renoir avait tourné en Provence d'après un fait divers. Dans ce film, Toni, un immigré italien travaillant dans une carrière de Martigues, tombait amoureux d'une belle Espagnole, Josépha (Jenny Hélia, l'aide-cuisinière de *La Règle du jeu*), et cherchait à s'enfuir avec celle-ci malgré son mari tyrannique. À l'issue d'une scène dramatique entre les époux, c'est Josépha qui tuait le mari, Toni acceptant ensuite d'endosser le meurtre à sa place et étant abattu au cours d'une chasse à l'homme. Les différences entre l'intrigue de *Toni* et le récit de Robert étant, on le voit, aussi importantes que les rapprochements que l'on en fait d'habitude, on interprétera la tirade du marquis moins comme une simple (et somme toute assez banale) autocitation du cinéaste que comme la marque d'une nouvelle variation en mineur, dans un registre populaire et sur un mode drolatique, du motif central de l'intrigue.

CHÂTEAU DE LA COLINIÈRE, SALLE À MANGER, INTÉRIEUR NUIT

292. *Raccord dans le mouvement d'André, cadré cuisse profil à nous depuis le milieu de la salle à manger qu'il remonte, ACCOMPAGNÉ PAR UN TRAVELLING EN DIAGONALE GAUCHE-DROITE.*

ANDRÉ *(en continu, solennel)* : ... j'aime Christine ! *(Il vient vers la table.)*

ROBERT *(resté en arrière, sur le seuil de la pièce)* : Ah ? Moi, je ne l'aime pas ? *(André est au premier plan gauche, prenant son veston sur la table. Robert le rejoint, enchaînant.)* Et moi, je l'aime tellement que je veux qu'elle parte avec vous *(André se retourne, surpris, vers Robert qui lève les bras au ciel)*, puisque son bonheur est, paraît-il, fonction de ce départ !

FIN DU MOUVEMENT D'APPAREIL : les deux hommes coupés cuisse derrière la table sur laquelle on distingue nettement, en amorce droite, la tête d'ours et le héron empaillé.

ROBERT *(lui prenant le veston des mains)* : Mais je veux vous dire aussi que je me félicite qu'elle soit tombée sur quelqu'un de notre milieu. *(Soudain songeur.)* Ah, dans tout ça...

ANDRÉ *(le coupant)* : « Dans tout ça » ?... *(Rajustant ses manchettes, puis, distraitement, à Robert qui l'a aidé à passer son veston.)* Merci.

ROBERT *(s'expliquant, préoccupé, la main sur l'épaule d'André)* : Ben dans tout ça, il y a une chose qui m'chiffonne !... *(Il a pris sa pochette.)*

ANDRÉ *(se retournant, du tac au tac)* : Et c'est ?

ROBERT *(lui époussetant les épaules avec sa pochette)* : Euh... votre profession.

293. *Raccord sur les deux hommes, mais dans l'autre axe diagonal de la pièce : en amorce gauche, le corps du héron ; en amorce droite, la tête d'ours ; au centre, profil à nous, André et Robert toujours cadrés cuisse.*

ANDRÉ *(ne comprenant pas)* : Qu'est-ce qu'elle a, ma profession ?

ROBERT *(l'époussetant toujours)* : Mais Christine est habituée à un certain train de vie ! *(Il cesse son geste, pensif.)* Vous êtes jeune, vous avez la gloire... *(André a tiré sa propre pochette et s'époussette.)* Mais vous pouvez avoir un accident !

ANDRÉ *(relevant le nez)* : Ah, ben, j'vous r'mercie ! Vous êtes gai ! *(Il époussette à son tour Robert distraitement.)*

ROBERT *(toujours soucieux, avec insistance)* : Mm, hélas, il faut tout prévoir ! *(Direct, en même temps qu'on entend* off *un coup de cloche.)* Quelle serait dans ce cas votre situation de fortune ?

CHÂTEAU DE LA COLINIÈRE, PARC, EXTÉRIEUR NUIT

294. *PANORAMIQUE DESCENDANT sur une statue du parc*[1]*, au pied de laquelle se trouve une mare. Bourdonnement lointain des insectes de nuit. ON RESSERRE en plongée verticale sur une grenouille coassant au bord de la mare.*

CHÂTEAU DE LA COLINIÈRE, TERRASSE[2], EXTÉRIEUR NUIT

295. *Plan rapproché de la porte fermée du hall dans la pénombre. Christine, toujours en costume tyrolien, entre dans le champ par la gauche et s'immo-*

---

1. Le recadrage très rapide, laissant à peine entrevoir la tête de la statue, empêche d'identifier celle-ci avec certitude, mais une trompe visible en bandoulière et maints autres menus indices invitent à voir en elle une représentation de Diane, la déesse de la chasse, objet de décoration bien dans le goût de la Colinière. Or, si Diane, dans la tradition mythologique, incarne la virginité farouche (au point de faire massacrer par ses chiens un de ses prétendants), la nôtre a ici curieusement la tête tournée vers un gros angelot juché sur son épaule. Peut-on mieux dire, au moyen de ce bref plan tourné en studio, la tentation de la vierge par l'Amour – au moment où Christine, disparue avec Octave depuis le plan 278, va reparaître, ouvrant la porte à l'enchaînement qui conduira à l'issue fatale ? **2.** Troisième et dernière conversation entre Octave et Christine sur la terrasse. Comme la première (plan 273), la séquence a de nouveau été réalisée en studio.

bilise en poussant un soupir de soulagement. Octave la suit en lui donnant la main et va voir à la porte. Continuité sonore sur les bruits de la nuit qui se prolongeront jusqu'à la fin de la séquence.

CHRISTINE *(restée au premier plan, face à nous, cadrée cuisse)* : Quel calme après tout ce bruit ! *(Octave a ouvert la porte sur le hall endormi. Christine pivotant vers lui.)* Ils sont tous partis ?

OCTAVE *(laissant la porte ouverte)* : Oui, j'crois. *(Il revient lui prendre les mains.)*

CHRISTINE *(la tête renversée, soulagée)* : Tant mieux !

OCTAVE *(confident)* : Christine ?

ON RESSERRE imperceptiblement sur eux.

CHRISTINE *(indifférente)* : Oui ?

OCTAVE *(lui serrant les mains)* : Il faut encore que j'te parle d'André ! *(Soupir amusé de Christine.)* Écoute, faut l'comprendre : son cas, eh bien c'est l'drame *(ponctuant de la main)* de tous les héros modernes. *(S'expliquant.)* Ces gens-là, quand ils sont en l'air *(nouveau geste de la main)*, ils sont formidables ! *(Mimant.)* Puis quand ils r'touchent terre *(plaidant avec insistance)*, ils sont faibles, ils sont pauvres, ils sont désarmés *(trouvant le mot juste)*, ils sont maladroits, comme des enfants ! *(Christine lève les yeux au ciel. Octave enchaîne.)* Sont capables de traverser l'Atlantique *(les lumières du hall s'allument)*, et ils sont pas fichus *(cherchant une image)* de traverser les Champs-Élysées à pied en dehors des clous ! *(Les silhouettes de Corneille et de Lisette sont apparues au centre du hall, derrière le voilage de la porte. Octave serre Christine, qui se déjette en arrière.)* Tu vois *(concluant)*, c'est comme ça, quoi !

CHRISTINE *(détournant la conversation, la tête dans les nuages)* : Regarde la lune *(Octave lève le nez)*, avec son halo. *(Lisette sort du hall.)* Demain, il pleuvra.

LISETTE *(à droite de Christine, comme délivrée)* : Madame ! Madame !

CHRISTINE *(se tournant vivement vers elle)* : Oui, Lisette ? *(Octave se penche sur son épaule.)*

LISETTE *(essoufflée)* : Oh ! j'vous cherchais, j'étais inquiète !

CHRISTINE *(riant)* : Oh, oh ! Pourquoi, Lisette ?

LISETTE *(hésitant)* : Vous m'en voulez pas ?

CHRISTINE *(la serrant dans ses bras)* : Oh, mais non, Lisette ! *(Rire soulagé de Lisette.)* C'est pas de notre faute à nous si les hommes sont fous !

LISETTE *(sérieuse)* : Alors, vous... vous me gardez ?

CHRISTINE *(se détachant en riant)* : Oh, bien sûr !

LISETTE *(battant des mains)* : Oh ! C'que j'suis contente ! *(Devenant tout à coup préoccupée, en serrant les bras de sa maîtresse.)* Mais, madame, mais il faut rentrer, voyons ! *(Maternelle.)* Mais on n'a pas idée d'se prom'ner comme ça la nuit, dehors, en plein mois d'novembre !

CHRISTINE *(sans relever)* : Lisette ?...

296. *Raccord sur Christine, trois quarts face, serrée aux épaules. En retrait derrière elle, Octave.*

CHRISTINE *(fermement)* : Tu savais que madame de Maras était la maîtresse de Monsieur ?

297. *Contrechamp sur Lisette, serrée aux épaules.*

LISETTE *(avouant)* : Oui, madame. *(Un temps, puis se justifiant.)* Mais ça a commencé avant votre mariage : un été, aux bains de mer...

298 = 296.

CHRISTINE *(se retournant vivement vers Octave)* : Tu vois ? *(Embarras d'Octave.)* Tout le monde le savait !

OCTAVE *(vaguement gêné)* : Ouais...

CHRISTINE *(à Lisette, réprobatrice)* : Et vous n'me l'avez jamais dit !

299 = 297.

LISETTE *(désolée)* : Mais on voulait pas vous faire de peine !

OCTAVE *(approuvant* off*)* : Mais évidemment !

300 = 298, *mais Christine et Octave face à face, profils à nous.*

CHRISTINE *(colère froide)* : Pendant trois ans, mon existence a été basée sur le mensonge ! *(Elle détourne les yeux, Octave baisse la tête.)* Cette pensée ne me quitte pas depuis que je les ai vus ensemble à la chasse, et que j'ai *(mauvais sourire)* brusquement compris.

OCTAVE *(plaidant gauchement)* : Écoute, Christine, ça aussi c'est un truc de notre époque. *(S'expliquant.)* On est à une époque où tout l'monde ment *(s'échauffant)* : les prospectus des pharmaciens, les gouvernements, la radio, l'cinéma *(point d'orgue)*, les journaux ! *(Bonhomie réaliste.)* Alors pourquoi veux-tu qu'nous autres *(coup d'œil vers Lisette, Christine lève les yeux au ciel)*, les simples particuliers, on mente pas aussi ?

Christine rejette la tête en arrière plutôt que de répondre[1].

301. *Raccord sur Octave et Christine, trois quarts dos à nous face à Lisette, cadrés en contreplongée depuis la balustrade (en amorce droite, le globe de pierre), tous trois coupés aux mollets. Derrière eux, de biais, le hall illuminé.*

CHRISTINE *(décidée, à Octave)* : Viens ! Il faut marcher un peu ! *(Elle veut l'entraîner vers le parc.)*

LISETTE *(proposant)* : J'vais vous chercher votre manteau !

CHRISTINE : Non, j'ai trop chaud !

LISETTE *(insistant)* : Ah, mais « trop chaud », c'est parce que vous n'êtes pas bien ! *(Dénouant sa pèlerine.)* T'nez, mettez mon capuchon[2] !

CHRISTINE *(agacée, mais se laissant faire)* : Ah, mais non !

LISETTE *(le lui mettant sur les épaules)* : Mais oui ! Mais oui !

Christine cède dans un petit rire. Octave arrange la capuche sur la tête de Christine.

CHRISTINE : Merci. *(Donnant sa couronne de fleurs à Lisette, elle entraîne Octave.)* Viens ! *(Ils sortent à droite.)*

---

1. Ce plan 300 fut écarté par Renoir dès le montage. **2.** On dit généralement que le prêt de la pèlerine, source de quiproquo, est librement inspiré du *Mariage de Figaro* de Beaumarchais, au dernier acte duquel la comtesse et Suzanne, sa femme de chambre, échangent leurs manteaux et sont prises l'une pour l'autre. De tels échanges de vêtements sont toutefois monnaie courante dans la tradition théâtrale : Molière, Marivaux, Musset, Hugo, pour ne citer que ces auteurs, y eurent maintes fois recours.

LISETTE *(les regardant partir)* : C'est p't-être pas très élégant, mais au moins vous n'attraperez pas de mal[1] !

PARC DU CHÂTEAU DE LA COLINIÈRE, RIVE AU PIED DE LA PASSERELLE, EXTÉRIEUR NUIT

302. *Plan général en contreplongée de l'escalier de la passerelle pris depuis la rive (des buissons en amorce gauche). Au-delà du canal se découpe sur la nuit la massive aile droite du château dont quelques fenêtres sont allumées. Marceau descend les marches, son manteau et une valise à la main. Continuité sonore des bruits de la nature, qui se prolongeront jusqu'au plan 308. L'horloge de la chapelle sonne deux coups au loin*[2]*.* TRAVELLING ARRIÈRE, PUIS LATÉRAL DROITE-GAUCHE SUIVANT *Marceau qui descend l'escalier et remonte le sentier le long de la rive, de trois quarts face à nous. Une chouette ulule dans le lointain. Serré désormais en pied, Marceau se fige après quelques mètres, apercevant à sa gauche, appuyée contre un arbre, la tête baissée vers les eaux du canal, la silhouette carrée de Schumacher.* LE TRAVELLING S'ARRÊTE : *Marceau esquisse un pas sur la pointe des pieds (on entend au loin coasser les grenouilles), mais, soudain pensif, il se retourne vers Schumacher qui ne l'a pas entendu et, comprenant qu'il n'a plus rien à craindre, ému par son abattement, il s'approche de lui doucement. Une chouette mêle son ululement aux cris des grenouilles.*

---

1. Écho de la réplique cruelle de Lisette sur la passerelle au cadeau attentionné de Schumacher (plan 217), mais, surtout, transition ironique vers les scènes dans le parc, soulignant par antiphrase la menace qui va désormais planer sur Christine ainsi travestie. **2.** Après un premier coup de cloche entendu depuis la salle à manger (fin du plan 293), Renoir place ici un second repère temporel de l'avancée de la nuit. De tels repères justifieront tout à l'heure le projet de fuite d'Octave (voir plan 313).

303. *Raccord sur les deux hommes face à nous, serrés genou en forte contreplongée.*

MARCEAU *(à Schumacher, compatissant)* : T'es emmerdé, hein ?

304. *Raccord sur les deux hommes serrés aux épaules, Marceau trois quarts dos en amorce droite. Schumacher se retourne brusquement sur lui : il pleure.*

SCHUMACHER *(reniflant)* : Oui. *(Il baisse de nouveau les yeux.)*

305 = 303, *mais les deux hommes serrés poitrine.*

MARCEAU *(penaud)* : Oh, moi aussi...

Une larme coule sur la joue de Schumacher.

306 = 304.

MARCEAU *(hésitant)* : Tu l'as revue ?

SCHUMACHER *(sans relever la tête, la voix étouffée par les larmes)* : Non.

307 = 305.

MARCEAU *(hochant la tête)* : Moi non plus. *(Schumacher ferme les yeux.)* 'M'a fait répondre qu'elle était « avec Madame » ! *(S'échauffant.)* « Avec Madame » ! *(Schumacher le regarde en reniflant.)* Oh ! c'est pas avec toi qu'elle est mariée, va, c'est « avec Madame » !

Il sort à droite. Coassement off *appuyé d'une grenouille tout proche. Schumacher referme les yeux et baisse la tête.*

308 = fin 302. *Marceau vient s'asseoir sur un banc au premier plan gauche. Schumacher quitte son arbre en se tamponnant les yeux avec son mouchoir.*

SCHUMACHER *(debout à côté de Marceau)* : Qu'est-ce que tu vas faire ? *(Chant* off *d'une grenouille.)*

MARCEAU *(sans enthousiasme)* : Bah ! J'vais r'tourner dans ma p'tite cabane *(Schumacher s'assied à côté de lui, LÉGER RECADRAGE HAUT-BAS)*, j'vais me r'mettre au travail...

DÉBUT D'UN TRAVELLING ENVELOPPANT les deux hommes par la droite, serrés genou.

SCHUMACHER *(se penchant vers lui)* : Ton braconnage ?

MARCEAU : Ben, oui ! *(Penché vers lui.)* Puis, après tout, qu'est-c'qu'ça peut t'foutre ? Hein ? *(Justifiant.)* Maintenant qu'i t'ont j'té dehors ?

Schumacher renifle toujours. La silhouette du château reparaît à l'arrière-plan À LA FAVEUR DU TRAVELLING. *Les deux hommes sont maintenant serrés taille, côte à côte.*

MARCEAU *(enchaînant, sourire aux lèvres)* : Et puis t'as bien dû leur en faire sauter quelques-uns *(insinuant)*, des faisans *(Schumacher hausse les épaules)*, hein ? *(Il le pousse du coude en insistant.)* Des lapins ?

Schumacher soupire. On n'entend plus de bruits de la nuit. FIN DU MOUVEMENT TOURNANT À 90° DROITE : *Schumacher au premier plan face à nous, Marceau penché sur lui.*

MARCEAU *(soudain sérieux)* : Et pis, j'ai mon idée *(devenant mystérieux)* : j'vais prendre une patente de marchand d'gibier ! *(S'échauffant progressivement.)* Un gendarme m'arrête : « Qu'est-ce que t'as là-dedans ? – Dans mon panier ? Dix lapins... *(martelant de la main)* de garenne, et je suis *(nouveau geste)* patenté *(nouveau geste)*, et j'vais les vendre, et *(bras d'honneur)* au r'voir, monsieur ! » *(Fouillant dans sa poche, radouci.)* Tiens, tu veux une cigarette ?

Schumacher en prend une en reniflant, le regard vague.

MARCEAU *(s'en collant une au bec)* : Et toi, mm, qu'est-ce qu'tu vas faire ?

SCHUMACHER *(jetant un œil à Marceau)* : Oh, moi, j'vais rester dans les environs. C'est à cause de ma femme, tu comprends ? *(Marceau a sorti une boîte d'allumettes.)* J'veux la leur reprendre...

PARC DU CHÂTEAU DE LA COLINIÈRE, SUR LA PASSERELLE, EXTÉRIEUR NUIT[1]

309. *Octave, trois quarts dos à nous, serré cuisse, s'appuie à la rambarde. Dans la nuit, au-dessus des*

---

1. Scène entièrement sacrifiée par Renoir dès le montage.

eaux, on distingue en arrière-plan la courtine bordant le canal et l'angle du château.

CHRISTINE *(voix* off *venant de gauche)* : Octave ! *(Christine entre, profil à nous, et se penche sur Octave, essoufflée.)* Qu'est-ce que tu fais ?

OCTAVE *(sans se retourner, la tête penchée sur l'eau)* : J'crache dans l'eau ! *(Se dandinant, amer.)* C'est la seule chose que j'sois capable de faire, dans la vie !

CHRISTINE *(le retournant vers elle)* : Mais enfin, qu'est-ce que tu as ?

OCTAVE *(se rappuyant à la rambarde face à nous, faussement bonhomme)* : Oh, rien. *(Dans son plastron.)* Simplement, c'est pas très agréable de s'apercevoir, une fois d'plus, qu'on est un raté, un inutile *(explosant d'un faux rire)*, un « parasite » !

CHRISTINE *(protestant)* : Oh, « un parasite », c'est trop !

ON RESSERRE LENTEMENT SUR EUX EN TRAVELLING AVANT.

OCTAVE *(reprenant sa confession, faussement débonnaire, les yeux dans les yeux)* : Si j'avais pas *(coassements)* quelques amis qui m'supportent, eh ben, j'crèverais d'faim !

CHRISTINE *(embarrassée)* : Oooh ! *(FIN DU TRAVELLING AVANT, tous deux serrés poitrine, face à face.)*

OCTAVE *(la retenant)* : Et pourtant, hein, tu l'sais *(penché sur elle)*, quand j'étais jeune, moi aussi j'ai cru... qu'j'aurais p't-être mon mot à dire ! *(Soupir amer.)* Ah !... *(S'expliquant.)* Le contact avec le public *(s'échauffant)*, tu vois, c'est... *(sûr de lui)* c'est c'truc-là qu'j'aurais voulu connaître ! *(Grimaçant d'enthousiasme.)* Ça... ça doit être... *(cherchant le mot juste)* ça doit être bouleversant, hein ! *(Le visage à nouveau défait.)* Quand... quand j'pense que j'suis passé à côté *(songeur)*, ben... *(grave)* ça m'fait quelqu'chose ! *(Se ravisant aussitôt.)* Alors j'essaie de... *(sourire et moulinets de la main)* de m'bourrer l'crâne, de... *(petit rire)* m'figurer qu'c'est arrivé ! *(Ironique.)* Mais pour ça, faut qu'j'aie bu un p'tit coup, hein ? *(Christine essaie de rire. Octave montre la direction de la terrasse, l'air détaché.)* T'sais, là-bas, sur le perron, tout à l'heure, hein, j'ai ben cru qu'c'était arrivé ! *(Hochement de tête.)* Oh ! là, là !

(De nouveau songeur.) Seulement après ça, ben... on dégringole... *(moue bonasse)* et puis y a un p'tit moment embêtant à passer... *(Rassurant.)* On s'y fait, hein...

Christine se serre contre lui. Coassement off. *Octave lève la tête vers le ciel.*

OCTAVE *(détournant la conversation)* : Ah ! là, là... Quelle belle nuit, hein ? *(Christine le serre de plus près. Il tend le doigt vers le ciel.)* Tiens, regarde la... la lune, hein ?

CHRISTINE *(câline)* : Tu as pas froid ?

OCTAVE *(les yeux toujours au ciel)* : Non, non, j'ai pas froid. *(La regardant brusquement avec tendresse.)* Et toi, t'as froid ?

CHRISTINE *(secouant la tête, dans un murmure)* : Non. *(Elle cherche ses yeux.)*

OCTAVE *(lui couvrant gauchement la tête)* : Mets ton capuchon.

Rire de Christine. Ils sortent par la droite. Bruit de leurs pas. Chant d'une grenouille.

PARC DU CHÂTEAU DE LA COLINIÈRE, RIVE AU PIED DE LA PASSERELLE, EXTÉRIEUR NUIT

310. *Plan de demi-ensemble : Octave, les mains dans les poches, parvient au bas de la passerelle, se retourne sur Christine et la laisse le devancer. Elle sort à droite, son capuchon rabattu sur la tête, suivie d'Octave.* RAPIDE PANO-TRAVELLING À 90° DROITE-GAUCHE RECADRANT *en plan poitrine Marceau et Schumacher qui ont vu passer le couple. Nombreux coassements et bruits de nuit jusqu'à la fin du plan.*

SCHUMACHER *(dans un souffle)* : C'est Lisette !

MARCEAU *(stupéfait)* : Avec Octave ? Oh, l'salaud ! *(Scrutant les ténèbres droit devant lui.)* T'es sûr que c'est elle ?

SCHUMACHER *(les yeux ronds)* : Oui : elle a son capuchon *(entre ses dents)*, l'capuchon que j'lui ai donné...

Il se faufile par la droite. Marceau reste un instant aux aguets, puis sort à sa suite.

PARC DU CHÂTEAU DE LA COLINIÈRE, ABORDS DE LA SERRE[1], EXTÉRIEUR NUIT

311. *Coassement* off. *TRAVELLING LATÉRAL GAUCHE-DROITE SUIVANT Octave et Christine qui passent devant nous au milieu des buissons, serrés cuisse. Octave arrache machinalement des brindilles tout en marchant. Parvenue devant la serre, Christine s'arrête dos à nous. FIN DU TRAVELLING, tous deux cadrés en pied depuis les buissons en amorce, Octave trois quarts face, Christine dos à nous, encapuchonnée.*

CHRISTINE *(voix tremblante)* : J'ai froid !

OCTAVE *(se retournant sur elle et lui prenant les mains)* : Eh bien, rentrons ? *(Il jette un regard en direction du château.)*

CHRISTINE *(décidée)* : Non, pas au château. *(Nerveuse.)* Jamais plus au château !

OCTAVE *(gauchement)* : Alors, euh... *(montrant la serre)* ici, dans la p'tite serre ? *(Léger coassement* off.*)*

CHRISTINE : Oui.

Octave lui passe le bras autour des épaules, ouvre la porte vitrée de la serre, allume la lumière. Ils entrent. Au moment où Octave referme la porte, Schumacher pénètre dans le champ par le bord cadre gauche, à pas feutrés, suivi de Marceau. Tous deux s'immobilisent au premier plan, dos à nous (on fait le point sur eux, la serre et ses occupants deviennent flous) : ils épient le couple dans la serre[2]. Nombreux bruits nocturnes off.

MARCEAU *(regardant Schumacher, à voix basse)* :

---

1. Après avoir songé à situer le quiproquo dans les écuries du vrai château, Renoir a finalement opté pour une serre qu'il fit construire en studio avec sa végétation environnante. Cette scène fut une des dernières tournées, mais son contenu était déjà arrêté pour raccorder avec les scènes de nuit tournées plusieurs semaines auparavant au château de La Ferté-Saint-Aubin. **2.** Renoir nous ayant habitués à ce que, dans les plans jouant de la profondeur de champ, les personnages soient nets de l'avant-plan à l'arrière-plan, et cette scène ne posant pas de problèmes d'éclairage rédhibitoires puisqu'elle est tournée en studio, le flou apparaît ici comme un effet délibéré qui souligne visuellement le quiproquo.

Qu'est-ce qu'ils disent ? *(Octave, dans la serre, semble faire de grands gestes.)*

SCHUMACHER *(dans un souffle)* : Je ne sais pas, j'entends rien.

MARCEAU : T'as pas ton revolver ? *(Sans attendre.)* Fous-y-en un coup.

SCHUMACHER *(se retournant vers Marceau, nerveux)* : Y a plus d'balles *(toujours à voix basse)* : j'ai tout tiré sur toi !

MARCEAU *(lui prenant les mains, apitoyé)* : Mon pauv' vieux...

PARC DU CHÂTEAU DE LA COLINIÈRE, DANS LA SERRE, INTÉRIEUR NUIT

312. *Christine et Octave, profil à nous, serrés aux épaules. Des fleurs au premier plan en amorce. Derrière eux, des massifs d'hortensias.*

CHRISTINE *(répliquant à Octave)* : ... Mais mon pauvre père n'était pas comme ça ! Et lui aussi était un « héros », un héros dans son genre[1] !

OCTAVE *(maintenant trois quarts dos à nous)* : Oui, mais quand tu penses à ton père, eh bien t'es injuste avec les autres hommes.

CHRISTINE *(dévisageant Octave, puis se récriant doucement)* : Mais non ! Toi, par exemple *(Octave se détourne)*, tu es un type très bien !

OCTAVE *(maugréant, les yeux au sol)* : Moi, j'suis un raté.

CHRISTINE *(dénégation de la tête)* : Non : tu n'es pas un raté ! *(Octave épluche une fleur.)* Tu as seulement besoin

1. La réplique de Christine ne peut se comprendre que par référence aux propos que lui avait tenus Octave à deux reprises sur la terrasse du château (plans 273 et 295). Le couple semble avoir repris dans la serre leur conversation sur André interrompue par la promenade dans le parc. En fait, l'hiatus marque le résidu d'une longue discussion que Renoir avait écrite (et envisagé de placer au château pendant que, dans l'autre pièce, Robert et André s'expliquaient) et où Octave prenait la défense devant Christine de son ami André. La précision a ici son importance puisque, dans un instant, le couple va trahir ce dernier. À noter que la fin du plan 312, contenant le baiser de Christine et Octave, fut coupée après la sortie du film en juillet 1939.

qu'on s'occupe de toi. *(Attentionnée.)* Je vais m'occuper de toi.

OCTAVE *(ronchonnant)* : Il est trop tard. *(Tout à sa fleur.)* J'suis plus assez jeune !

CHRISTINE *(sourire tendre)* : Idiot... *(Un temps.)* Tu sais... *(se décidant, dans un souffle)* c'est toi que j'aime ! *(Octave se retourne lentement vers elle. Elle fouille son regard, retenant son souffle.)* Et toi... *(imperceptiblement)* tu m'aimes ?

OCTAVE *(grave, hochant la tête)* : Oui, Christine, je t'aime. *(Il lui serre le bras.)*

CHRISTINE : Alors... embrasse-moi.

Octave lui pose délicatement un baiser sur la joue.

CHRISTINE *(les yeux fermés)* : Non : sur la bouche, comme un amoureux !

Octave l'incline dans ses bras et l'embrasse. Elle se dégage brusquement.

PARC DU CHÂTEAU DE LA COLINIÈRE, ABORDS DE LA SERRE, EXTÉRIEUR NUIT

313. *Schumacher et Marceau (penché à côté de lui), tous deux trois quarts face et serrés poitrine, ont tout vu.*

SCHUMACHER *(tendant la main, malheureux)* : Lisette...

MARCEAU *(en écho)* : Lisette... *(Forts bruits* off *de la nuit.)*

SCHUMACHER *(le regard perdu, dans un souffle)* : J'vais les descendre tous les deux !

MARCEAU *(levant les yeux vers Schumacher, implorant)* : Oh non, pas elle...

SCHUMACHER *(même jeu)* : Ah si, si ! Tous les deux !

BREF TRAVELLING ARRIÈRE LES RECADRANT de biais, serrés aux genoux.

SCHUMACHER *(regardant toujours vers la serre dont la lumière lui illumine le visage)* : Ah, j'vais chercher mon fusil.

Il fait deux pas vers la droite (BREF MOUVEMENT D'ACCOMPAGNEMENT).

MARCEAU *(derrière lui, piteux)* : J'te jure, pas elle !
Schumacher le fusille du regard, il baisse les yeux.
SCHUMACHER *(impérieux, dans un murmure)* : Viens avec moi.

REPRISE DU TRAVELLING À DROITE : les deux hommes se faufilent entre les buissons qui passent au premier plan. NOUVEL ARRÊT DU TRAVELLING : Schumacher, serré taille, écarte une branche et regarde en direction de la serre à l'arrière-plan.

MARCEAU *(en amorce gauche, chuchotant dans son dos)* : Tu crois pas qu'il vaudrait mieux que j'reste là, pour les surveiller ?

SCHUMACHER *(dans ses pensées)* : Non. *(Penché sur Marceau.)* Maintenant, on ne se quitte plus.

REPRISE DU TRAVELLING À DROITE : les deux hommes achèvent le contournement de la serre et sortent à droite. Les buissons défilent à l'avant-plan. LA CAMÉRA ÉMERGE DES BUISSONS ET BIFURQUE SUR LA GAUCHE POUR CADRER *la façade de la serre de biais, en plan moyen. À l'intérieur, Octave explique avec de grands gestes quelque chose à Christine (qui est dos à nous).* NOUVEL ARRÊT DU TRAVELLING. *Octave ouvre la porte de la serre, embrasse Christine sur le visage, lui rajuste son capuchon et sort à reculons en lui baisant la main (*LÉGER RECADRAGE*).*

OCTAVE *(empressé, à voix basse)* : J'crois qu'y a un train à Lamotte-Beuvron à trois heures du matin[1] ! *(Tenant toujours la main de Christine restée dans la serre.)* On va essayer d'l'avoir ! *(Fiévreux.)* Alors, je r'viens tout d'suite, avec ton manteau ! *(Il lui embrasse les mains[2].)*

PANORAMIQUE À GAUCHE : Octave s'éloigne en courant joyeusement, adresse à Christine un salut de la main, et disparaît par le sentier.

---

1. Lamotte-Beuvron se trouve, dans la réalité, à une quinzaine de kilomètres au sud de La Ferté-Saint-Aubin, sur la ligne Limoges-Paris. On se rappelle que, quelques instants plus tôt, la cloche de la chapelle sonnait 2 heures du matin. Le plan de fuite est vraisemblable. **2.** Ce jeu de scène (baisers et réplique d'Octave) fut supprimé après la sortie du film (voir note 1, p. 253).

CHÂTEAU DE LA COLINIÈRE, GRAND SALON, INTÉRIEUR NUIT

314. *Plan de demi-ensemble de toutes les pièces en enfilade et illuminées, cadrées en légère contre-plongée depuis le grand salon. En amorce gauche, un paravent, une chaise et un secrétaire ; sur la droite, une des colonnes du grand salon. André et Robert (toujours en habit de soirée) ont pénétré dans la pièce, venant du petit salon d'où les observe Lisette*[1]*. Les deux hommes remontent lentement vers nous en devisant.*

ANDRÉ *(cigarette aux lèvres, impatient, à Robert)* : Mais où est passée Christine ? Je commence à être inquiet.

ROBERT *(jouant avec la flamme de son briquet)* : Oh, vous n'avez rien à craindre, elle est avec Octave. Vous pouvez avoir confiance en lui. Après tout, c'est à lui que vous la devez ! *(On aperçoit en profondeur de champ dans le hall Corneille et Paul qui pénètrent dans l'armurerie.)* Oh, je ne lui en veux pas. *(Il claque le couvercle de son briquet.)*

ANDRÉ *(bifurquant légèrement vers notre droite)* : Oui, c'est un brave type *(les lumières de l'armurerie s'éteignent)*, un très, très brave type.

Robert et André se sont arrêtés, cadrés genou, et se regardent. Derrière eux, Lisette les observe toujours depuis le petit salon, tandis que Corneille et Paul gagnent la salle à manger (bruit de leurs pas).

ROBERT *(acquiesçant, à André)* : Mm, mm... je sais. Je ne crois plus à grand-chose, vous savez, mais j'ai l'impression que je vais commencer à croire *(il rallume son briquet)* à l'amitié. *(Il sort vers la droite en protégeant sa flamme.)*

ANDRÉ *(opinant en tirant une bouffée)* : Oui.

Les lumières de la salle à manger s'éteignent à leur tour, découpant la silhouette de Lisette sur le fond noir.

---

1. André et Robert auront mis quelque huit minutes à venir de la salle à manger où on les avait laissés au plan 293 jusqu'au grand salon – quand une vingtaine de secondes suffiront à Octave pour traverser le parc en direction du château.

ANDRÉ *(sortant à la suite de Robert)* : Mais Octave *(Octave apparaît à gauche dans le hall à la seconde même où André sort à droite, désormais* off*)* est tout à fait exceptionnel[1].

Dans le hall, Octave, marchant sur la pointe des pieds, a repéré Lisette qui, dans le petit salon, se préparait à suivre André et Robert. Il l'appelle en claquant des doigts.

OCTAVE *(à mi-voix)* : Lisette !

Lisette, surprise, se fige, puis se retourne vers Octave qui lui fait signe de le rejoindre dans le hall. Elle y court.

CHÂTEAU DE LA COLINIÈRE, HALL ET CORRIDOR, INTÉRIEUR NUIT

315. *Plan de demi-ensemble du hall pris de biais depuis le corridor. Sur la cloison de gauche, le cerf de marbre. Raccord dans le mouvement de Lisette qui sort du petit salon et court rejoindre Octave.*

LISETTE *(toute joyeuse, à Octave qui l'a prise par la taille)* : Et alors ? Et Madame ? *(Ils avancent tous deux vers nous : LÉGER RECADRAGE À DROITE.)*

OCTAVE *(mystérieux)* : Va m'chercher son manteau.

LISETTE *(se figeant)* : Hein ? *(FIN DU RECADRAGE.)*

OCTAVE *(insistant d'un geste)* : Va m'chercher son manteau !

LISETTE *(comprenant, le visage réprobateur)* : Bien, monsieur Octave. *(Elle sort par la gauche[2].)*

---

1. La célèbre photographie de plateau, inlassablement reproduite et qui montre dans la même image André face à Robert et, à l'arrière-plan, Lisette face à Octave, fausse la réalité du plan visible ici car Octave n'apparaît dans le champ qu'au moment précis où André en sort. Ce cliché, pris pour vanter la profondeur de champ (dont Renoir lui-même avait fait un argument promotionnel en diffusant la photo dans la grande presse dès avant la sortie du film), trahit l'époustouflant dispositif de mise en scène qui repose à la fois sur les déplacements des personnages, sur l'extinction progressive des lumières et l'allumage du briquet, sur l'étagement des sons et la course même du dialogue, tous éléments réglés à la seconde près et les uns en fonction des autres.

2. La suite du passage (jusqu'au plan 320) fut coupée après la sortie du film, rendant incompréhensible alors le projet de fuite d'Octave et le retournement de situation qui va se produire.

Octave pouffe et reprend sa marche d'un pas alerte vers le corridor, passant devant nous serré poitrine (PANO FILÉ À 90° GAUCHE-DROITE). Dans le corridor, il s'arrête (cadré cheville) devant l'alcôve contenant le vestiaire dont il allume la lumière, à la recherche de son chapeau. Sur la cloison séparant le vestiaire du hall, en amorce gauche au-dessus d'un guéridon encombré de couvre-chefs, un grand miroir.

OCTAVE *(pestant)* : Ça y est : y en a un qu'a étouffé[1] mon chapeau ! *(Il fait un pas vers le guéridon.)* Malin, c'truc-là ! *(Son reflet apparaît dans la glace.)*

Il jette un chapeau par terre et revient au vestiaire dont il extrait son manteau en envoyant promener un second chapeau. Lisette rentre par la gauche, dos à nous, portant le manteau de fourrure de Christine, s'adosse au guéridon et, muette, regarde Octave enfiler son manteau. La silhouette massive d'Octave s'agite dans la glace.

316. *Contrechamp en contreplongée. En amorce droite, dos à nous, Octave passe ses manches devant Lisette dont le profil se reflète dans la glace. Derrière eux deux (serrés taille), on aperçoit encore sur le mur du hall le cerf blanc en majesté.*

LISETTE *(désapprouvant avec tristesse)* : Vous avez tort, monsieur Octave !

OCTAVE *(dans son col)* : Pourquoi « tort » ?

LISETTE *(lui faisant la leçon)* : Parce que quand c'est pour s'amuser comme ça, ça n'a pas d'importance, mais... *(elle le regarde)* pour vivre ensemble tous les deux !... *(Octave agite mollement les chapeaux sur le guéridon.)* Moi, j'crois qu'il faut laisser les jeunes avec les jeunes, et les vieux avec les vieux !

OCTAVE *(se retournant vers le vestiaire hors champ)* : Oui, bon... ben... t'as trouvé mon chapeau, en attendant ? *(Il fait un tour complet sur lui-même.)*

LISETTE *(poursuivant sa litanie)* : Et puis vous n'avez pas d'argent ! *(Octave, faisant la sourde oreille, a vu quelque chose à terre et sort le chercher sur la gauche :*

---

1. Étouffer : vieille expression argotique qui se dit plutôt d'un ivrogne faisant « disparaître » une bouteille, c'est-à-dire en la buvant jusqu'à la dernière goutte.

son reflet apparaît dans le miroir.) Une femme comme Madame *(le reflet d'Octave ramasse son chapeau sous une fenêtre)*, ça a besoin de beaucoup de choses *(Lisette l'observe du guéridon)*, et si vous n'avez pas d'argent, comment f'rez-vous ? *(Le reflet d'Octave s'est relevé, défroissant son chapeau.)*

OCTAVE *(reflet dans la glace montrant le chapeau à Lisette)* : Tiens, r'garde-moi ça : ils ont marché dessus ! *(Il rentre par la gauche, de profil, son reflet exactement face à nous.)* Il a une touche, maintenant ! *(Il frotte énergiquement la coiffe du revers de sa manche. TRÈS LÉGER RECENTRAGE À GAUCHE.)*

LISETTE *(toujours adossée, les yeux baissés)* : Moi, j'vous dis c'que j'pense : eh ben vous faites une bêtise. *(Octave frotte moins fort.)* Madame sera pas heureuse avec vous !

Octave ne frotte plus, mais relève lentement la tête vers la glace dans laquelle il se jette un regard en dessous. Silence.

LISETTE *(levant les yeux sur Octave dont elle masque partiellement le visage dans la glace)* : Alors, vous m'emmenez avec vous ?

OCTAVE *(frottant machinalement son chapeau, d'une voix sourde)* : Bien sûr, Lisette, tu nous r'joindras...

ANDRÉ *(voix impérieuse venant* off *de la gauche)* : Où est Christine ?

PANO FILÉ À 45° GAUCHE, RECADRANT en plan de demi-ensemble André, debout dans le corridor en fond de hall, l'air sévère, les mains dans les poches de son smoking.

317. *Contrechamp sur le corridor où Octave, cadré cheville, profil à nous, scrute le miroir, immobile. Il se retourne, décomposé. Lisette se penche derrière Octave.*

OCTAVE *(assurance blême)* : Elle t'attend. *(Lisette jette un regard vers Octave.)*

ANDRÉ *(toujours* off, *interdit)* : Elle m'attend ? *(Il entre en amorce gauche, dos à nous. LÉGER RECENTRAGE À GAUCHE.)*

OCTAVE *(mécaniquement)* : Oui, oui, elle t'attend. *(S'ébrouant.)* Elle t'attend... *(geste de la main)* dans la p'tite serre *(s'échauffant)*, d'l'autre côté du pont ! *(Arra-*

chant des mains de Lisette le manteau de fourrure.) Faut qu'tu lui portes ça ! *(Il fourre le manteau dans les mains d'André.* PANO À GAUCHE LES SERRANT *à la taille. Octave pousse André dans le hall en insistant.)* Grouille-toi, dans la p'tite serre *(ils sont au pied de l'escalier, cadrés cheville dos à nous)*, d'l'autre côté du pont ! *(Se débarrassant en hâte de son manteau, il rappelle André.)* Hé ! Hé ! *(André se retourne,* FIN DU PANO.*)* Faut pas qu'tu prennes froid !

Il lui passe son manteau et l'aide à l'enfiler.

ANDRÉ *(s'habillant, touché)* : Oh, j'te remercie ! *(Il s'immobilise, heureux.)* Oh, faut qu'j't'embrasse ! *(Deux baisers sonores sur les joues.)*

Il part en courant, achevant de s'habiller dans sa course, et disparaît par la porte restée ouverte sur la nuit[1]*. Au même moment, Octave jette son chapeau par terre et Robert entre dans le champ par la gauche, faisant danser dans sa main son briquet. Robert se baisse et rend son chapeau à Octave.*

ROBERT *(de profil, à Octave)* : Tu l'aimes aussi, toi ? *(Tous deux se retournent face à nous.)*

OCTAVE *(hochant la tête, pensif)* : Ouais.

318. *Plan de coupe sur Lisette restée près du miroir, serrée poitrine, trois quarts face. Elle a peine à retenir ses larmes.*

319. *Contrechamp sur Robert et Octave de profil, serrés poitrine.*

ROBERT *(se retournant durement vers Lisette)* : Ah ! j'vous en prie, Lisette, est-ce que je pleure, moi ?

---

1. L'envoi par Octave de son ami au rendez-vous et, malgré lui, à la mort est inspiré, on le sait, du quiproquo tragique coûtant la vie à Coelio dans *Les Caprices de Marianne* (1833), la pièce de Musset dont Renoir avait tiré une des premières ébauches de son scénario. Chez Musset, Marianne a demandé à Octave de lui trouver un amant, quel qu'il soit. Octave, croyant bien faire, envoie au rendez-vous son ami Coelio, amoureux transi rabroué par la jeune femme, et lui confie comme signe de reconnaissance l'écharpe de celle-ci. Le malheureux tombera sous les coups imprévus du mari de Marianne et de ses sbires prévenus du rendez-vous. Octave, arrivant trop tard sur les lieux du crime, n'aura pas le temps de détromper Coelio, mort en croyant à un piège tendu par son ami. On appréciera ce qu'il reste dans le film de Renoir de la situation imaginée par le dramaturge.

Il se détourne. Octave lève en direction de Lisette un visage baigné de larmes. Les deux hommes s'esquivent par la gauche. On entend Lisette sangloter.

CHÂTEAU DE LA COLINIÈRE, PETIT SALON, INTÉRIEUR NUIT

320. *Plan de demi-ensemble du hall vu depuis le seuil, à l'extrémité droite du petit salon (le battant de la porte vitrée en amorce gauche). Robert et Octave marchent vers nous tristement. Derrière eux, le grand escalier de chêne plongé dans la pénombre.* *LÉGER RECENTRAGE À DROITE, INTÉGRANT Lisette qui s'avance dans le hall. Octave jette son chapeau sur une chaise. Les deux hommes franchissent le seuil, cadrés taille.*

ROBERT *(mâchoires serrées)* : Oh, je souffre, mon vieux... *(Grimaçant.)* Et j'ai horreur de ça !

Ils passent juste devant nous et sortent à gauche. Point sur Lisette qui les suit en serrant son mouchoir.

PARC DU CHÂTEAU DE LA COLINIÈRE, ABORDS DE LA SERRE, EXTÉRIEUR NUIT

321. *Plan rapproché de la façade de la serre illuminée. On distingue, collée à la vitre, la silhouette de Christine encapuchonnée qui regarde dehors*[1]. *La nuit résonne de mille bruits divers.* *LENT PANORAMIQUE À 45° DROITE RESSERRANT ENSUITE EN TRAVELLING*

---

1. Malgré la nuit, le capuchon et le mouvement d'appareil, on peut fugitivement remarquer que ce n'est pas Nora Gregor qui regarde à la vitre de la serre, mais une doublure. Quelle que soit la raison qui la justifie, cette supercherie, anodine en d'autres circonstances, revêt ici un relief particulier étant donné le motif central de tout l'épisode, fondé sur le quiproquo.

Rétrospectivement, le procédé invite à regarder de près les trois autres plans où le visage de Christine est masqué par le capuchon (plans 311, 313 et 323) – mais dans aucun de ces trois-là le recours à la doublure n'est indiscutable.

AVANT les buissons environnants qui s'agitent et d'où émergent, à côté d'une vasque de marbre, Marceau et Schumacher, son fusil en main. ARRÊT DU TRAVELLING : les deux hommes, cadrés cuisse, regardent en direction de la serre.

MARCEAU *(souriant soudain, à voix basse)* : Elle est seule !

SCHUMACHER *(soulagé et rayonnant)* : Oh oui ! *(Baissant son fusil.)* Oh, j'vais lui parler !

MARCEAU *(enthousiaste)* : C'est ça, on va *(il s'avance)* lui parler !

SCHUMACHER *(le retenant à la boutonnière)* : Non, pas toi *(Marceau s'immobilise)* : moi ! *(Marceau le regarde, déçu.)*

Schumacher sort du buisson vers la gauche (BREF TRAVELLING ARRIÈRE).

MARCEAU *(le retenant par le bras, cri étouffé)* : Écoute !

Il se fige, les yeux effarés droit devant lui (FIN DU TRAVELLING), tirant en arrière Schumacher qui revient à sa position initiale et se saisit à nouveau de son fusil.

322. *Contrechamp : plan général des abords de la serre qui jette çà et là des plages de lumière. En amorce gauche, Schumacher, dos à nous, fusil en main. BREF PANO GAUCHE-DROITE SUIVANT André qui court vers la serre en en cherchant l'entrée.*

SCHUMACHER *(dans un souffle, croyant reconnaître Octave)* : C'est lui !

André a bifurqué dans notre direction, Schumacher épaule. André court vers nous, Schumacher tire, André s'effondre en pleine lumière.

323 = fin 321, *mais Marceau et Schumacher cadrés de biais. Schumacher abaisse son fusil.*

ANDRÉ *(brève plainte résonnant* off *dans la nuit)* : Christine !

Marceau lève les yeux vers Schumacher impassible, puis s'avance (PANO FILÉ À 120° GAUCHE) vers la serre d'où jaillit Christine, dos à nous : elle s'agenouille auprès d'André. Marceau se penche sur elle, voit son visage. Schumacher entre par la droite. Sans mot dire, Marceau prend ses jambes à son cou. Christine s'est redressée, et s'évanouit à la renverse dans les bras de Schumacher.

SCHUMACHER *(la reconnaissant)* : Oh ! Madame ! *(Il la dépose sur le sol.)* Madame !

PARC DU CHÂTEAU DE LA COLINIÈRE, VUE SUR LA PASSERELLE, EXTÉRIEUR NUIT

324. *Plan fixe de la passerelle, cadrée de biais depuis la rive du château, que Marceau traverse (gauche-droite) à toutes jambes, sa valise toujours à la main. Ses pas résonnent sur le tablier de bois.*

CHÂTEAU DE LA COLINIÈRE, GRAND SALON, INTÉRIEUR NUIT

325. *Plan général de l'extrémité du grand salon et de l'enfilade des pièces : au premier plan gauche, une colonne du grand salon ; à l'arrière-plan droit, la table du buffet (en amorce), et au-delà le petit salon éteint ; en profondeur de champ dans le hall illuminé, un domestique passe devant l'escalier. Jackie, en robe de chambre, pénètre en courant dans le grand salon qu'elle traverse en diagonale droite-gauche (PANO D'ACCOMPAGNEMENT À 90°) en direction de la scène du petit théâtre. Ses pas résonnent sur le parquet.*

JACKIE *(venant aux nouvelles)* : Vous n'avez pas entendu un coup de feu dans le parc ?

OCTAVE *(*off*)* : Dans le parc ?

JACKIE : Oui, dans le parc !

FIN DU PANORAMIQUE CADRANT en plan de demi-ensemble la scène, rideaux ouverts. Debout à gauche, Lisette ; au centre, assis sur les marches, Octave et Robert ; derrière eux, le limonaire. Jackie s'est arrêtée devant le groupe.

JACKIE *(essoufflée)* : J'étais dans ma chambre, et[1]...

Des bruits de pas précipités, provenant à droite, de la terrasse, leur font tourner la tête vers la porte-fenêtre.

326. *Raccord sonore sur les pas : plan moyen de la porte-fenêtre entrouverte, dans l'axe de la terrasse[2]. Marceau pénètre en coup de vent dans la pièce et se fige* (LÉGER RECADRAGE DANS SON MOUVEMENT, LE SERRANT *à la taille). Il a le visage défait.*

327. *Contrechamp subjectif : plan moyen de la scène prise depuis la coulisse côté cour. Jackie et Lisette regardent en direction de Marceau, Robert et Octave se retournent vers lui[3]. Jackie traverse précipitamment la scène* (RAPIDE TRAVELLING ARRIÈRE SINUEUX D'ACCOMPAGNEMENT) *en direction de Marceau qui reparaît à droite, de trois quarts dos, tous deux serrés ceinture. Derrière Jackie, de biais, la silhouette du limonaire.*

JACKIE *(serrant Marceau aux bras)* : C'est André, n'est-ce pas ?

MARCEAU *(ôtant sa casquette, des larmes dans la voix)* : Oui, mademoiselle Jackie.

Elle sort à droite, remplacée par Robert.

ROBERT *(très inquiet)* : Et Madame ?

MARCEAU *(balbutiant)* : M'sieur l'marquis, madame la marquise n'a rien.

ROBERT *(lui serrant l'épaule)* : Oh ! Merci, mon ami !

Il sort à droite, remplacé par Octave.

OCTAVE *(hochant la tête, le visage fermé)* : Il est mort, hein ?

---

1. La réplique de Jackie est en légère contravention, guère perceptible, il est vrai, avec la vraisemblance des lieux : étant donné la localisation de sa chambre, il est rigoureusement impossible que la jeune femme ait entendu quoi que ce soit de ce qui se passait du côté de la serre. **2.** Voici la seconde utilisation (prolongée au plan 328) du décor mobile ouvert sur la terrasse du vrai château, dont le dispositif a été expliqué note 2, p. 223. Renoir l'a réservée pour cette autre scène clé au cours de laquelle Octave, franchissant une seconde fois la porte-fenêtre et s'éloignant sur la terrasse plongée dans la nuit, va pleurer la disparition de son ami et d'une part de lui-même. **3.** Léger faux raccord dans le mouvement des têtes qui redouble celui de la fin du plan 325.

328 = 326, *mais Marceau serré aux épaules, Octave en amorce gauche dos à nous.*

MARCEAU *(articulant sans voix)* : Oui.

Octave passe devant lui et franchit la porte-fenêtre. *LÉGER RECADRAGE À DROITE dans l'axe de la terrasse qu'Octave descend d'un pas lourd. Marceau se retourne et court derrière lui. Les pas sonnent sur le dallage de pierre.*

MARCEAU : M'sieur Octave ? *(Lui expliquant.)* J'peux vous jurer qu'il a pas souffert. *(Octave marche toujours, sonné.)* Il a r'çu l'coup *(se frappant la poitrine)* comme ça, quand il... *(Octave s'arrête près de la balustrade.)* Il a boulé comme une bête *(penaud)* quand on est à la chasse... *(Portant la main à sa bouche en signe d'embarras.)*

CHÂTEAU DE LA COLINIÈRE, TERRASSE, EXTÉRIEUR NUIT

329. *Raccord dans le mouvement des deux hommes face à nous, serrés cuisse en forte contreplongée de derrière la balustrade. Derrière eux, la porte et la fenêtre du hall illuminé. Octave, tournant le dos à Marceau, s'est appuyé des deux paumes sur le parapet de pierre. Il se penche et expire lourdement. Marceau s'approche craintivement sans le quitter des yeux, et pose sa casquette sur la balustrade*[1].

MARCEAU *(achevant tristement, une main sur la balustrade)* : Il a tout juste appelé Madame, et puis hop, fini.

OCTAVE *(toujours penché, branlant la tête, la voix étranglée)* : C'est toi qu'as tiré ?

MARCEAU *(secouant la tête)* : Non. *(Précisant doucement.)* C'est Schumacher, mais j'étais d'accord avec lui.

LISETTE *(appel* off *venant de droite)* : Corneille, dépêchez-vous !

---

1. La suite du passage ainsi que la scène suivante (plan 330) furent coupées à la sortie du film, en juillet 1939.

OCTAVE *(se retournant vers Lisette)* : Lisette ! *(Elle entre à droite.)* Lisette... *(Il lui prend la main, elle lui fait face.)* Dis donc, Lisette *(d'une voix misérable)*, pourquoi tu m'as pas laissé aller là-bas ? *(Égaré.)* 'Pas, 'qu'tu veux qu'je d'vienne, moi, maintenant ?

LISETTE *(implorant)* : Laissez-moi, monsieur Octave *(montrant des yeux la direction de la serre, éperdue)*, Madame a besoin d'moi !

OCTAVE *(la serrant par la taille)* : Oui, écoute, tu vas... *(posant sa joue contre celle de Lisette)* tu vas bien l'embrasser, hein ? *(Il la serre plus fort.)* Tu vas bien l'embrasser *(le visage enfoui dans celui de Lisette)*, puis tu lui diras... que j'suis parti... Elle comprendra... Puis toi aussi, j'te dis adieu, Lisette. Voilà. *(Il l'embrasse sur la joue.)* Au revoir... au r'voir, Lisette *(baiser furtif, il se dégage)*.

LISETTE *(très émue)* : Au revoir, monsieur Octave. *(Il s'est détourné, elle retient sa main dans la sienne.)* J'vous aimais bien.

Octave s'esquive à droite en direction de la porte-fenêtre. Lisette le suit des yeux. On entend s'éloigner ses pas.

MARCEAU *(qui n'a pas bronché, les yeux toujours baissés)* : Au revoir, Lisette.

*Lisette fait un pas vers lui (*BREF RECENTRAGE À GAUCHE*).*

LISETTE *(doucement inclinée sur Marceau)* : Toi aussi, j't'aimais bien !

Elle prend Marceau aux épaules et l'embrasse tendrement au coin des lèvres. Il lui rend son baiser. Les pas de Corneille se font entendre sur la droite.

LISETTE *(se redressant, à l'adresse de Corneille)* : Vite, Corneille ! *(Elle file vers les globes de pierre.* BREF PANO À GAUCHE D'ACCOMPAGNEMENT.*)* On a besoin d'nous ! *(Elle bifurque autour du premier globe, cadrée cheville.)*

CORNEILLE *(d'abord* off*)* : Oui. Dites-moi *(il entre par la droite)* : c'est près de la petite serre, n'est-ce pas ? *(*FIN DU PANORAMIQUE*, la terrasse cadrée de biais.)*

LISETTE *(dévalant les marches)* : Oui, oui.

Ils sortent par le bord cadre gauche. Bruit off *de leurs pas précipités, auxquels succèdent, venant de droite, ceux plus lourds d'Octave qui ressort du salon. Marceau est reparu entre les deux globes de pierre, rajustant sa casquette. Il regarde dans la direction de Lisette. Octave, vêtu de sa gabardine, a rejoint Marceau. D'un même mouvement, ils descendent les marches dans la direction opposée à Lisette.* BRÈVE REPRISE DU PANORAMIQUE À GAUCHE LES SUIVANT *qui s'éloignent, dos à nous. Des rumeurs de voix se font entendre* off.

CHÂTEAU DE LA COLINIÈRE, COUR D'HONNEUR, EXTÉRIEUR NUIT[1]

330. *Raccord dans le mouvement d'Octave et de Marceau*[2]*. Plan d'ensemble du château dans le fond, cadré de biais, dont seules les lumières du hall sont allumées. Octave et Marceau viennent à nous (nette contreplongée).*

OCTAVE : Où qu'tu vas, toi ?

Les deux hommes s'immobilisent, cadrés ceinture. Marceau pose sa valise à terre. Octave, le visage ravagé, s'est replongé dans ses pensées.

MARCEAU *(enfilant son manteau)* : Dans les bois. *(Expli-*

1. La scène de séparation entre Octave et Marceau suppose en amont un mouvement d'horlogerie dramatique aussi infaillible que discret. Après ses adieux à Lisette, Octave se devait d'aller chercher à l'intérieur de quoi se couvrir les épaules (nous sommes en novembre), le temps que Marceau fît ses propres adieux à Lisette, puis qu'il pût, sans préméditation apparente, partir en sa compagnie. Or Octave a prêté son manteau à André dans les circonstances que l'on sait. C'était sans compter avec la prévoyance de Renoir qui a pris soin de faire arriver Octave au château muni de *deux* pardessus (plan 102), son manteau et sa gabardine. Quant au trajet emprunté pour quérir son vêtement au vestiaire, il aurait été plus logique qu'Octave passât par la porte du hall plutôt que de retraverser les salons. Un tel parcours présente néanmoins deux avantages : laissant plus de temps à Marceau et à Lisette d'achever leurs adieux intimes, il est surtout pour Octave le seul moyen vraisemblable et chargé de sens de ne pas passer par la porte où paraîtront tout à l'heure les membres d'une communauté dont il s'est désormais exclu, mais aussi de franchir une dernière fois, dans le hors-champ, la fausse porte-fenêtre des chimères de sa jeunesse.
2. La collure est un peu trop courte, car les deux hommes (qui à la seconde précédente atteignaient le bas des marches) sont désormais à une quinzaine de mètres du perron.

cation embarrassée.) J'vais tâcher d'bricoler un p'tit peu, par-ci, par-là...

À l'arrière-plan, des domestiques munis de lanternes sortent par la porte du hall. Leurs allées et venues, puis celles des invités en robe de chambre, dureront jusqu'à la fin du plan.

MARCEAU *(se tournant vers Octave)* : Et vous ?

OCTAVE *(sortant de sa rêverie)* : Oh, moi, j'vais aller à Paris !... J'vais... j'vais essayer de m'débrouiller... *(Nouvelle rêverie.)*

MARCEAU *(bouclant son manteau)* : Eh ben alors, on s'rencontrera p't-être bien... un jour, hein ? *(Il reprend sa valise.)*

OCTAVE *(distraitement)* : Ça m'épaterait[1]... *(Les yeux au sol, songeur.)* Enfin, on sait jamais, y a rien d'impossible... *(Changeant de ton.)* Alors, euh... *(Regardant Marceau.)* Ben alors, euh... *(il lui sourit)* alors, bonne chance !

Il lui tend la main.

RAPIDE TRAVELLING ARRIÈRE : les deux hommes se serrent la main.

MARCEAU *(souriant)* : Bonne chance !

Sur la dernière syllabe de Marceau s'élève off *une douce musique orchestrale, qui durera jusqu'à la fin du film*[2]*. ARRÊT DU TRAVELLING (les deux hommes cadrés en pied). Octave sort par la gauche, résolument. Marceau esquisse un pas vers la droite*[3]*.*

---

1. On peut percevoir ici faiblement le chant d'un coq qui, dans un instant, ponctuera de nouveau mais plus nettement le tout dernier mot d'Octave. Un tel effet, trop ténu pour ne pas être capté en son direct, est de ces superbes cadeaux offerts par la vie même au moment où Octave quitte définitivement le film. **2.** Il s'agit de l'intermède entre les actes I et II de l'opéra de Pierre-Alexandre Monsigny *Le Déserteur* (1769). C'est la seule fois du film (hors générique) que la musique n'est justifiée par aucune source. **3.** Tout, dans les trente-huit secondes que dure ce plan, indique que Renoir songea à en faire le dernier du film : son rythme, son lieu, le choix des deux personnages, le sujet et le ton de leur conversation, leurs gestes, le travelling arrière et l'ajout d'une musique ornementale. Dans ce cas, c'est sur la sortie d'Octave que se serait achevé *La Règle du jeu*. En faisant un autre choix, Renoir referme son film sur un double finale comme il l'avait commencé par une double ouverture.

PARC DU CHÂTEAU DE LA COLINIÈRE, SUR LA PASSERELLE, EXTÉRIEUR NUIT

331. *Continuité musicale. Plan de demi-ensemble de l'extrémité de la passerelle, prise dans l'axe et en légère plongée depuis la rive du château, et sur le tablier de laquelle la lune projette par la gauche l'ombre d'un arbre. Christine et Robert, dignes, suivis de Lisette soutenant Jackie (à gauche) et de Schumacher la mine basse (à droite), parviennent sur la passerelle, montant face à nous. Bruit des pas sur les planches de bois. Robert, qui tient sa femme par l'épaule, esquisse un mouvement vers Schumacher en tirant sa pochette dont il s'essuie furtivement les lèvres.*

ROBERT *(s'arrêtant)* : Schumacher ? *(À sa femme, tandis que Lisette et Jackie continuent par la gauche.)* Vous permettez ? *(Christine acquiesce. Schumacher s'est approché de son maître. BREF PANO À DROITE sur Schumacher et Robert qui s'avancent, SERRÉS PAR UN LENT TRAVELLING ARRIÈRE.)* Personne ne doit approcher de la petite serre !

SCHUMACHER : J'ai mis Pointard en faction, m'sieur l'marquis. *(On aperçoit à droite, trouant les arbres, la lumière de la serre. Un domestique est apparu sur la passerelle en arrière de Schumacher. Christine a repris sa marche, seule.)*

ROBERT *(remisant sa pochette, le regard braqué en direction du château)* : Alors, pour les formalités, les coups de téléphone et tout le reste, vous verrez avec Corneille.

SCHUMACHER : Bien, m'sieur l'marquis !

Robert sort à droite en pressant le pas. MOUVEMENT FILÉ À GAUCHE REPRENANT Lisette et Jackie, serrées poitrine.

JACKIE *(fléchissant sur ses jambes)* : Oh ! Je ne peux plus, je ne peux plus !

LISETTE *(la soutenant par le bras)* : Allons, allons, allons ! *(ARRÊT DU TRAVELLING ARRIÈRE.)* Du courage, mademoiselle Jackie ! *(La sermonnant gentiment.)* Voyons, une jeune fille comme vous, bien élevée, qui a d'l'éducation

(Christine, impassible, agrippe Jackie par l'autre bras et l'entraîne, ENCLENCHANT LA REPRISE DU TRAVELLING*),* mais faut qu'ça aye du courage !

CHRISTINE *(entre ses dents)* : Jackie *(droit devant elle),* on te regarde !

Toutes trois sortent par la gauche.

CHÂTEAU DE LA COLINIÈRE, PERRON[1], EXTÉRIEUR NUIT

332. *RAPIDE PANO-TRAVELLING ARRIÈRE QUITTANT Saint-Aubin, le général (serrés taille) et Berthelin (en retrait), tous trois en robe de chambre au pied de la terrasse, les yeux braqués vers leur droite,* POUR RECADRER À 45° DROITE *le perron face à nous. Du pied des marches, Saint-Aubin, le général et deux autres invités, dos à nous, regardent Robert gravir le perron et accueillir avec componction les trois femmes qui le rejoignent par la droite. Passant un bras autour de l'épaule de Christine, Robert les accompagne jusqu'à gauche de la porte fermée du hall. Schumacher, fusil à l'épaule, vient s'immobiliser à mi-hauteur, dos à nous. Ses bottes craquent sur les marches de pierre.*

---

1. Comme il l'avait fait lors de l'arrivée des invités au château, Renoir mêle, pour les cinq derniers plans de son film, des vues prises en extérieurs réels et d'autres reconstituées en studio – au risque de multiplier, à plusieurs semaines et deux cents kilomètres de distance, de légers faux raccords dont on ne trouvera pas ici la liste.

Un tel procédé peut se justifier d'un point de vue pratique : à deux reprises, la porte vitrée va s'ouvrir sur le hall de la Colinière qui n'a rien de commun avec celui de La Ferté-Saint-Aubin. Mais, en alternant systématiquement les deux espaces (les plans 332, 334 et 336 furent tournés en extérieurs, les plans 333 et 335 en studio), Renoir non seulement valorise le décor naturel auquel il confie le soin d'ouvrir et de refermer la dernière séquence (et, ainsi, le film entier), mais surtout obtient une de ces compositions symétriques dont il a le secret et qui constituent, sans aucun doute, une des clés esthétiques de *La Règle du jeu.*

S'étonnera-t-on que le plan central de cette composition (334) – dans lequel Robert, depuis le perron, entonne son discours d'adieu à l'assistance – soit l'exacte réplique, au centimètre de cadrage près, du fameux plan (277) où Octave avait dirigé, l'espace d'un instant, son orchestre imaginaire ?

333. *Raccord dans le mouvement : plan rapproché de Lisette, dos à nous, devant la porte fermée (légèrement de biais), tenant toujours par le bras Jackie qui tente de se retourner.*

LISETTE *(ouvrant la porte du hall, à Jackie)* : Allez, allez, allez !

Les deux femmes entrent par la porte que leur tient Adolphe. Christine et Robert apparaissent à leur tour sur la droite.

CHRISTINE *(dos à nous)* : Je vais m'occuper de cette petite.

ROBERT *(s'arrêtant à la porte)* : Oui, mais tâchez de dormir un peu, Christine *(Christine s'adosse contre le battant resté fermé)* : vous devez être brisée. Demain, nous avons les soucis du départ. *(Il lui baise les mains.)*

CHRISTINE *(épuisée)* : Bonsoir, Robert.

ROBERT *(confiant)* : Bonsoir, Christine.

CHRISTINE *(parcourant des yeux le groupe des invités restés hors champ, puis les saluant aimablement)* : Bonsoir, messieurs !

334. *Plan général (de face) du rez-de-chaussée du château, coupé de part et d'autre à mi-longueur de la balustrade. Au pied des marches, en demi-cercle, les invités sont une dizaine. Sur les marches, Schumacher n'a pas bronché. Au centre de l'image, au-delà des deux globes de pierre, Robert baise la main de sa femme.*

ROBERT *(à Christine, voix lointaine)* : Bonne nuit.

Il referme sur elle la porte du hall, puis s'avance face à l'assistance.

ROBERT : Messieurs, il s'agit d'un déplorable accident, et rien de plus. *(Jetant un regard à Schumacher.)* Mon garde Schumacher *(Schumacher gravit quatre marches)* a cru voir un braconnier, et il a tiré *(geste d'impuissance)* comme c'était son droit. *(Schumacher s'immobilise en contrebas de son maître.)* La fatalité a voulu qu'André Jurieux soit victime... de cette erreur.

335[1] **= 334**, *mais Robert serré à la poitrine, parcourant l'assistance du regard.*

---

1. Plan coupé à la sortie du film.

ROBERT *(enchaînant avec dignité)* : Messieurs, demain nous quitterons le château en pleurant cet ami exquis *(très ému)*, ce compagnon... de qualité qui avait su... si bien nous faire oublier qu'il était un homme célèbre. *(Changeant de ton.)* Et maintenant, mes chers amis *(esquissant un pudique mouvement d'épaule vers la porte du hall)*, il fait froid, vous risquez de prendre mal *(il gagne la porte, un bras levé)*, je me permets de vous conseiller de rentrer. *(À son approche, Adolphe ouvre l'un, puis l'autre battant. Robert se retourne une dernière fois sur fond de hall illuminé.)* Demain, nous rendrons nos devoirs à notre ami Jurieux...

Il écarte les bras en signe d'impuissance.

336 = début 332, *mais le général de trois quarts face, les mains dans les poches de sa robe de chambre, le regard levé en direction du perron. Saint-Aubin, son manteau jeté sur les épaules, un pansement au coin des lèvres, fait un pas vers le général. Berthelin et un autre invité s'esquivent vers le perron. On aperçoit au pied de la balustrade des ifs plantés en ligne dans des caissons.*

SAINT-AUBIN *(guettant le général tout en se frottant le poignet, insinuation perfide)* : Nouvelle définition du mot « accident » !... *(Les ombres des invités remontant les marches courent sur le mur du château.)*

LE GÉNÉRAL *(hochant la tête avec un rire malicieux)* : Non, non, non, non, non, non, non, non ! *(Rectifiant.)* Ce La Chesnaye n'manque pas de classe ! *(Ironique insinuation, les yeux dans les yeux.)* Et... ça d'vient rare, mon cher Saint-Aubin, croyez-moi *(lui tapotant de l'index son manteau)* : ça d'vient rare !

Il sort à droite, imité par Saint-Aubin.

Leurs ombres courent sur le mur par-delà les ifs.

La musique va crescendo. *Le mot* FIN *apparaît en surimpression.*

Fondu au noir.

Le mot FIN *disparaît.*

Fin de la musique.

PETIT DICTIONNAIRE DES PERSONNAGES

On trouvera ici la liste de trente-six personnages apparaissant dans La Règle du jeu *et ayant au moins une réplique significative. Le film comporte par ailleurs une importante figuration (foule des badauds au Bourget, chasseurs et rabatteurs en Sologne, trentaine d'invités à la fête de la Colinière).*

Les personnages, conformément à leur dénomination retenue dans le découpage, sont classés par leur prénom – à l'exception de Schumacher et, bien sûr, de ceux dépourvus de prénom voire de patronyme. Le numéro entre parenthèses qui clôt chaque article rappelle le plan où apparaît pour la première fois chaque personnage.

ADOLPHE. Maître d'hôtel des La Chesnaye. Rond et court, chargé du service à Paris et à la Colinière. S'y connaît dans le mécanisme d'un monte-plats. (46)

AMIE DE CHARLOTTE (L'). Appelée Juliette dans le scénario. Personnage effacé, dans le sillage de Charlotte et Dick. Aime les jeux de cartes. (97)

ANDRÉ (André Jurieux). Nouveau Lindbergh. Ami intime d'Octave et amoureux transi de Christine. Naïf, impulsif et sincère. N'est pas à son aise au château des La Chesnaye, malgré les efforts d'Octave dont il partage la chambre. Sait davantage jouer des poings que parler d'amour. Meurt, abattu comme un lapin, sans avoir rien compris. (4)

BERTHELIN. Silhouette discrète, tempérament vétilleux. Maîtrise aussi bien le maniement des fusils que celui du cor. Emporte toujours avec lui une lunette d'approche. Au château, a sa chambre particulière. Apparaît au spectacle de la Colinière en Tyrolien et en patriote, puis mène la danse macabre. Déréglera le limonaire en voulant l'arrêter. (96)

CAVA. Appelé Cavadarossa dans le scénario. D'origine italienne, comme le prouvent son accent et les idiotismes dont il parsème sa conversation. Sympathique matamore, grand amateur d'escrime, partage sa chambre avec Dick. Comme ce dernier, ne participe pas à la chasse, mais paraît sur la scène de la Colinière tantôt en Tyrolien, tantôt en patriote, tantôt en valet de la Mort. (96)

CÉLESTIN. Assiste le chef cuisinier. Écoute avec respect les recommandations maniaques de Mme La Bruyère, mais n'en pense pas moins. Préfère rater une salade de pommes de terre que de se brûler les pattes. (99)

CHARLOTTE (**Charlotte de La Plante**). Octave l'appelle, par antiphrase, la « p'tite Charlotte ». Complice de Dick avec lequel elle joue à la belote ou au ping-pong. Soucieuse du régime de Geneviève, a les idées aussi larges que sa silhouette – qui sauvera la vie à Marceau. Absente de la chasse, manifestera des dons de pianiste lors du spectacle de la Colinière. (95)

CHAUFFEUR DE MADAME (LE). Gros mangeur et peu bavard. Préfère aux asperges en conserve les cornichons au vinaigre. (70)

CHAUFFEUR DE MONSIEUR (LE). Appelé Gaston ou Bob dans le scénario, l'un de ses prénoms est le diminutif de celui dont il est le chauffeur attitré. Quand son maître se rend à la Colinière, voyage sur le siège arrière. Détient le record de Cannes-Paris en auto. Déteste le lapin de garenne et les juifs. (65)

CHEF CUISINIER (LE). Aussi haut que large. Ancien de chez le baron d'Épinay, gouverne les cuisines de la Colinière. Péremptoire et spirituel, respectueux de son métier. Sait, grâce à une salade de pommes de terre, reconnaître en son maître un véritable homme du monde. (111)

CHRISTINE (**Christine de La Chesnaye**). Née Stiller, fille du grand chef d'orchestre autrichien, élevée à Salzbourg au côté d'Octave avec lequel elle entretient une relation de fraternelle camaraderie. Mariée depuis trois ans au marquis de La Chesnaye. Conserve la nostalgie de sa jeunesse et de son pays dont elle a gardé un fort accent. Bonne épouse, bonne hôtesse, bonne maîtresse de maison, affable avec ses invités, attentive avec ses employés. De la classe et de l'esprit, élégante mais sans séduction. Ses « amabilités » pour André Jurieux avant son raid, innocentes à ses yeux, enclenchent le drame. Voit son univers basculer le jour où une malheureuse lunette d'approche lui fait comprendre que son mari a une liaison. Profitera de la fête à la Colinière pour tenter de se venger, contribuant à la confusion des esprits et des sentiments. (7)

CORNEILLE. Ancien de chez le comte de Vaudoy, majordome des La Chesnaye. Sombre comme l'oiseau dont il porte le nom. Imprime à la communauté des domestiques, sur laquelle il règne sans partage, une discipline toute militaire. Veille au confort de ses maîtres et à la préservation du matériel. Parvient à arrêter la folie meurtrière de Schumacher. N'a pas le sens de l'humour. (17)

Dick. Intime de la grosse Charlotte et de Geneviève. Très élégant, bon valseur, raffole de la belote et des jolis garçons. Partage sa chambre avec Cava, au côté duquel il paraît dans les mêmes rôles sur la scène de la Colinière. (25)

Émile. Valet. Durant la fête, passe les verres, ramasse Jackie et prête main-forte à Corneille et à Paul pour intercepter Schumacher. (228)

Envoyé du ministre (l'). Représente le ministre qui n'a pas pu venir. Abasourdit André Jurieux, à sa descente d'avion, de félicitations convenues avant de s'effacer devant Octave. (4)

Garde (le premier). L'un des deux acolytes de Schumacher, reconnaissable à sa haute taille et à son accent du terroir. Comme son camarade dont il est inséparable, aide à l'interpellation de Marceau, assiste impuissant à l'embauche de ce dernier, et sera présent au château lors du renvoi de Schumacher. (71)

Garde (le second). L'autre acolyte de Schumacher, portant gibecière et vareuse. (71)

Geneviève (**Geneviève de Maras**). La Parisienne. Belle brune à l'élégance raffinée. Mondaine, spirituelle et cultivée. Esprit libre, mais rêve de se marier. S'accroche, autant par habitude que par jalousie, au marquis de La Chesnaye dont elle est la maîtresse depuis plus de trois ans. Bon fusil, volontiers colérique. S'exhibe sur la scène de la Colinière déguisée en Esmeralda. Ne tient pas l'alcool. (25)

Général (le). Vieille France mais débonnaire. Apprécie les gens qui ont de la classe. Bon vivant et fin tireur, malicieux et bourru. Ne se frappe de rien, sauf des coups de feu intempestifs et des insinuations perfides de Saint-Aubin qu'il sait toujours remettre à sa place. Spectateur enthousiaste du spectacle à la Colinière. A le dernier mot du film. (95)

Germaine. Aide-cuisinière originaire du Midi. Aime les cancans mais respecte les convenances. Petite amie de William. (99)

Ingénieur de chez Caudron (l'). Clair, net et précis. Apporte des précisions techniques sur l'avion d'André Jurieux au micro de Radio-Cité. (8)

Jackie. Nièce des La Chesnaye. Étudie l'art précolombien. Spontanée, émotive, transparente. Amoureuse transie d'André Jurieux dont elle sera la première à pressentir la mort accidentelle. Tombe facilement dans les pommes. (95)

Jardinier (le vieux). Veille avec dévouement sur le château en l'absence de ses maîtres. Sa femme, Gertrude, va bien. (70)

La Bruyère. Possède des usines et une nombreuse famille à Tourcoing. Passablement raseur. Époux dévoué et piètre tireur. Au spectacle, fait partie du quatuor Berthelin. (95)

La Bruyère (**Mme**). Courte et dodue, péremptoire et

maniaque, se pique de connaissances médicales. Assomme son entourage avec ses conseils et ses questions. Étourdie jusqu'à la sottise, rit de tout sans rien comprendre. Assiste au spectacle au côté du général, grimée en Chinoise. (99)

LISETTE (**Lisette Schumacher**). Première femme de chambre et confidente de Madame. Mariée depuis bientôt deux ans à Schumacher. Potelée et piquante, vive et mutine, ne déteste ni les privautés d'Octave ni le bagou de Marceau, mais préfère par-dessus tout le service de Madame. Précipite le dénouement tragique en filoutant son mari avec le pire ennemi de ce dernier, puis en prêtant à sa maîtresse la pèlerine offerte par son époux. Grande mangeuse de pommes. (7)

MARCEAU. Braconnier, bête noire de Schumacher. Roublard, menteur, cabot, amateur de lapins et de femmes. Embobine le marquis de La Chesnaye qui l'engage comme domestique au château, où il devient préposé à l'entretien des chaussures et confident du maître de céans. Parvient sans peine à séduire Lisette malgré la vigilance de Schumacher. Essuie quatre coups de feu de ce dernier en se cachant derrière les gens ou les meubles. Deviendra pourtant le complice de Schumacher lors du meurtre accidentel d'André. Quitte définitivement le château en même temps qu'Octave. N'a pas de vieille mère. (76)

MITZI. Seconde femme de chambre de Christine, importée d'Autriche. S'occupe des caniches et rit tout le temps, même quand Octave lui tape sur les fesses. (17)

OCTAVE. L'ours de la fable. Gros garçon matois et débonnaire, ami de tout le monde, particulièrement d'André Jurieux et des La Chesnaye au crochet desquels il vit. Ancien élève de Stiller, connaît Christine depuis sa jeunesse et la considère comme sa sœur. Parasite jovial aimant la table et les bonnes, entremetteur balourd des amours d'André, déclenche des catastrophes qui manquent de le broyer. Après la mort de son ami dont il est indirectement responsable, déserte à tout jamais le château au côté du braconnier Marceau. (4)

PAUL. Valet de pied des La Chesnaye évoluant dans le sillage de son maître ou de Corneille. À la table des domestiques, cède sa place, à droite de Lisette, au nouveau domestique Marceau. Participera, durant la fête, à l'interception de Schumacher. (23)

POINTARD. Chef des rabatteurs, seconde Schumacher durant la chasse. Après le meurtre d'André Jurieux, sera posté en faction devant la serre. (140)

RADIO-REPORTER (LA). Son boniment ouvre le film. Retransmet, en direct pour ses chers auditeurs, l'arrivée d'André Jurieux au Bourget. N'obtenant du héros du jour qu'une confession déplacée, doit se rabattre sur les explications techniques d'un ingénieur de chez Caudron. (1)

ROBERT (**Robert de La Chesnaye**). Le maître des lieux. Riche parvenu adopté par son milieu. Ami d'Octave. Esthète et collectionneur d'instruments musicaux et mécaniques, esprit tolérant, fin et sensible. Homme de grande classe, mais faible. Marié à Christine depuis trois ans, aimant sincèrement sa femme mais encombré d'une maîtresse dont il ne sait se défaire. Généreux pour ses hôtes, ferme avec ses domestiques et fier de sa caste, se prend d'affection pour le braconnier Marceau qu'il engage au château. Après avoir défendu son honneur à coups de poing, accepte de s'effacer devant son rival, auquel il rend un vibrant hommage après sa mort accidentelle. (18)

SAINT-AUBIN (**DE**). Gigolo sur le retour aux façons ridiculement aristocratiques. Secrètement amoureux de Christine. Esprit mesquin et perfide, se fait rouer de coups par André qu'il a imprudemment injurié. N'est pas un homme du monde. (25)

SCHUMACHER (**Édouard Schumacher**). Garde-chasse en chef et grand ordonnateur des battues de la Colinière. Époux de Lisette, très attaché à sa femme qui le lui rend mal. Originaire d'Alsace, a tué des hommes durant la guerre, et s'en vante. Caractère violent et impulsif. Veut la peau de Marceau, qui dans les bois lui braconne des lapins sous son nez et au château lui vole sa femme à sa barbe – avant d'en faire son complice pour le meurtre accidentel d'André. Tout le monde, à l'exception de Christine, l'appelle « Chumachère ». (70)

WILLIAM. Valet de chambre anglais de Monsieur. Lors de la danse macabre, protège dans ses bras Germaine, la cuisinière, terrifiée à l'approche d'un des valets de la Mort. (110)

LEXIQUE

L'astérisque (*) renvoie à un terme défini ailleurs dans le lexique.

Accompagnement (travelling ou panoramique d') : Travelling* ou panoramique* suivant le sujet filmé dans son mouvement.

Amorce (en) : Se dit d'un personnage ou d'un objet dont une partie se révèle au bord* du cadre. Dans les conversations filmées en champs-contrechamps*, par exemple, il est fréquent que l'interlocuteur apparaisse en amorce de dos au premier plan.

Appareil : Appareil de prise* de vues, caméra.

Bande son, **bande sonore** : Ensemble des sons enregistrés (bruits, voix, musiques) unifié au mixage*.

Bord cadre : Limite rectangulaire de l'espace filmé visible dans la fenêtre de la caméra, puis sur l'écran. On distingue les bords cadre droit, gauche, inférieur, supérieur.

Cadrage, **cadre** : Organisation de l'image délimitée par les quatre bords de la fenêtre de la caméra et reproduite sur l'écran. Dépend de la disposition de l'appareil* par rapport au sujet filmé, du choix de l'objectif* et des mouvements* éventuels de la caméra ou du sujet (le cadre peut alors s'élargir, se resserrer ou se déplacer par rapport au sujet filmé). Voir **Plans (échelle des)**.

Champ : Partie de l'espace filmée par la caméra et visible à l'écran. On dit d'un personnage qu'il entre dans le champ lorsqu'il pénètre dans cet espace en cours de plan*. Voir aussi **Champ-contrechamp**.

Champ-contrechamp : Succession de deux plans* montrant alternativement le champ*, puis le contrechamp*. Figure stylistique employée notamment pour filmer deux personnages dialoguant.

Continu (en) : Se dit d'une réplique se poursuivant sans interruption à l'intérieur d'un même plan * ou, surtout, d'un plan à l'autre. Voir aussi **Raccord.**

Contrechamp : Partie de l'espace filmé diamétralement opposée au champ*. Voir aussi **Champ-contrechamp**.

Contreplongée : Cadrage dans lequel le sujet domine la caméra placée en contrebas. Position inverse de la plongée*.

Coupe (plan de) : Plan* introduit au montage* afin d'assurer la continuité dramatique d'une scène*. Par exemple, plan bref montrant l'entrée d'un nouveau personnage dans une pièce.

Cut : Le montage* de deux plans* sans fondu* ni autre effet de ponctuation visuelle est dit montage *cut*. S'emploie particulièrement pour le passage du dernier plan d'une séquence* au premier plan de la suivante.

Décor mobile : Construction légère, préparée à l'atelier, puis installée en extérieurs* et à l'air libre sous une bâche. Permet de figurer par exemple l'intérieur d'une pièce dont la fenêtre ou la porte s'ouvre sur un extérieur réel.

Découpage : Document utile au tournage (généralement rédigé par le metteur en scène) qui divise le film en séquences* et plans* numérotés et porte de façon plus ou moins précise les indications techniques visuelles et sonores. Par extension, désigne l'organisation (cadrages* et montage*) d'une séquence.

Découpage après montage ou **plan à plan** : Retranscription minutieuse, rédigée à partir d'une copie, de tout ou partie d'un film. Souvent confondu, par contresens, avec le scénario*.

Découverte : Vaste panneau photographique placé à l'arrière-plan d'une porte ou d'une fenêtre pour simuler en studio un paysage ou un motif décoratif inanimé.

Extérieur (**jour** ou **nuit**) : Dénomination conventionnelle qualifiant dans un découpage* une scène* diurne ou nocturne se déroulant dans un espace extérieur (qu'il soit filmé en extérieurs* réels ou reconstitué en studio).

Extérieurs : Tout décor ou paysage réel dans lequel est tournée une scène* (d'extérieur ou d'intérieur), à l'inverse de ceux reconstitués en studio.

Faux raccord : Voir **Raccord**.

Fermeture au noir : Voir **Fondu au noir**.

Filé : Se dit d'un mouvement* rapide de l'appareil* qui balaie une portion de paysage ou de décor. Voir **Panoramique** et **Travelling**.

Fondu : Trucage permettant de marquer une nette ponctuation en début ou en fin de plan* par l'apparition ou la disparition progressive de l'image. Dans le **fondu au noir**, l'image s'obscurcit totalement (elle peut aussi naître du noir : **ouverture au noir**). Dans le **fondu enchaîné**, le début d'un plan se superpose progressivement à la fin du précédent.

Générique : Partie d'un film, généralement placée au début ou à la fin de celui-ci (voire aux deux), et qui en donne le titre, la liste (détaillée ou succincte) des personnes et organismes ayant participé à sa réalisation et leurs attributions, ainsi que toute autre indication jugée utile.

Hors-champ : Espace non visible à l'écran mais pouvant contenir des éléments utiles à la compréhension de l'action. On dit d'un personnage ou d'un objet qu'il est **hors champ** s'il est situé dans cet espace.

Insert : Bref gros plan* inséré dans une séquence* filmée en plans plus larges afin de mettre en valeur un personnage ou un objet.

Intérieur (**jour** ou **nuit**) : Dénomination conventionnelle qualifiant dans un découpage* une scène* diurne ou nocturne se déroulant dans un espace intérieur (réel ou reconstitué en studio).

Mixage : Une des dernières opérations techniques de la fabrication d'un film. Consiste à assembler entre eux les différents éléments de la bande son* et à les associer à l'image.

Montage : Opération technique visant à coller bout à bout les plans* dans l'ordre souhaité. Par extension, désigne la conception esthétique qui préside au découpage d'une séquence* et à l'ordonnancement des plans entre eux. Le rythme du montage dépend notamment du nombre des plans et de leur longueur.

Mouvement d'appareil : Terme générique désignant le panoramique*, le travelling* ou la combinaison de ces deux procédés.

Objectif : Dispositif optique intégré à la caméra et orienté vers le sujet dont il permet d'enregistrer l'image. Par métonymie, désigne la caméra tout entière.

Off : Élément sonore (réplique, bruit, musique, voire commentaire) produit hors champ*. Ce son cesse d'être *off* dès que sa source entre, d'une façon ou d'une autre, dans le champ*.

Ouverture au noir : Voir **Fondu**.

Pano : Abréviation de panoramique*.

Panoramique : Rotation de la caméra qui pivote sur son axe, soit de droite à gauche (ou inversement), soit de haut en bas (ou inversement), et permettant de balayer un espace ou de suivre un déplacement. L'amplitude du panoramique est variable et peut s'apprécier en degrés. Par exemple, dans un panoramique droite à 90° (ou à 90° droite), la caméra effectue une rotation sur son axe d'un quart de cercle vers la droite. Le **panoramique filé** correspond à une rotation très rapide de l'appareil. Le mouvement panoramique peut se combiner avec un travelling* (**pano-travelling**).

Pano-travelling : Voir **Panoramique** ou **Travelling**.

Photogramme : Cliché tiré directement à partir du négatif ou d'une copie du film dont il reproduit ainsi à l'identique une image.

Photographie de plateau : Photographie prise, à des fins promotionnelles, sur le plateau de tournage par un photographe spécialisé et représentant une scène du film. De tels clichés, effectués avant ou après la prise* de vues, reproduisent rarement à l'identique les attitudes des comédiens et les cadrages* que l'on verra dans le film achevé.

Photographie de tournage : Photographie* de plateau montrant les coulisses du tournage.

Plan : Suite d'images, d'une durée très variable, enregistrées en une même prise* de vues. Unité de base du découpage* et du tournage d'un film. Voir aussi **Plan-séquence**.

Plans (échelle des) : Par commodité ou par souci de classification, on distingue la taille du cadrage* en fonction de l'inscription du sujet dans l'espace filmé :

le **plan général** ou **d'ensemble** privilégie un décor ou un paysage cadré de loin ;

le **plan de demi-ensemble** privilégie le personnage dans un espace visible de plus près ;

le **plan moyen** cadre le personnage en pied ;

le **plan américain** cadre le personnage aux cuisses ;

le **plan rapproché** serre le personnage à la ceinture, à la poitrine ou aux épaules ;

le **gros plan** isole le visage du personnage, une partie du corps (main...) ou un objet ;

le **très gros plan** isole un détail d'un objet ou d'une partie du corps (bouche, œil...).

Lorsque l'appareil* cadre surtout des personnages, on peut désigner la taille du plan par la partie du corps visible dans la limite inférieure du cadre* (plan genou, plan cuisse, plan ceinture, plan poitrine, etc.) ou dire des personnages qu'ils sont cadrés genou, cadrés cuisse, etc.

On change d'échelle de plan, soit en passant d'un plan à l'autre, soit en recourant à un mouvement* d'appareil ou à un effet optique (zoom) au cours d'un même plan.

Plan fixe : Plan* où la caméra et l'objectif* restent fixes, sans recourir au travelling*, au panoramique* ou au zoom. Un même plan peut cependant alterner fixité et mouvement* d'appareil.

Plan flash ou **flash** : Plan* d'une exceptionnelle brièveté.

Plan-séquence : Séquence* tenant tout entière en un plan* unique particulièrement long. Le « plan long » enregistre plusieurs actions successives sans constituer pour autant un plan-séquence.

Plongée : Cadrage* dans lequel la caméra surplombe le sujet.

Prise, prise de vues : Enregistrement d'un plan*. Chaque plan donne généralement lieu à plusieurs prises, parmi lesquelles le metteur en scène et le monteur choisiront celle qui devra être retenue au montage*.

Profondeur de champ : Partie du champ*, filmée en perspective, à l'intérieur de laquelle sujets et espaces apparaissent nets. Permet de montrer dans un même plan* plusieurs actions se déroulant simultanément au premier plan et à l'arrière-plan.

Raccord : Cohérence qui exige la continuité entre deux plans* successifs : raccord dans le mouvement des comédiens, direction des regards, détail du costume, éclairage de la scène, continuité sonore, etc. Un **mauvais raccord** ou **faux raccord** souligne au contraire un hiatus (généralement involontaire). Le **raccord dans l'axe** inscrit le nouveau plan dans le même axe que le précédent tout en éloignant ou en rapprochant la caméra.

Recadrage : Léger mouvement* de caméra permettant de **recadrer** le sujet pris dans l'action.

Recentrage : Recadrage* permettant de ramener au centre de l'image un sujet qui s'est déplacé.

Rushes : Ensemble des prises* tirées parmi celles effectuées pour un plan* donné.

Scénario : Texte rédigé par un ou plusieurs scénaristes (parmi lesquels figure ou non le metteur en scène) et qui décrit en détail l'action et le dialogue des différentes scènes* ou séquences* que l'on envisage de tourner.

Séquence, scène : Au sens strict, la séquence est une suite de plans* constituant un ensemble dont la cohérence peut venir de l'unité d'espace, de temps, d'action, etc., et dont les extrémités sont délimitées par le montage*. Un plan relativement long peut constituer à lui seul une séquence (voir **Plan-séquence**).

La scène, terme inspiré du langage littéraire, désigne une unité dramatique plus vague mais qui correspond davantage à la perception qu'en a le spectateur, quels que soient les éléments qui permettent de la délimiter.

Les deux termes sont souvent employés à tort l'un pour l'autre.

Synopsis : Texte court, rédigé par le scénariste ou le metteur en scène, et présentant le résumé ou l'ébauche du scénario*. En règle générale, le synopsis ne contient pas de dialogues.

Transparence : Écran sur lequel est projetée en studio une image mobile devant laquelle les comédiens sont simultanément filmés. Artifice utilisé par exemple pour simuler le déplacement d'un personnage devant un paysage animé.

Travelling : Déplacement de la caméra obtenu grâce à un chariot placé sur des rails, une grue, etc. On distingue travelling avant, arrière, latéral (droite ou à droite, gauche ou à gauche), ascendant, descendant, enveloppant... Le travelling peut se combiner avec un panoramique* (**pano-travelling***).

SÉLECTION BIBLIOGRAPHIQUE

La littérature historique et critique sur Jean Renoir et La Règle du jeu *est une des plus considérables qu'un cinéaste ou un de ses films aient engendrées, en France comme à l'étranger. On trouvera ici un choix, volontairement draconien, de références indispensables ou faciles d'accès et toutes, à deux exceptions près, de langue française.*

Synopsis et scénarios de *La Règle du jeu*

« Après la chasse », extrait présenté par François Truffaut, *Cahiers du cinéma*, n° 38, août-septembre 1954, pp. 10-15.

« Scénario provisoire de *La Règle du jeu* (extraits) », présenté par François Truffaut, *in* André Bazin, *Jean Renoir* (1971), Lebovici, 1989, pp. 186-196.

« Jean Renoir : *La Règle du jeu* », quatre synopsis et quatre extraits du scénario, inédits présentés par Claude Gauteur, *Positif*, n° 257-258, juillet-août 1982, pp. 35-50.

CURCHOD Olivier et FAULKNER Christopher, *« La Règle du jeu » : scénario original de Jean Renoir*, édition critique commentée, Nathan, coll. « Cinéma », 1999, 384 p.

Textes et propos de Jean Renoir

Pierre-Auguste Renoir, mon père (1962), Gallimard, coll. « Folio », 1981, 510 p.

Ma vie et mes films (1974), Flammarion, coll. « Champs *Contre-Champs* », 1987, 286 p.

Entretiens et Propos (1979), présentés par Jean Narboni et Claude Gauteur, Ramsay, coll. « Ramsay poche cinéma », 1986, 168 p.

Études générales sur Jean Renoir

BAZIN André, *Jean Renoir* (1971), Lebovici, 1989, 286 p.

BERTIN Célia, *Jean Renoir* (1986), Le Rocher, 1994, 482 p.

BEYLIE Claude, « Jean Renoir : le spectacle, la vie », *Cinéma d'aujourd'hui*, n° 2, mai-juin 1975, 144 p.

GAUTEUR Claude, *Jean Renoir : la double méprise (1925-1939)*, Les Éditeurs français réunis, 1980, 220 p.

SESONSKE Alexander, *Jean Renoir : The French Films (1924-1939)*, Harvard University Press, Cambridge, 1980, 464 p.

Études sur *La Règle du jeu*

AUMONT Jacques, « L'espace et la matière », *in* Jacques Aumont et Jean-Louis Leutrat éds., *Théorie du film*, Albatros, coll. « Ça/Cinéma », 1980, pp. 9-20.

BRUNELIN André-G., « Histoire d'une malédiction », *Cinéma 60*, n° 43, février 1960, pp. 36-64.

CAVELL Stanley, *La Projection du monde*, Belin, coll. « L'extrême contemporain », 1999, pp. 274-286.

Collectif, *« La Règle du jeu », Jean Renoir*, Hatier, coll. « Profil d'une œuvre », 1998, 192 p.

CURCHOD Olivier, « Jean Renoir au four et au moulin », *Vertigo*, n° 15, 1996, pp. 35-40.

CURCHOD Olivier, « Ballet tragique à Brinon-sur-Sauldre : 16 morts. La chasse de *La Règle du jeu* » *Vertigo*, n° 19, à paraître automne 1999.

LANCREY-JAVAL Romain, *« La Règle du jeu » de Renoir*, Hachette, coll. « Repères Hachette », 1998, 128 p.

VANOYE Francis, *« La Règle du jeu », Jean Renoir, étude critique* (1989), Nathan, coll. « Synopsis », édition revue et corrigée, 1998, 128 p.

Pour un approfondissement de la bibliographie sur Renoir, on pourra consulter les ouvrages suivants :

BESSY Maurice et BEYLIE Claude, *Jean Renoir*, Pygmalion/Watelet, 1989, 320 p.

FAULKNER Christopher, *Jean Renoir : A Guide to References and Resources*, G.K. Hall, Boston, 1979, 360 p.

VIRY-BABEL Roger, *Jean Renoir : films/textes/références*, Presses universitaires de Nancy, 1989, 136 p.

Pour une bibliographie plus complète concernant seulement La Règle du jeu, *on se reportera à celle proposée par Olivier Curchod et Christopher Faulkner (*op. cit.*), pp. 371-381.*

Table

Liste des ouvrages de Major Bac parus aux Presses Universitaires de France

Les ouvrages de la collection Major Bac s'organisent en trois grands ensembles :

Les *Premières Leçons* permettent d'aborder l'œuvre et d'en dégager les principales lignes directrices.

Premières Leçons sur *Les Châtiments* de Hugo, Christine Marcandier-Colard

Premières Leçons sur le roman de Maupassant, Alain Quesnel

Premières Leçons sur maîtres et valets dans la comédie du XVIIIe siècle, Richard Robert

Premières Leçons sur *Nouvelles de Pétersbourg* de Gogol, Anastasia Vinogradova

Les *Thèmes et sujets* présentent rapidement les grands thèmes de l'œuvre ou de la question et éclairent chacun d'eux par plusieurs sujets de dissertation entièrement rédigés.

Les romans de Maupassant et de Zola, *thèmes et sujets*, Guy Fessier

Maîtres et valets dans la comédie du XVIIIe siècle, *thèmes et sujets*, Charles Ammirati

Les *Textes commentés* permettent à l'élève de se préparer à l'épreuve d'explication des textes du programme.

Les romans de Maupassant et de Zola, *textes commentés*, Danièle Le Gall

Composition réalisée par A2L - PARIS

IMPRIMÉ EN FRANCE PAR BRODARD ET TAUPIN
La Flèche (Sarthe)
LIBRAIRIE GÉNÉRALE FRANÇAISE - 43, quai de Grenelle - 75015 Paris.

ISBN : 2 - 253 - 14559 - 9 31/4559/6